ORIGENS

Neil deGrasse Tyson
e Donald Goldsmith

ORIGENS

CATORZE BILHÕES DE ANOS DE
EVOLUÇÃO CÓSMICA

O apresentador da série
Cosmos: Odisseia no espaço

Tradução
Rosaura Eichenberg

🜨 Planeta

Copyright © Neil deGrasse Tyson e Donald Goldsmith, 2004
Copyright © Editora Planeta do Brasil, 2016
Todos os direitos reservados.
Título original: *Origins. Fourteen billion years of cosmic evolution*

Preparação: Iracy Borges
Revisão: Marcia Benjamin
Revisão técnica: Cássio Barbosa
Diagramação: Futura
Capa: Departamento de criação Editora Planeta Brasil
Imagem de capa: © Andrew Toth / Contributor / Getty Images
North-america nebula / CC0 Public Domain

DADOS INTERNACIONAIS DE CATALOGAÇÃO NA PUBLICAÇÃO (CIP)
ANGÉLICA ILACQUA CRB-8/7057

Tyson, Neil de Grasse
    Origens: catorze bilhões de anos de evolução cósmica / Neil de Grasse Tyson e Donald Goldsmith; tradução de Rosaura Eichenberg. – São Paulo: Planeta do Brasil, 2015.
    384 p.

    ISBN: 978-85-422-0544-2
    Título original: Origins: fourteen billion years of cosmic evolution

    1. Vida – Origem 2. Cosmologia 3. Evolução humana 4. Astronomia I. Título II. Goldsmith, Donald III. Eichenberg, Rosaura

15-0648   CDD 523.1

Índices para catálogo sistemático:
1. Cosmologia

2021
Todos os direitos desta edição reservados à
EDITORA PLANETA DO BRASIL LTDA.
Rua Bela Cintra, 986 – 4º andar
01415-002 – Consolação – São Paulo-SP
www.planetadelivros.com.br
faleconosco@editoraplaneta.com.br

Para todos aqueles que olham para
o alto e buscam descobrir,

E para todos aqueles que ainda não sabem
por que deveriam fazê-lo.

SUMÁRIO

AGRADECIMENTOS 9
PREFÁCIO 11
A MAIOR HISTÓRIA JÁ CONTADA 19

PARTE I A ORIGEM DO UNIVERSO

CAPÍTULO 1　No Início 29
CAPÍTULO 2　A antimatéria importa 43
CAPÍTULO 3　Que se faça a luz 51
CAPÍTULO 4　Que se faça escuro 63
CAPÍTULO 5　Que se faça mais escuro 79
CAPÍTULO 6　Um universo ou muitos? 101

PARTE II A ORIGEM DAS GALÁXIAS E A ESTRUTURA CÓSMICA

CAPÍTULO 7　Descobrindo galáxias 113
CAPÍTULO 8　A origem da estrutura 125

PARTE III A ORIGEM DAS ESTRELAS

CAPÍTULO 9   Da poeira à poeira 151
CAPÍTULO 10   O zoo dos elementos 173

PARTE IV A ORIGEM DOS PLANETAS

CAPÍTULO 11   Quando os mundos eram jovens 191
CAPÍTULO 12   Entre os planetas 203
CAPÍTULO 13   Mundos inumeráveis: planetas além do sistema solar 215

PARTE V A ORIGEM DA VIDA

CAPÍTULO 14   A vida no universo 237
CAPÍTULO 15   A origem da vida sobre a Terra 245
CAPÍTULO 16   Procurando por vida no sistema solar 265
CAPÍTULO 17   Procurando por vida na galáxia da Via Láctea 291
CODA   A busca de nós mesmos no cosmos 309

GLOSSÁRIO DE TERMOS SELECIONADOS 315
LEITURA COMPLEMENTAR 343
ÍNDICE REMISSIVO 347
ABREVIATURAS 361
CRÉDITOS DAS IMAGENS 363

AGRADECIMENTOS

Por ler e reler o manuscrito, assegurando que queremos dizer o que afirmamos e que afirmamos o que queremos dizer, somos gratos a Robert Lupton da Universidade de Princeton. Seu conhecimento combinado de astrofísica e língua inglesa permitiu que o livro atingisse vários pontos altos que não tínhamos imaginado poder atingir. Somos também gratos a Sean Carroll do Instituto Fermi de Chicago, a Tobias Owen da Universidade do Havaí, a Steven Soter do Museu Americano de História Natural, a Larry Squire de UC San Diego, a Michael Strauss da Universidade de Princeton, e ao produtor Tom Levenson da PBS NOVA por sugestões-chave que aperfeiçoaram várias partes do livro.

Por manifestar confiança no projeto desde o início, agradecemos a Betsy Lerner da Gernert Agency, que compreendeu nosso manuscrito não só como um livro, mas também como a expressão de um profundo interesse pelo cosmos, merecedor do maior público possível com o qual partilhar esse amor.

Os segmentos principais da Parte II e diversos segmentos das Partes I e III apareceram pela primeira vez como ensaios na revista *Natural History* atribuídos a NDT (Neil deGrasse Tyson). Por isso, ele é grato a Peter Brown, o redator-chefe da revista, e especialmente a Avis Lang, seu editor mais antigo, que continua a trabalhar heroicamente como um orientador literário culto das tentativas de escrita de NDT.

Os autores reconhecem ainda o apoio da Fundação Sloan na redação e preparação deste livro. Continuamos a admirar seu legado de apoio para projetos como este.

Neil deGrasse Tyson, cidade de Nova York
Donald Goldsmith, Berkeley, Califórnia
Junho de 2004

PREFÁCIO

MEDITAÇÃO SOBRE AS ORIGENS DA CIÊNCIA E A CIÊNCIA DAS ORIGENS

Tem surgido e continua a florescer uma nova síntese do conhecimento científico. Em anos recentes, as respostas a questões sobre nossas origens cósmicas não têm vindo unicamente do domínio da astrofísica. Ao trabalhar sob o guarda-chuva de áreas emergentes que têm nomes como astroquímica, astrobiologia e astrofísica de partículas, os astrofísicos têm reconhecido que podem tirar grande proveito da infusão colaboradora de outras ciências. Invocar múltiplos ramos da ciência para responder à pergunta: "De onde viemos?" habilita os investigadores a compreender como funciona o universo com uma amplitude e profundidade intuitivas antes inimagináveis.

Em *Origens: catorze bilhões de anos de evolução cósmica*, introduzimos o leitor nessa nova síntese de conhecimento, que nos permite abordar não só a origem do universo, mas também a origem das maiores estruturas que a matéria tem formado, a origem das estrelas que iluminam o cosmos, a origem dos planetas que oferecem os sítios mais prováveis para a vida e a origem da própria vida sobre um ou mais desses planetas.

Os humanos continuam fascinados pelo tópico das origens por muitas razões, tanto lógicas como emocionais. Não conseguimos compreender a essência de coisa nenhuma sem saber de onde veio. E de todas as histórias que escutamos, aquelas que recontam nossas próprias origens ressoam mais profundamente dentro de nós.

O egocentrismo inato, incubado na medula dos ossos por nossa evolução e experiência sobre a Terra, tem nos levado naturalmente a focalizar os eventos e fenômenos locais, quando narramos a maioria das histórias da origem. Entretanto, todo avanço em nosso conhecimento do cosmos tem revelado que vivemos num grão de poeira cósmica, que orbita uma estrela medíocre nas longínquas periferias de um tipo comum de galáxia, entre cem bilhões de galáxias no universo. A notícia de nossa insignificância cósmica desencadeia mecanismos de defesa impressionantes na psique humana. Muitos de nós se parecem inadvertidamente com o homem do cartum, aquele que contempla o céu estrelado e observa para seu companheiro: "Quando vejo todas essas estrelas, impressiona-me o quanto elas são insignificantes".

Ao longo de toda a história, diferentes culturas têm produzido mitos da criação que explicam nossas origens como o resultado de forças cósmicas que formam nosso destino. Essas histórias têm nos ajudado a evitar sentimentos de insignificância. Embora comecem tipicamente em panorâmica, as histórias das origens baixam para a Terra com impressionante rapidez, zunindo pela criação do universo, de tudo que ele contém e da vida sobre a Terra, para chegar a longas explicações de miríades de detalhes da história humana e seus conflitos sociais, como se de algum modo formássemos o centro da criação.

Quase todas as diversas respostas à busca das origens aceitam como premissa subjacente que o cosmos se comporta de acordo com regras gerais, as quais se revelam, ao menos em princípio, ao cuidadoso exame do mundo ao redor de nós. Antigos filósofos gregos elevaram essa premissa a alturas exaltadas, insistindo que nós humanos possuímos a capacidade de perceber o modo como a natureza opera, bem como a realidade subjacente ao que observamos: as verdades fundamentais que regem tudo o mais. É bem compreensível que tenham insistido que seria difícil revelar essas verdades. Há dois mil e trezentos anos, na sua mais famosa reflexão sobre nossa ignorância, o filósofo grego Platão comparou aqueles que se empenham em obter o conhecimento a prisioneiros acorrentados numa caverna, incapazes de ver os objetos atrás deles, e tentando deduzir das sombras desses objetos uma descrição acurada da realidade.

Com essa comparação, Platão não só resumiu as tentativas humanas de compreender o cosmos, mas também enfatizou que temos uma tendência natural para acreditar que entidades misteriosas e vagamente percebidas regem o universo, versadas num conhecimento que podemos, quando muito, vislumbrar apenas em parte. De Platão a Buda, de Moisés a Maomé, de um criador cósmico hipotético a filmes modernos sobre "a matriz", os humanos em toda e qualquer cultura têm concluído que poderes mais elevados regem o cosmos, dotados de uma compreensão do abismo entre a realidade e a aparência superficial.

Há meio milênio, uma nova abordagem para compreender a natureza se estabeleceu lentamente. Essa atitude, que agora chamamos de ciência, surgiu da confluência de novas tecnologias e das descobertas que elas promoveram. A disseminação de livros impressos pela Europa, junto com melhora simultânea nas viagens por terra e água, permitiu que os indivíduos se comunicassem com mais rapidez e eficácia, de modo que puderam ficar sabendo o que os outros tinham a dizer e reagir muito mais rapidamente do que no passado. Durante os séculos XVI e XVII, isso instigou debates de um lado a outro, e abriu um novo meio de adquirir conhecimento, baseado no princípio de que o meio mais eficaz de compreender o cosmos depende de observações cuidadosas, acopladas a tentativas de especificar princípios amplos e básicos que explicam um conjunto dessas observações.

Mais um conceito deu origem à ciência. A ciência depende de um ceticismo organizado, isto é, de uma dúvida contínua e metódica. Poucos de nós duvidamos de nossas próprias conclusões, assim a ciência adota sua abordagem cética recompensando aqueles que duvidam das conclusões de outros. Podemos dizer com razão que essa abordagem é desnaturada; não tanto por requerer que se desconfie dos pensamentos de alguém, mas porque a ciência encoraja e recompensa aqueles capazes de demonstrar que as conclusões de outro cientista estão simplesmente erradas. Para os outros cientistas, aquele que corrige o erro de um colega, ou cita boas razões para duvidar seriamente de suas conclusões, executa um ato nobre, como um mestre Zen ao dar uma bofetada nas orelhas de um iniciante que se desvia do caminho meditativo, embora os cientistas se corrijam mais como iguais do que como mestre e discípulo. Ao recompensar um cientista que detecta os erros de outro – uma tarefa que a natureza humana faz com muito mais facilidade do que discernir seus próprios erros – os cientistas como grupo criaram um sistema inato de autocorreção. Produziram coletivamente nossa ferramenta mais eficiente e eficaz para analisar a natureza, porque procuram refutar as teorias de outros cientistas mesmo quando apoiam suas tentativas sérias de fazer avançar o conhecimento humano. Assim, a ciência equivale a uma busca coletiva, mas não é, nem foi criada para ser, uma sociedade de admiração mútua.

Como todas as tentativas do progresso humano, a abordagem científica funciona melhor na teoria do que na prática. Nem todos os cientistas duvidam uns dos outros tão efetivamente como deveriam. A necessidade de impressionar cientistas que ocupam posições poderosas, e que são às vezes dominados por fatores que estão além de seu conhecimento consciente, pode interferir na capacidade autocorretiva da ciência. A longo prazo, entretanto, os erros não têm como perdurar, porque outros cientistas os descobrirão e promoverão suas próprias carreiras ao anunciar a novidade. Aquelas conclusões que sobrevivem aos ataques de outros cientistas atingirão por fim o *status* de "leis" científicas, aceitas como descrições válidas da realidade, ainda que os cientistas compreendam que cada uma dessas leis pode vir a se revelar no futuro apenas parte de uma verdade maior e mais profunda.

Mas os cientistas não passam todo o seu tempo tentando provar que uns e outros estão errados. A maioria dos esforços científicos prossegue testando hipóteses imperfeitamente estabelecidas contra resultados da observação um pouco melhorados. De vez em quando, porém, aparece uma abordagem significativamente nova de uma teoria importante, ou (com mais frequência numa era de progresso tecnológico) toda uma nova gama de observações abre caminho para um novo conjunto de hipóteses que visam a explicar esses novos resultados. Os maiores momentos da história científica têm surgido, e sempre surgirão, quando uma nova explicação, talvez junto com novos resultados da observação, produz uma mudança sísmica em nossas conclusões sobre o funcionamento da natureza. O progresso científico depende de indivíduos em ambos os campos: daqueles que reúnem os melhores dados e extrapolam-nos; e daqueles que arriscam muito – e têm muito a ganhar, se tiverem sucesso – desafiando conclusões amplamente aceitas.

O núcleo cético da ciência torna-a uma concorrente pobre para conquistar corações e mentes humanos, que se encolhem diante de suas controvérsias contínuas e preferem a segurança de verdades aparentemente eternas. Se fosse apenas mais uma interpretação do cosmos, a abordagem científica nunca teria angariado grande importância, mas o enorme sucesso da ciência reside no fato de que funciona. Se você embarca numa aeronave construída de acordo com a ciência – com princípios que sobreviveram a numerosas tentativas de provar que estão errados – você tem uma chance muito melhor de chegar a seu destino do que numa aeronave construída pelas regras da astrologia védica.

Ao longo de toda a história relativamente recente, confrontadas com o sucesso da ciência na explicação dos fenômenos naturais, as pessoas têm reagido de acordo com uma dentre quatro maneiras. Primeiro, uma pequena minoria tem adotado o método científico como nossa melhor esperança de compreender a natureza, e não procura maneiras adicionais para compreender o universo. Segundo, um número muito maior ignora a ciência, julgando-a desinteressante, opaca ou oposta ao espírito humano. (Aqueles que veem televisão vorazmente, sem fazer sequer uma pausa para se perguntar de onde vêm as imagens e o som, lembram-nos que as palavras "magia" e "máquina" partilham raízes etimológicas profundas.) Terceiro, outra minoria, consciente do ataque que a ciência parece fazer a suas crenças acalentadas, procura ativamente desacreditar os resultados científicos que a incomodam ou enraivecem. Assim age, entretanto, completamente fora da estrutura cética da ciência, como se pode constatar facilmente perguntando a uma dessas pessoas: "Que evidência o convenceria de que está errado?". Esses anticientistas ainda sentem o choque que John Donne descreveu em seu poema "Uma anatomia do mundo: o primeiro aniversário", escrito em 1611 quando apareceram os primeiros frutos da ciência moderna:

> *E a nova filosofia de tudo duvida,*
> *O elemento de fogo está por inteiro extinto,*
> *O Sol se perdeu, e a terra, e de homem algum o sagaz*
> *Espírito sabe indicar onde buscar o perdido.*
> *Que está gasto o mundo, os homens confessam livremente,*

Quando nos planetas e no firmamento
Procuram outros tantos novos; veem que este [mundo]
Desintegrou-se de volta a seus átomos.
Tudo em pedaços, toda a coerência desaparecida...

Quarto, outra grande parte do público aceita a abordagem científica da natureza, mantendo ao mesmo tempo uma crença em entidades sobrenaturais que, existentes além de nossa inteira compreensão, regem o cosmos. Baruch Spinoza, o filósofo que criou a ponte mais forte entre o natural e o sobrenatural, rejeitava qualquer distinção entre natureza *e* Deus, insistindo que o cosmos é simultaneamente natureza e Deus. Os adeptos de religiões mais convencionais, que costumam insistir nessa distinção, conciliam frequentemente os dois, separando mentalmente os domínios em que o natural e o sobrenatural operam.

Não importa o campo em que você esteja, ninguém duvida de que estes tempos são auspiciosos para aprender o que há de novo no cosmos. Vamos então prosseguir em nossa aventura de buscar as origens cósmicas, agindo como detetives que deduzem os fatos do crime a partir da evidência deixada para trás. Convidamos você a participar conosco dessa procura de pistas cósmicas – e dos meios de interpretá-las – para que juntos possamos revelar a história de como parte do universo se transformou em nós mesmos.

A MAIOR HISTÓRIA JÁ CONTADA

O mundo tem persistido por muitos longos anos, desde que foi posto em andamento outrora nos movimentos apropriados. A partir deles, seguiu-se tudo o mais.

– Lucrécio

A MAIOR HISTÓRIA
JÁ CONTADA

H á uns 14 bilhões de anos, no início do tempo, todo o espaço, toda a matéria e toda a energia do universo conhecido cabiam dentro da cabeça de um alfinete. O universo era naquele momento tão quente que as forças básicas da natureza, que descrevem coletivamente o universo, estavam fundidas numa única força. Quando o universo apresentava extremos 10^{30} graus e apenas 10^{-43} segundos de idade – o tempo antes do qual todas as nossas teorias da matéria e espaço perdem seu significado – buracos negros se formavam espontaneamente, desapareciam e formavam-se de novo a partir da energia contida dentro do campo de força unificado. Sob essas condições extremas, no que é admitidamente física especulativa, a estrutura do espaço e tempo tornou-se fortemente curvada ao borbulhar uma estrutura esponjosa e espumante. Durante essa época, os fenômenos descritos pela teoria da relatividade geral de Eisntein (a moderna teoria da gravidade) e pela mecânica quântica (a descrição da matéria em suas menores escalas) eram indistinguíveis.
Quando o universo se expandiu e esfriou, a gravidade se desuniu das outras forças. Pouco mais tarde, a força nuclear forte e a força eletrofraca separaram-se uma da outra, um evento acompanhado por uma enorme liberação de energia armazenada que induziu um rápido aumento de dez na quinquagésima potência no tamanho do universo. A rápida expansão, conhecida como a "época da inflação", estendeu

e suavizou a matéria e a energia de modo que qualquer variação na densidade de uma parte do universo para a seguinte tornou-se menos que uma em cem mil.

Seguindo adiante com o que é agora física confirmada em laboratórios, o universo era quente o suficiente para que os fótons convertessem espontaneamente sua energia em pares de partículas matéria-antimatéria, que logo depois se aniquilavam mutuamente, devolvendo sua energia em fótons. Por razões desconhecidas, essa simetria entre matéria e antimatéria tinha sido "quebrada" na prévia separação das forças, o que causou um ligeiro excesso de matéria sobre a antimatéria. A assimetria era pequena, mas foi crucial para a evolução futura do universo: para cada 1 bilhão de partículas antimatéria, nasciam 1 bilhão + 1 partícula de matéria.

Enquanto o universo continuava a esfriar, a força eletrofraca se dividiu em força eletromagnética e em força nuclear fraca, completando as quatro forças distintas e familiares da natureza. Embora a energia do banho de fótons continuasse a cair, pares de partículas matéria-antimatéria já não podiam ser criadas espontaneamente a partir dos fótons existentes. Todos os pares restantes de partículas matéria-antimatéria se aniquilaram rapidamente, deixando atrás um universo com uma partícula de matéria comum para cada bilhão de fótons – e nenhuma antimatéria. Se essa assimetria "matéria mais que antimatéria" não tivesse surgido, o universo em expansão seria para sempre composto de luz e nada mais, nem mesmo astrofísicos. Durante um período de aproximadamente três minutos, a matéria se transformou em prótons e nêutrons, muitos dos quais se combinaram para transformar-se nos núcleos atômicos mais simples. Enquanto isso, os elétrons que perambulavam livres dispersaram completamente os fótons de um lado para outro, criando uma sopa opaca de matéria e energia.

Quando o universo esfriou abaixo de uns poucos milhares de graus Kelvin – um pouco mais quente que um alto-forno – os elétrons soltos se moveram com suficiente lentidão para serem capturados da sopa pelos núcleos errantes e passarem a formar átomos completos de hidrogênio, hélio e lítio, os três elementos mais leves. O universo se tornara (pela primeira vez) transparente à luz visível, e esses fótons em voo livre são hoje observáveis como a radiação cósmica de fundo em micro-ondas. Durante seus primeiros bilhões de anos, o universo continuou a se expandir e esfriar, enquanto a matéria gravitava formando as massivas concentrações que chamamos de galáxias. Apenas dentro do volume do cosmos que podemos ver, formaram-se cem bilhões dessas galáxias, cada uma contendo centenas de bilhões de estrelas que passam por fusão termonuclear em seus núcleos. As estrelas com mais do que aproximadamente dez vezes a massa do Sol atingem suficiente pressão e temperatura em seus núcleos para manufaturar dúzias de elementos mais pesados que o hidrogênio, inclusive os elementos que compõem os planetas e a vida sobre eles. Esses elementos seriam embaraçosamente inúteis, se permanecessem trancados dentro da estrela. Mas as estrelas de massa elevada explodem ao morrer, espalhando suas entranhas quimicamente enriquecidas por toda a galáxia.

Depois de 7 ou 8 bilhões de anos desse enriquecimento, uma estrela medíocre (o Sol) nasceu numa região medíocre (o braço do Órion) de uma galáxia medíocre (a Via Láctea) numa parte medíocre do universo (a periferia do superaglomerado de Virgem). A nuvem de gás da qual se formou o Sol continha um suprimento de elementos pesados suficiente para gerar alguns planetas, milhares de asteroides e bilhões de cometas. Durante a formação desse sistema estelar, a matéria se condensou e aglomerou a partir da nuvem de gás progenitora enquanto circulava ao redor do Sol. Por várias centenas de milhões de anos, os impactos persistentes de cometas de alta velocidade e outros escombros restantes derreteram as superfícies dos planetas rochosos, impedindo a formação de moléculas complexas. À medida que cada vez menos matéria passível de aglomeração permanecia no sistema solar, as superfícies dos planetas começaram a esfriar. O planeta que chamamos de Terra formou-se numa órbita em que sua atmosfera pode sustentar oceanos, em grande parte sob a forma líquida. Se a Terra tivesse se formado muito mais perto do Sol, os oceanos teriam se evaporado. Se a Terra tivesse se formado muito mais longe, os oceanos teriam se congelado. Em qualquer dos casos, a vida como a conhecemos não teria evoluído.

Dentro dos oceanos líquidos quimicamente ricos, por um mecanismo desconhecido, surgiram bactérias anaeróbias simples que sem querer transformaram a atmosfera rica em dióxido de carbono da Terra numa outra com oxigênio suficiente para permitir que organismos aeróbios se formassem, evoluíssem e dominassem os oceanos e a terra. Esses mesmos átomos de oxigênio, normalmente encontrados em pares (O_2), também se combinaram em três para formar o ozônio (O_3) na atmosfera superior, que protege a superfície da Terra da maior parte dos fótons ultravioletas do Sol, que são hostis às moléculas.

A extraordinária diversidade da vida sobre a Terra, e (podemos presumir) em todo o resto do universo, nasce da abundância cósmica de carbono e do incontável número de moléculas (simples e complexas) criadas a partir dele; existem mais variedades de moléculas baseadas em carbono do que de todas as outras moléculas combinadas. Mas a vida é frágil. Os choques da Terra com grandes objetos, remanescentes da formação do sistema solar, que eram outrora eventos comuns, ainda provocam estragos intermitentes em nosso ecossistema. Há uns meros 65 milhões de anos (menos de 2% do passado da Terra), um asteroide de 10 trilhões de toneladas atingiu o que é agora a Península de Yucatán e eliminou mais de 70% da flora e fauna baseada no solo da Terra – inclusive todos os dinossauros, os animais da crosta terrestre dominantes daquela época. Essa tragédia ecológica abriu uma oportunidade para que pequenos mamíferos sobreviventes preenchessem nichos recém-esvaziados. Um ramo desses mamíferos, dotado de cérebro grande, aquele a que damos o nome de primatas, fez um gênero e espécie – o *Homo sapiens* – evoluir a um nível de inteligência que o capacitou a inventar métodos e ferramentas de ciência; a inventar a astrofísica; e a deduzir a origem e evolução do universo.

Sim, o universo teve um início. Sim, o universo continua a evoluir. E sim, cada um dos átomos de nossos corpos pode ser rastreado até o *big bang* e as fornalhas termonucleares dentro das estrelas de massa elevada. Não estamos simplesmente no universo, somos parte dele. Nascemos a partir dele. Poder-se-ia até dizer que o universo nos tornou capazes de imaginá-lo, aqui em nosso pequeno canto do cosmos. E apenas começamos a fazê-lo.

PARTE I

A ORIGEM DO UNIVERSO

CAPÍTULO 1

No Início

No início, havia a física. A "física" descreve como a matéria, a energia, o espaço e o tempo se comportam e interagem uns com os outros. A interação desses atores em nosso drama cósmico está subjacente a todos os fenômenos biológicos e químicos. Por isso, tudo o que é fundamental e familiar a nós terráqueos começa com as leis da física e nelas se baseia. Quando aplicamos essas leis a cenários astronômicos, lidamos com a física escrita com letra maiúscula, a que damos o nome de astrofísica.

Em quase toda área de investigação científica, mas especialmente na física, a fronteira da descoberta reside nos extremos de nossa capacidade de medir eventos e situações. Num extremo da matéria, como a proximidade a um buraco negro, a gravidade distorce fortemente o contínuo espaço-tempo circundante. Num extremo da energia, a fusão termonuclear se sustenta dentro dos 15 milhões de graus dos núcleos das estrelas. E em todo extremo imaginável encontramos as condições escandalosamente quentes e densas que prevaleceram durante os primeiros momentos do universo. Compreender o que acontece em cada uma dessas situações requer leis da física descobertas depois de 1900, durante o período que os físicos agora chamam de era moderna, para distingui-lo da era clássica que inclui toda a física anterior.

Uma característica importante da física clássica é que eventos, leis e previsões realmente fazem sentido, quando paramos e pensamos sobre eles. Foram todos descobertos e testados em laboratórios comuns em prédios comuns. As leis da gravidade e do movimento, da eletricidade e do magnetismo, da natureza e comportamento da energia do calor são ainda ensinadas nas aulas de física da escola secundária. Essas revelações sobre o mundo natural alimentaram a revolução industrial, ela própria capaz de transformar a cultura e a sociedade de maneiras inimagináveis pelas gerações anteriores, e permanecem centrais para o que acontece – e por que razão –, no mundo da experiência de todos os dias.

Em contraste, nada faz sentido na física moderna porque tudo acontece em regimes que estão muito além daqueles a que nossos sentidos humanos reagem. Isso é bom. Podemos relatar com satisfação que nossas vidas diárias continuam totalmente desprovidas da física extrema. Numa manhã normal, você se levanta da cama, anda a esmo pela casa, come alguma coisa, depois sai precipitadamente pela porta da frente. Ao final do dia, seus queridos esperam do fundo do coração que você não pareça diferente do que aparentava ao sair, e que retorne para casa inteiro. Mas imagine-se chegando ao escritório, entrando numa sala de conferência superaquecida para uma reunião importante às 10 horas da manhã, e de repente perdendo todos os seus elétrons – ou pior ainda, tendo cada átomo de seu corpo a voar em pedaços para todos os lados. Isso seria ruim. Suponha, em vez disso, que está sentado no seu escritório tentando acabar algum trabalho à luz da sua lâmpada de 75 watts na escrivaninha, quando alguém ativa 500 watts nas lâmpadas do teto, levando seu corpo a ricochetear aleatoriamente de uma parede a outra até ser arremessado pela janela como o boneco de uma caixa de surpresas. Ou, e se você vai a uma luta de sumô depois do trabalho, só para ver os dois cavalheiros quase esféricos colidirem, desaparecerem e depois espontaneamente transformarem-se em dois raios de luz que deixam a sala em direções opostas? Ou suponha que a caminho de casa você siga por uma estrada menos trilhada, e um edifício escurecido o sugue, os pés primeiro, estirando seu corpo da cabeça aos pés, enquanto o espreme de ombro a ombro a fim de que seja expelido por um buraco, para nunca mais ser visto ou escutado.

Se essas cenas se passassem em nossas vidas diárias, acharíamos a física moderna muito menos bizarra; nosso conhecimento dos fundamentos da relatividade e da mecânica quântica fluiria naturalmente de nossas experiências de vida; e nossos queridos provavelmente nunca nos deixariam ir trabalhar. Mas, lá nos primeiros minutos do universo, esse tipo de coisa acontecia o tempo todo. Para visualizá-lo, e para compreendê-lo, não temos outra escolha senão estabelecer uma nova forma de senso comum, uma intuição alterada sobre como a matéria se comporta, e como as leis físicas descrevem seu comportamento, em extremos de temperatura, densidade e pressão.

Devemos entrar no mundo de $E = mc^2$.

Albert Einstein publicou pela primeira vez uma versão dessa famosa equação em 1905, o ano em que seu trabalho de pesquisa inspirador, intitulado "Zur Elektrodynamik bewegter Körper" apareceu em *Annalen der Physik*, a proeminente revista alemã de física. O título do texto em português é "Sobre a eletrodinâmica dos corpos em movimento", mas o trabalho é mais conhecido como a teoria da relatividade especial de Einstein, que introduziu conceitos que mudaram para sempre nossas noções de espaço e tempo. Apenas com vinte e seis anos, em 1905, trabalhando como um examinador de patentes em Berna, Suíça, Einstein apresentou mais detalhes, incluindo sua famosa equação, num outro artigo extraordinariamente curto (duas páginas e meia) publicado mais tarde no mesmo ano e na mesma revista: "Ist die Trägheit eines Körpers von seinem Energieinhalt abhängig?" ou "A inércia de um corpo depende de seu conteúdo de energia?". Para poupá-lo do esforço de localizar o artigo original, projetar um experimento, e assim testar a teoria de Einstein, a resposta ao título do trabalho é sim. Como Eisntein escreveu,

Se um corpo emite energia E na forma de radiação, sua massa diminui por E/c²... A massa de um corpo é a medida de seu conteúdo de energia; se a energia muda por E, a massa muda no mesmo sentido.

Incerto quanto à verdade de sua afirmação, ele então sugeria,

Não é impossível que com alguns corpos cujo conteúdo de energia é variável em alto grau (p. ex., com os sais de rádio) a teoria possa ser testada com sucesso.[1]

Aí está: a receita algébrica para todas as ocasiões em que se quiser converter matéria em energia, ou energia em matéria. $E = mc^2$ – energia é igual à massa vezes o quadrado da velocidade da luz – fornece a todos nós uma ferramenta computacional supremamente poderosa que estende nossa capacidade de conhecer e compreender o universo, desde como está agora até retrocedendo às frações infinitesimais de um segundo depois do nascimento do cosmos. Com essa equação, pode-se dizer quanta energia radiante uma estrela é capaz de produzir, ou quanto se poderia ganhar ao converter as moedas do bolso em formas úteis de energia.

A forma mais familiar de energia – brilhando em todo nosso entorno, embora muitas vezes não reconhecida e não nomeada aos olhos de nossa mente – é o fóton, uma partícula sem massa e indivisível da luz visível, ou de qualquer outra forma de radiação eletromagnética. Nós todos vivemos dentro de um banho contínuo de fótons: vindos do Sol, da Lua e das estrelas; do fogão, do lustre e da lâmpada de cabeceira; das centenas de estações de rádio e televisão, e das incontáveis transmissões de celulares e radar. Por que, então, não vemos realmente a transmutação diária da energia em matéria, ou da matéria em energia?

---

1 Albert Einstein, *The Principle of Relativity*, trad. de W. Perrett e G. B. Jeffery. Londres, Methuen and Company, 1923, pp. 69-71.

A energia dos fótons comuns está muito abaixo da massa das partículas subatômicas menos massivas, quando convertidas em energia por $E = mc^2$. Como esses fótons carregam muito pouca energia para se tornarem qualquer outra coisa, eles levam vidas simples, relativamente monótonas, sem eventos.

Você deseja alguma ação com $E = mc^2$? Comece a rondar os fótons dos raios gama que têm realmente alguma energia – ao menos 200.000 vezes mais que os fótons visíveis. Você logo vai ficar doente e morrer de câncer; mas antes que isso aconteça, você verá pares de elétrons, um feito de matéria, o outro de antimatéria (apenas um dos muitos duos dinâmicos partícula-antipartícula no universo), aparecerem pipocando onde antes vagavam os fótons. Ao observar, você verá também pares matéria-antimatéria colidirem, aniquilando-se mutuamente e criando mais uma vez fótons de raios gama. Aumente a energia dos fótons por outro fator de 2.000, e você tem agora raios gama com energia suficiente para transformar pessoas suscetíveis num Hulk. Pares desses fótons carregam energia suficiente, plenamente descrita pela energia de $E = mc^2$, para criar partículas como os nêutrons, os prótons e seus parceiros antimatéria, cada um igual a quase 2.000 vezes a massa de um elétron. Os fótons de alta energia não andam em qualquer lugar, mas eles realmente existem em muito cadinho cósmico. Para os raios gama, quase todo ambiente mais quente que uns bilhões de graus servirá muito bem.

É assombrosa a importância cosmológica de pacotes de partículas e energia que se transformam uns nos outros. Atualmente, a temperatura de nosso universo em expansão, encontrada medindo-se o banho de fótons de micro-ondas que permeia todo o espaço, são meros 2,73 graus Kelvin. (Na escala Kelvin, todas as temperaturas são positivas: as partículas têm a menor energia possível em 0 grau; a temperatura da sala é cerca de 295 graus, e a água ferve a 373 graus.) Como os fótons da luz visível, os fótons de micro-ondas são demasiado frios para terem qualquer ambição realista de se transformarem em partículas via $E = mc^2$. Em outras palavras, nenhuma partícula conhecida tem uma massa tão baixa que possa ser formada a partir da energia escassa de um fóton de micro-onda. O mesmo é válido para os fótons que formam as ondas de rádio, o infravermelho e a luz visível, bem como os raios X e ultravioleta. Em palavras mais simples, todas as transmutações das partículas requerem raios gama. Ontem, entretanto, o universo era um pouquinho menor e um pouquinho mais quente que hoje. Anteontem, era ainda menor e mais quente. Vamos atrasar ainda mais os relógios – digamos, 13,7 bilhões de anos – e caímos diretamente na sopa primordial pós-*big bang*, um tempo quando a temperatura do cosmos era elevada o suficiente para ser interessante em termos astrofísicos, pois os raios gama preenchiam o universo.

Compreender o comportamento do espaço, tempo, matéria e energia desde o *big bang* até os dias atuais é um dos maiores triunfos do pensamento humano. Se procuramos uma explicação completa para os eventos dos momentos mais primitivos, quando o universo era menor e mais quente do que jamais foi desde então, devemos encontrar um modo de tornar as quatro forças conhecidas da natureza – a gravidade, o eletromagnetismo e as forças nucleares forte e fraca – capazes de falar umas com as outras, unificar-se e transformar-se numa única metaforça. Devemos também encontrar um modo de conciliar dois ramos atualmente incompatíveis da física: a mecânica quântica (a ciência do pequeno) e a relatividade geral (a ciência do grande).

Incitados pelo casamento bem-sucedido da mecânica quântica e do eletromagnetismo durante meados do século XX, os físicos passaram rapidamente a misturar a mecânica quântica e a relatividade geral para formar uma única e coerente teoria da gravidade quântica. Embora até agora tenham todos fracassado, já sabemos onde estão os grandes obstáculos: durante a "era de Planck". Essa é a fase cósmica até 10^{-43}

segundo (um décimo milionésimo de trilionésimo de trilionésimo de trilionésimo de um segundo) depois do início. Como a informação nunca viaja mais rapidamente que a velocidade da luz, 3×10^8 metros por segundo, um observador hipotético situado em qualquer lugar no universo durante a era de Planck não conseguiria ver além de 3×10^{-35} metro (trezentos bilionésimos de trilionésimo de trilionésimo de um metro). O físico alemão Max Planck, que emprestou seu nome a esses tempos e distâncias inimaginavelmente diminutos, introduziu a ideia de energia quantizada em 1900, e recebe em geral o crédito de ser o pai da mecânica quântica.

Nada com que se preocupar, entretanto, no que concerne à vida cotidiana. A colisão entre a mecânica quântica e a gravidade não propõe nenhum problema prático para o universo contemporâneo. Os astrofísicos aplicam os princípios e as ferramentas da relatividade geral e da mecânica quântica a classes extremamente diferentes de problemas. Mas no início, durante a era de Planck, o grande era pequeno, de modo que deve ter havido uma espécie de casamento forçado entre as duas. Infelizmente, os votos trocados durante essa cerimônia continuam a escapar-nos, assim é que nenhuma lei (conhecida) da física descreve com alguma confiança como o universo se comportou durante a breve lua de mel, antes que o universo em expansão forçasse o muito grande e o muito pequeno a tomar caminhos separados.

No fim da era de Planck, a gravidade se retorceu e conseguiu se soltar das outras forças ainda unificadas da natureza, alcançando uma identidade independente belamente descrita por nossas teorias atuais. Quando envelheceu além de 10^{-35} segundo, o universo continuou a se expandir e esfriar, e o que restou das forças outrora unificadas dividiu-se na força eletrofraca e na força nuclear forte. Ainda mais tarde, a força eletrofraca se dividiu nas forças eletromagnética e nuclear fraca, deixando a descoberto quatro forças distintas e familiares – com a força fraca controlando a desintegração radioativa, a força forte unindo as partículas em cada núcleo atômico, a força eletromagnética mantendo os átomos unidos em moléculas, e a gravidade ligando a matéria a granel. Quando o universo envelheceu um trilionésimo de segundo, suas forças transmogrificadas, junto com outros episódios cruciais, já haviam imbuído o cosmos de suas propriedades fundamentais, cada uma merecedora de seu próprio livro.

Enquanto o tempo se arrastava durante o primeiro trilionésimo de segundo do universo, a interação de matéria e energia continuava incessantemente. Um pouco antes – durante e após a separação das forças forte e eletrofraca – o universo continha um oceano fervilhante de quarks, léptons e seus irmãos da antimatéria, junto com bósons, as partículas que tornaram essas outras partículas capazes de interagir umas com as outras. Nenhuma dessas famílias de partículas, ao que se sabe, pode ser dividida em algo menor ou mais básico. Por mais que sejam fundamentais, cada família de partículas surge em várias espécies. Os fótons, inclusive aqueles que formam a luz visível, pertencem à família bóson. Os léptons mais familiares aos que não são físicos são os elétrons e (talvez) os neutrinos, e os quarks mais familiares são... bem, não há quarks familiares, porque na vida comum sempre encontramos quarks ligados dentro de partículas como prótons e nêutrons. A cada espécie de quark é atribuído um nome abstrato que não se presta a nenhum real objetivo filológico, filosófico ou pedagógico, exceto o de distingui-lo das outras espécies: "up" e "down", "estranho (*strange*)" e "charme (*charmed*)", e "top" e "bottom".

Os bósons, por sinal, derivam seu nome do físico indiano Satyendranath Bose. A palavra "lépton" vem do grego *leptos*, que significa "leve" ou "pequeno". "Quark", entretanto, tem uma origem literária, e muito mais imaginativa. O físico americano Murray Gell-Mann, que em 1964 propôs a existência de quarks, e que então pensava que a família quark tinha apenas três membros, tirou o nome de uma frase caracteristicamente elusiva em *Finnegans Wake* de James Joyce:

"Three quarks for Muster Mark!" ("Três quarks para o Senhor Mark!"). Uma vantagem os quarks podem certamente reivindicar: todos os seus nomes são simples – algo que os químicos, biólogos e geólogos parecem incapazes de conseguir ao nomear seu próprio material.

Os quarks são peculiares. Ao contrário dos prótons, que têm cada um uma carga elétrica de +1, e dos elétrons, cada um com uma carga de -1, os quarks têm cargas fracionárias que vêm em unidades de 1/3. E exceto nas condições mais extremas, nunca se apanhará um quark sozinho; ele estará sempre agarrado a um ou dois outros quarks. De fato, a força que mantém dois (ou mais) quarks unidos torna-se realmente *mais forte* quando você os separa – como se alguma espécie de elástico subnuclear os mantivesse unidos. Se você separa bastante os quarks, o elástico arrebenta. A energia armazenada no elástico esticado exige então $E = mc^2$ a criar um novo quark em cada ponta, deixando você de volta ao ponto de partida.

Durante a era quark-lépton no primeiro trilionésimo de segundo do cosmos, o universo tinha densidade suficiente para que a separação comum entre quarks soltos competisse com a separação entre quarks presos. Nessas condições, lealdade entre quarks adjacentes não podiam ser estabelecidas de forma não ambígua, pois eles se moviam livremente entre eles próprios. A descoberta experimental desse estado da matéria, compreensivelmente chamado "sopa de quarks", foi relatada pela primeira vez em 2002 por uma equipe de físicos que trabalhava nos Laboratórios Nacionais de Brookhaven em Long Island.

A combinação de observação e teoria sugere que um episódio no universo muito primitivo, talvez durante uma das separações entre diferentes tipos de força, dotou o cosmos de uma assimetria extraordinária, na qual as partículas de matéria se tornaram mais numerosas que as partículas da antimatéria apenas por cerca de uma parte em um bilhão – uma diferença que nos permite existir hoje em dia. Essa discrepância diminuta na população nem teria sido percebida entre a contínua criação, aniquilação e recriação de quarks e antiquarks, elétrons e antielétrons (mais conhecidos como pósitrons), e neutrinos e antineutrinos. Durante essa era, as partículas supérfluas – a leve preponderância da matéria sobre a antimatéria – tinham muitas oportunidades para encontrar outras partículas com as quais participar da aniquilação, e foi o que fizeram todas as outras partículas.

Mas não por muito mais tempo. Enquanto o universo continuava a se expandir e esfriar, sua temperatura caiu rapidamente abaixo de 1 trilhão de graus Kelvin. Um milionésimo de segundo tinha se passado desde o início, mas esse universo tépido já não tinha temperatura ou densidade suficientes para cozinhar quarks. Todos os quarks rapidamente agarraram seus pares na dança, criando uma nova família permanente de partículas pesadas chamadas hádrons (do grego *hadros*, que significa "grosso"). Essa transição quark-para-hádron produziu rapidamente prótons e nêutrons, bem como outros tipos de partículas pesadas menos familiares, todos compostos de várias combinações de quarks. A leve assimetria matéria-antimatéria na sopa quark-lépton passou então aos hádrons, com extraordinárias consequências.

À medida que o universo esfriava, a quantidade de energia disponível para a criação espontânea de partículas diminuía continuamente. Durante a era hádron, os fótons já não podiam invocar $E = mc^2$ para manufaturar pares quark-antiquark: sua E não cobria a mc^2 dos pares. Além disso, os fótons que surgiam de todas as aniquilações remanescentes continuavam a perder energia para o universo sempre em expansão, de modo que suas energias acabavam caindo abaixo do limiar requerido para criar pares hádron-anti-hádron. Cada bilhão de aniquilações deixava um bilhão de fótons na sua esteira – e apenas um único hádron sobrevivia, testemunho calado do diminuto excesso de matéria sobre a antimatéria no universo primitivo. Esses hádrons solitários chegariam por fim a aproveitar toda a diversão a que a matéria tem direito: forneceriam a fonte de galáxias, estrelas, planetas e pessoas.

Sem o desequilíbrio de um bilhão e um para um mero bilhão entre as partículas da matéria e da antimatéria, toda a massa no universo (exceto a matéria escura cuja forma continua desconhecida) teria sido aniquilada antes que o primeiro segundo do universo tivesse se passado, deixando um cosmos em que poderíamos ver (se existíssemos) fótons e *nada mais* – o último panorama "Que se faça a luz".

A essa altura, um segundo de tempo se passou.

A 1 bilhão de graus, o universo continua muito quente – ainda capaz de cozinhar elétrons, que, junto com suas contrapartes pósitrons (antimatéria), continuam a aparecer e desaparecer. Mas dentro do universo sempre se expandindo e sempre se esfriando, seus dias (segundos, na verdade) estão contados. O que antes era verdade para os hádrons agora se torna realidade para os elétrons e pósitrons: eles se aniquilam uns aos outros, e aparece apenas um elétron em um bilhão, o sobrevivente solitário do pacto de suicídio da matéria-antimatéria. Os outros elétrons e pósitrons morriam para inundar o universo com um mar ainda maior de fótons.

Terminada a era da aniquilação elétron-pósitron, o cosmos "congela" a existência de um elétron para cada próton. Enquanto o cosmos continua a esfriar, com sua temperatura caindo abaixo de 100 milhões de graus, seus prótons se fundem com outros prótons e com nêutrons, formando núcleos atômicos e incubando um universo no qual 90% desses núcleos são hidrogênio e 10% são hélio, junto com números relativamente diminutos de núcleos de deutério, trítio e lítio.

A essa altura, dois minutos se passaram desde o início.

Durante outros 380.000 anos não acontece muita coisa para nossa sopa de partículas de núcleos de hidrogênio, núcleos de hélio, elétrons e fótons. Ao longo dessas centenas de milênios, a temperatura cósmica permanece suficientemente quente para que os elétrons vagueiem livres entre os fótons, rebatendo-os de um lado para outro.

Como detalharemos concisamente no Capítulo 3, essa liberdade chega a um fim abrupto, quando a temperatura do universo cai abaixo de 3.000 graus Kelvin (cerca de metade da temperatura da superfície do Sol). Bem nessa época, todos os elétrons adquirem órbitas ao redor dos núcleos, formando átomos. O casamento dos elétrons com os núcleos deixa os átomos recém-formados dentro de um banho ubíquo de fótons da luz visível, completando a história de como as partículas e os átomos se formaram no universo primordial.

À medida que o universo continua a se expandir, seus fótons continuam a perder energia. Hoje em dia, em toda direção para a qual dirijam o olhar, os astrofísicos encontram uma impressão digital cósmica de fótons de micro-onda numa temperatura de 2,73 graus, o que representa um declínio de mil vezes nas energias dos fótons desde os tempos em que os átomos se formaram pela primeira vez. Os padrões dos fótons no céu – a quantidade exata de energia que chega de diferentes direções – retêm a memória da distribuição cósmica da matéria pouco antes de os átomos se formarem. A partir desses padrões, os astrofísicos podem obter um conhecimento extraordinário, inclusive a idade e a forma do universo. Mesmo que agora os átomos façam parte da vida diária no universo, a equação de Einstein ainda tem muito trabalho a fazer – nos aceleradores de partículas, onde os pares de partículas matéria-antimatéria são criados rotineiramente a partir de campos de energia; no centro do Sol, onde 4,4 milhões de toneladas de matéria são convertidas em energia a cada segundo; e nos núcleos de todas as outras estrelas.

$E = mc^2$ também consegue se aplicar perto dos buracos negros, logo além de seus horizontes de eventos, onde os pares partícula-antipartícula podem pipocar à custa da formidável energia gravitacional do buraco negro. O cosmólogo britânico Stephen Hawking descreveu o comportamento maluco pela primeira vez em 1975, mostrando que toda a massa de um buraco negro pode se evaporar lentamente por meio desse mecanismo. Em outras palavras, os buracos negros não são inteiramente negros. O fenômeno é conhecido como radiação de Hawking, e serve como um lembrete da fertilidade continuada da mais famosa equação de Einstein.

Mas o que aconteceu *antes* de toda essa fúria cósmica? O que aconteceu antes do início?

Os astrofísicos não fazem ideia. Ou melhor, nossas ideias mais criativas têm pouca ou nenhuma base na ciência experimental. Entretanto, a fé religiosa tende a asseverar, frequentemente com um tom de presunção, que algo deve ter começado tudo: uma força maior que todas as outras, uma fonte da qual tudo provém. Um primeiro promovedor. Na mente dessa pessoa, esse algo é, sem dúvida, Deus, cuja natureza varia de crente para crente, mas que sempre tem a responsabilidade de pôr a bola a rolar.

Mas, e se o universo sempre esteve ali, num estado ou condição que ainda temos de identificar – um multiverso, por exemplo, em que tudo a que chamamos universo representa apenas uma diminuta bolha num oceano de espuma de sabão? Ou, e se o universo, como suas partículas, apenas pipocou de nada que pudéssemos ver?

Essas réplicas comumente não satisfazem ninguém. Ainda assim, elas nos lembram de que a ignorância informada estabelece o estado natural da mente para os cientistas pesquisadores nas fronteiras sempre mutáveis do conhecimento. As pessoas que julgam nada ignorar nunca procuraram, nem jamais encontraram por acaso, o limite entre o que é conhecido e desconhecido no cosmos. E nisso existe uma dicotomia fascinante. "O universo sempre existiu", não obtém respeito como uma resposta legítima a "O que existia antes do início?" Mas para muitos religiosos, a resposta, "Deus sempre existiu", é a resposta óbvia e agradável a "O que existia antes de Deus?".

Seja você quem for, comprometer-se com a busca para descobrir onde e como tudo começou pode causar um fervor emocional – como se conhecer nossas origens nos conferisse uma forma de compartilhar, ou talvez governar, tudo o que vem mais tarde. Assim, o que é verdade para a própria vida é verdade para o universo: saber de onde se veio não é menos importante que saber para onde se vai.

CAPÍTULO 2

A antimatéria importa

Os físicos de partículas venceram o concurso da linguagem mais peculiar, e ainda assim lúdica, de todas as ciências físicas. Onde mais se poderia encontrar um bóson vetorial neutro trocado entre um múon negativo e um neutrino de múon? Ou uma troca de glúon unindo um quark estranho (*strange*) e um quark charme (*charmed* – encantado)? E onde mais se podem encontrar squarks, fotinos e gravitinos? Junto com essas partículas aparentemente inumeráveis de nomes peculiares, os físicos de partículas devem lidar com um universo paralelo de *antipartículas*, conhecidas coletivamente como antimatéria. Apesar de sua persistente presença nas histórias de ficção científica, a antimatéria é real. E como se poderia supor, ela tende a se aniquilar imediatamente depois do contato com a matéria comum.

O universo revela um romance peculiar entre antipartículas e partículas. Elas podem nascer juntas da pura energia, e podem se aniquilar ao reconverterem sua massa combinada de novo em energia. Em 1932, o físico americano Carl David Anderson descobriu o antielétron, a contraparte antimatéria positivamente carregada do elétron negativamente carregado. Desde então, os físicos de partículas têm criado de modo rotineiro antipartículas de todas as variedades nos aceleradores de partículas do mundo, mas só nos últimos tempos montaram as antipartículas em átomos inteiros. Desde 1996, um grupo internacional liderado por Walter Oelert do Instituto para Pesquisa de Física Nuclear em Jülich, Alemanha, tem criado átomos de anti-hidrogênio, nos quais um antielétron orbita alegremente um antipróton. Para criar esses primeiros antiátomos, os físicos usaram o gigantesco acelerador de partículas operado pela Organização Europeia para a Pesquisa Nuclear (mais conhecida pela sua sigla CERN) em Genebra, Suíça, onde estão ocorrendo muitas contribuições importantes para a física de partículas.

Os físicos usam um método de criação simples: fazer um punhado de antielétrons e um punhado de antiprótons, uni-los numa temperatura e densidade adequadas, e esperar que se combinem para formar átomos. Durante seu primeiro ciclo de experimentos, a equipe de Oelert produziu nove átomos de anti-hidrogênio. Mas num mundo dominado pela matéria comum, a vida como átomo de antimatéria pode ser precária. Os átomos de anti-hidrogênio sobreviviam por menos de 40 nanossegundos (40 bilionésimos de segundo) antes de se aniquilarem com átomos comuns.

A descoberta do antielétron foi um dos grandes triunfos da física teórica, pois sua existência fora predita apenas alguns anos antes pelo físico nascido na Grã-Bretanha Paul A. M. Dirac.

Para descrever a matéria nas menores escalas de tamanho – aquelas das partículas atômicas e subatômicas – os físicos desenvolveram um novo ramo da física durante a década de 1920 com o intuito de explicar os resultados de suas experiências com essas partículas. Usando regras recém-estabelecidas, agora conhecidas como teoria quântica, Dirac postulou a partir de uma segunda solução para sua equação que um elétron fantasma do "outro lado" poderia ocasionalmente aparecer no mundo como um elétron comum, deixando atrás uma lacuna ou buraco no mar das energias negativas. Embora Dirac esperasse explicar os prótons dessa maneira, outros físicos sugeriram que esse buraco se revelaria experimentalmente um antielétron positivamente carregado, que se tornara conhecido como um pósitron pela sua carga elétrica positiva. A descoberta de pósitrons reais confirmou o *insight* básico de Dirac e estabeleceu a antimatéria como merecedora de tanto respeito quanto a matéria.

Equações com soluções duplas não são incomuns. Um dos exemplos mais simples responde à pergunta: que número multiplicado por ele mesmo é igual a 9? É 3 ou -3? Claro que a resposta é ambos, porque 3x3=9 e -3x-3=9. Os físicos não podem garantir que todas as soluções de uma equação correspondam a eventos no mundo real, mas se um modelo matemático de um fenômeno físico está correto, manipular suas equações pode ser tão útil quanto (e um tanto mais fácil do que) manipular o universo inteiro. Assim como acontece com Dirac e a antimatéria, esses passos conduzem frequentemente a previsões verificáveis. Se as previsões se mostram incorretas, a teoria é descartada. Mas independentemente do resultado físico, um modelo matemático assegura que as conclusões a que podemos chegar a partir dele vêm a ser não só lógicas como internamente coerentes.

As partículas subatômicas têm muitas características mensuráveis, das quais a massa e a carga elétrica estão entre as mais importantes. À exceção da massa da partícula, que é sempre a mesma para uma partícula e sua antipartícula, as propriedades específicas de cada tipo de antipartícula serão sempre precisamente opostas às da partícula para a qual fornece o "anti". Por exemplo, o pósitron tem a mesma massa do elétron, mas o pósitron tem uma unidade de carga positiva, enquanto o elétron tem uma unidade de carga negativa. Da mesma forma, o antipróton fornece a antipartícula opostamente carregada do próton.

Acreditem ou não, o nêutron sem carga tem igualmente uma antipartícula. É chamada – você adivinhou – o antinêutron. Um antinêutron tem uma carga zero oposta com respeito ao nêutron. Essa mágica aritmética deriva do tripleto particular de partículas fracionariamente carregadas (os quarks) que formam os nêutrons. Os três quarks que compõem um nêutron têm cargas de -1/3, -1/3 e +2/3, enquanto aqueles no antinêutron têm cargas de 1/3, 1/3 e -2/3. Cada conjunto de três quarks atinge uma carga líquida de zero, mas os componentes correspondentes têm realmente cargas opostas.

A antimatéria pode aparecer a partir do nada. Se possuem energia suficientemente alta, os fótons dos raios gama podem se transformar em pares elétron-pósitron, convertendo, assim, toda a sua energia seriamente elevada numa pequena quantidade de matéria, num processo cujo lado da energia cumpre a famosa equação de Einstein $E = mc^2$.

Na linguagem da interpretação original de Dirac, o fóton do raio gama chutou um elétron para fora do domínio das energias negativas, criando um elétron comum e um buraco elétron. O processo inverso também pode ocorrer. Se uma partícula e uma antipartícula colidem, elas se aniquilarão, tornando a preencher o buraco e emitindo raios gama. Raios gama são a espécie de radiação que deve ser evitada.

Se conseguir manufaturar uma bolha de antipartículas em casa, você estará em perigo. O armazenamento se tornaria imediatamente um desafio, porque suas antipartículas se aniquilariam com qualquer embalagem ou saco de supermercado (seja de papel, seja de plástico) em que você decidisse confiná-las ou carregá-las. Um mecanismo de embalagem mais inteligente implica capturar as antipartículas carregadas dentro dos confins de um forte campo magnético, onde são repelidas por "paredes" magnéticas invisíveis mas altamente eficazes. Se embutir o campo magnético num vácuo, você poderá livrar as antipartículas da aniquilação com a matéria comum. Esse equivalente magnético de uma garrafa será também o melhor saco, sempre que tiver de manipular outros materiais hostis a recipientes, tais como os gases incandescentes implicados em experimentos (controlados) de fusão nuclear. O maior problema de armazenamento surge depois que você criou antiátomos inteiros, porque os antiátomos, como os átomos, não ricocheteiam normalmente numa parede magnética.

Seria prudente manter seus pósitrons e antiprótons em garrafas magnéticas separadas até o momento em que precisar juntá-los.

Gerar antimatéria requer ao menos tanta energia quanto é possível recuperar quando ela se aniquila com a matéria para tornar a ser energia. A menos que você tivesse um tanque cheio de combustível antimatéria antes do lançamento, um motor de antimatéria autopropulsado sugaria lentamente energia de sua nave estelar. Talvez a série original da *Jornada nas Estrelas* na televisão e no cinema tenha materializado esse fato, mas se a memória não me engana, o Capitão Kirk vivia pedindo "mais energia" dos dispositivos matéria-antimatéria, e Scotty invariavelmente respondia com seu sotaque escocês que "os motores não conseguem tirá-la".

Embora esperem que os átomos de hidrogênio e anti-hidrogênio se comportem de forma idêntica, os físicos ainda não verificaram essa previsão por meio de experimentos, sobretudo por causa da dificuldade que enfrentam em manter a existência dos átomos de anti-hidrogênio, em vez de deixar que se aniquilem quase imediatamente com prótons e elétrons. Eles gostariam de verificar que o comportamento detalhado de um pósitron ligado a um antipróton num átomo de anti-hidrogênio obedece a todas as leis da teoria quântica, e que a gravidade de um anti-átomo se comporta precisamente como esperamos de átomos comuns. Um anti-átomo poderia produzir antigravidade (que repele) em vez da gravidade comum (que atrai)? Toda a teoria aponta para a última possibilidade, mas a primeira, se provasse ser correta, ofereceria novos *insights* surpreendentes sobre a natureza. Em escalas de tamanho atômico, a força da gravidade entre duas partículas quaisquer é imensuravelmente pequena. Em vez da gravidade, as forças eletromagnética e nuclear dominam o comportamento dessas partículas diminutas, porque as duas forças são muito, muito mais fortes que a gravidade. Para testar a antigravidade, você precisaria de anti-átomos suficientes para criar objetos de tamanho comum, de modo que pudesse medir suas propriedades de massa e compará-las à matéria comum. Se um conjunto de bolas de bilhar (e, claro, também a mesa de bilhar e os tacos) fossem feitos de antimatéria, um jogo de antissinuca seria indistinguível de um jogo de sinuca? Uma antibola oito cairia dentro da caçapa exatamente como uma bola oito comum? Os antiplanetas orbitariam uma antiestrela assim como os planetas comuns orbitam estrelas comuns?

É filosoficamente sensato, e está de acordo com todas as previsões da física moderna, presumir que as propriedades de massa da antimatéria se revelarão idênticas àquelas da matéria comum – gravidade normal, colisões normais, luz normal, e assim por diante. Infelizmente, isso significa que se uma antigaláxia estivesse vindo na nossa direção, numa rota de colisão com a Via Láctea, continuaria indistinguível de uma galáxia comum até ser tarde demais para tomar qualquer medida defensiva. Mas esse destino temível não pode ser comum no universo atual, porque se, por exemplo, uma única antiestrela se aniquilasse com uma única estrela comum, a conversão de sua matéria e antimatéria em energia de raios gama seria repentina, violenta e total. Se duas estrelas com massas semelhantes à do Sol (cada uma contendo 10^{57} partículas) colidissem em nossa galáxia, sua fusão produziria um objeto tão luminoso a ponto de gerar temporariamente mais energia que o total energético de todas as estrelas de 100 milhões de galáxias e nos fritar num fim prematuro. Não temos nenhuma evidência convincente de que tal evento jamais tenha ocorrido em qualquer lugar do universo. Assim, segundo nosso melhor julgamento, o universo é dominado pela matéria comum, e tem sido dessa maneira desde os primeiros minutos depois do *big bang*. Por isso, a total aniquilação por meio de colisões matéria-antimatéria não precisa estar entre nossas principais preocupações de segurança em nossa próxima viagem intergaláctica.

Ainda assim, o universo parece agora perturbadoramente desequilibrado: esperamos que partículas e antipartículas sejam criadas em igual número, mas encontramos um cosmos dominado por partículas comuns, que parecem estar perfeitamente felizes sem suas antipartículas. Será que bolsas ocultas de antimatéria no universo explicam o desequilíbrio? Uma lei da física foi violada (ou havia em funcionamento uma lei desconhecida da física?) durante o universo primitivo, sempre inclinando a balança em favor da matéria sobre a antimatéria? Talvez nunca saibamos as respostas a essas perguntas, mas por ora, se um alienígena pairar sobre o gramado na frente de sua casa e estender um apêndice como um gesto de cumprimento, atire nele sua bola oito antes de se tornar amigável demais. Se o apêndice e a bola explodirem, o alienígena é provavelmente composto de antimatéria. (Como ele e seus seguidores reagirão a esse resultado, e o que a explosão fará com você, não precisa nos deter aqui.) E se nada desfavorável acontecer, você pode prosseguir com segurança e conduzir o novo amigo para seu líder.

CAPÍTULO 3

Que se faça a luz

Na época em que o universo existia há apenas uma fração de segundo, tinha a temperatura de um feroz trilhão de graus e incandescia com um brilho inimaginável, sua agenda principal era a expansão. A cada momento que passava, o universo se tornava maior, pois mais espaço passava a existir a partir do nada (não é nada fácil de imaginar, mas neste ponto a evidência fala mais alto que o senso comum). À medida que se expandia, o universo se tornava mais frio e mais pálido. Por centenas de milênios, a matéria e a energia coabitaram uma espécie de sopa grossa, em que os velozes elétrons espalhavam continuamente fótons de luz de um lado para outro.

Àquela época, se nossa missão tivesse sido olhar através do universo, não teríamos como realizá-la. Qualquer fóton que entrasse em nossos olhos, apenas nanossegundos ou picossegundos antes, teria feito elétrons quicarem bem diante de nosso rosto. Teríamos visto apenas uma névoa resplandecente em todas as direções, e todos os nossos arredores – luminosos, translúcidos, de cor branco-avermelhada – teriam sido quase tão brilhantes quanto a superfície do Sol.

Enquanto o universo se expandia, a energia carregada por todo fóton decrescia. Por fim, por volta da época em que o jovem universo atingiu seu 380.000º aniversário, sua temperatura caiu abaixo de 3.000 graus, com o resultado de que os prótons e núcleos de hélio podiam capturar permanentemente elétrons, introduzindo, assim, átomos no universo. Em épocas anteriores, todo fóton tinha energia suficiente para romper um átomo recém-formado, mas agora os fótons tinham perdido essa capacidade, graças à expansão cósmica. Com menos elétrons desvinculados para arruinar os mecanismos, os fótons podiam finalmente correr pelo espaço sem se chocar com nada. Foi quando o universo se tornou transparente, a névoa se dissipou, e um fundo cósmico de luz visível foi liberado.

Esse fundo cósmico persiste até hoje, o resto da luz remanescente de um universo primitivo deslumbrante, crepitante. É um banho ubíquo de fótons, agindo tanto como ondas quanto como partículas. O comprimento de onda de cada fóton é igual à separação entre uma de suas cristas oscilantes e a próxima – uma distância que se poderia medir com uma régua, se fosse possível pôr as mãos num fóton. Todos os fótons viajam à mesma velocidade no vácuo, 186.000 milhas (300.000 quilômetros, aproximadamente) por segundo (chamada naturalmente a velocidade da luz), de modo que os fótons que possuem comprimentos de onda mais curtos têm um número maior de cristas de onda passando por um ponto particular a cada segundo. Portanto, os fótons de comprimento de onda mais curto acumulam mais oscilações num dado intervalo de tempo, e por isso terão frequências mais altas – mais oscilações por segundo. A frequência de cada fóton fornece a medida direta de sua energia: quanto mais alta a frequência do fóton, mais energia esse fóton carrega.

Quando o cosmos esfriou, os fótons perderam energia para o universo em expansão. Os fótons produzidos nas partes raios gama e raios X do espectro se metamorfosearam em fótons ultravioleta, da luz visível e infravermelho. À medida que seus comprimentos de onda se tornavam maiores, eles se tornavam mais frios e menos energéticos, mas nunca deixaram de ser fótons. Hoje, 13,7 bilhões de anos depois do início, os fótons do fundo cósmico se deslocaram no espectro para se tornar micro-ondas. É por essa razão que os astrofísicos o chamam de "fundo cósmico de micro-ondas", embora um nome mais duradouro seja a "radiação cósmica de fundo", ou CBR (*cosmic background radiation*). Daqui a cem bilhões de anos, quando o universo se expandir e esfriar um pouco mais, os futuros astrofísicos descreverão a CBR como o "fundo cósmico de ondas de rádio".

A temperatura do universo cai enquanto o tamanho do universo cresce. É algo físico. Quando partes diferentes do universo se separam, os comprimentos de onda dos fótons na CBR devem aumentar: o cosmos estica essas ondas dentro do tecido elastano do espaço e tempo. Como a energia de todo fóton varia em proporção inversa a seu comprimento de onda, todos os fótons que se deslocam livres perderão metade de sua energia original cada vez que o cosmos dobrar de tamanho.

Todos os objetos com temperaturas acima do zero absoluto vão irradiar fótons para todas as partes do espectro. Mas essa radiação sempre tem um pico em algum lugar. O pico da produção de energia de uma lâmpada caseira comum está na parte infravermelha do espectro, o que se pode detectar como um calor na pele. Claro que as lâmpadas também emitem muita luz visível, senão não as compraríamos. Assim podemos sentir a radiação de uma lâmpada, bem como vê-la.

O pico da produção da radiação de fundo cósmico ocorre num comprimento de onda de cerca de 1 milímetro, diretamente na parte de micro-ondas do espectro. A estática que você escuta num *walkie-talkie* provém de um banho ambiente de micro-ondas, uma pequena porcentagem das quais são da CBR. O resto do "barulho" vem do Sol, telefones celulares, pistolas-radares da polícia, e assim por diante. Além de atingir o pico na região da micro-onda, a CBR contém igualmente ondas de rádio (o que lhe permite contaminar sinais de rádio com base na Terra) e um número infimamente pequeno de fótons com energias mais elevadas que as das micro-ondas.

O físico americano nascido na Ucrânia George Gamow e seus colegas previram a existência da CBR durante a década de 1940, consolidando seus esforços num artigo de 1948 que aplicava as então conhecidas leis da física às estranhas condições do universo primitivo. O fundamento para suas ideias provinha do artigo de 1927 escrito por Georges Edouard Lemaître, um astrônomo belga e padre jesuíta, agora amplamente reconhecido como o "pai" da cosmologia do *big bang*. Mas dois físicos americanos, Ralph Alpher e Robert Herman, que tinham colaborado anteriormente com Gamow, estimaram pela primeira vez qual deveria ser a temperatura do fundo cósmico.

Em retrospectiva, Alpher, Gamow e Herman tinham o que hoje parece um argumento relativamente simples, uma ideia que já propusemos: o tecido do espaço-tempo era menor ontem do que é hoje, e como era menor, a física básica requer que fosse mais quente. Assim os físicos fizeram o relógio andar para trás a fim de imaginar a época que temos descrito, o tempo quando o universo era tão quente que todos os seus núcleos atômicos foram desnudados, porque as colisões de fótons deixavam todos os elétrons soltos para vagar livremente pelo espaço. Sob essas condições, Alpher e Herman conjeturavam, os fótons não poderiam ter corrido ininterruptamente através do universo, como fazem hoje. O atual percurso livre dos fótons requer que o cosmos se tornasse suficientemente frio para que os elétrons se estabelecessem em órbitas ao redor dos núcleos atômicos. Isso formou átomos completos e permitiu que a luz viajasse sem obstrução.

Embora Gamow tivesse o *insight* crucial de que o universo primitivo deve ter sido muito mais quente que nosso universo atual, Alpher e Herman foram os primeiros a calcular que a temperatura teria hoje em dia: 5 graus Kelvin. Sim, eles obtiveram o número errado – a CBR tem realmente uma temperatura de 2,73 graus Kelvin. Mas ainda assim esses três sujeitos executaram uma extrapolação bem-sucedida voltando às profundezas de épocas cósmicas há muito desaparecidas

– uma das tantas grandes proezas na história da ciência. Pegar um pouco de física atômica básica de uma lousa no laboratório, e deduzir desses dados teóricos o fenômeno da maior escala já mensurada – a história da temperatura de nosso universo – é nada menos que alucinante. Avaliando essa realização, J. Richard Gott III, um astrofísico na Universidade de Princeton, escreveu em *Time Travel in Einstein's Universe*: "Predizer que a radiação existia e depois calcular sua temperatura correta dentro de um fator de 2 foi uma extraordinária realização – mais ou menos como predizer que um disco voador de 15,24 metros de largura aterrissaria no gramado da Casa Branca e depois observar um de 8,23 metros de largura realmente aparecer".

Quando Gamow, Alpher e Herman fizeram suas predições, os físicos ainda estavam indecisos quanto à história de como o universo começou. Em 1948, o mesmo ano em que saiu o artigo de Alpher e Herman, surgiu uma teoria rival sobre o universo, a teoria do "estado estacionário", publicada em dois artigos na Inglaterra, um escrito por dois autores, o matemático Hermann Bondi e o astrofísico Thomas Gold, o outro assinado pelo cosmólogo Fred Hoyle. A teoria do estado estacionário requer que o universo, embora em expansão, tenha sempre apresentado a mesma aparência – uma hipótese com uma simplicidade profundamente atraente. Mas, como o universo está em expansão, e como um universo de estado estacionário não teria sido mais quente, nem mais denso ontem do que hoje, o roteiro Bondi--Gold-Hoyle sustentava que a matéria surgia de maneira contínua em nosso universo, exatamente na taxa certa para manter uma densidade média constante no cosmos a se expandir. Em contraste, a teoria do *big bang* (que recebeu esse nome por uma ironia de Fred Hoyle) requer que toda a matéria tenha passado a existir num único instante, o que alguns acham mais emocionalmente satisfatório. Observe--se que a teoria do estado estacionário pega a questão da origem do universo e a joga para trás a uma distância temporal infinita – o que é altamente conveniente para aqueles que preferem não examinar esse problema espinhoso.

A predição da radiação cósmica de fundo representou um alerta aos teóricos do estado estacionário. A existência da CBR demonstraria claramente que o universo foi outrora muito diferente – muito menor e mais quente – de como o encontramos hoje em dia. Portanto, as primeiras observações diretas da CBR pregaram os primeiros pregos no caixão da teoria do estado estacionário (embora Fred Hoyle nunca tenha aceitado plenamente que a CBR invalide sua elegante teoria, chegando até a fazer uma tentativa séria de explicar a radiação como algo que surgiu de outras causas). Em 1964, por acaso e serendipidade, a CBR foi descoberta por Arno Penzias e Robert Wilson, de Bell Telephone Laboratories (Bell Labs, abreviado) em Murray Hill, Nova Jersey. Depois de pouco mais que uma década, Penzias e Wilson receberam o Prêmio Nobel por sua boa sorte e trabalho duro.

O que conduziu Penzias e Wilson ao seu Prêmio Nobel? Durante o início da década de 1960, todos os físicos sabiam sobre as micro-ondas, mas quase ninguém tinha criado a capacidade de detectar sinais fracos na porção de micro-ondas do espectro. Àquela altura, a maior parte da comunicação sem fio (p. ex., receptores, detectores e transmissores) era feita por ondas de rádio, que têm comprimentos de onda mais longos que as micro-ondas. Para essas últimas, os cientistas precisavam de um detector de comprimento de onda mais curto e de uma antena sensível para capturá-las. A Bell Labs tinha uma dessas antenas, uma antena tamanho família e em forma de chifre que era capaz de focalizar e detectar micro-ondas bem como qualquer aparelhagem sobre a Terra.

Se pretende enviar ou receber um sinal de qualquer espécie, você não quer que outros sinais o contaminem. Penzias e Wilson estavam tentando abrir um novo canal de comunicação para Bell Labs, por isso queriam determinar quanta interferência contaminadora de "fundo" esses sinais experimentariam a partir do Sol, do centro da galáxia, de fontes terrestres, de qualquer lugar. Assim eles começaram uma medição-padrão, importante e inteiramente inocente, que procurava estabelecer com que facilidade poderiam detectar sinais de micro--ondas. Embora tivessem alguma formação em astronomia, Penzias e Wilson não eram cosmólogos, mas técnicos com doutorado em física que estudavam as micro-ondas, sem conhecer as predições feitas por Gamow, Alpher e Herman. O que eles definitivamente *não* procuravam era o fundo cósmico de micro-onda.

Assim eles fizeram seu experimento, e corrigiram seus dados para todas as fontes conhecidas de interferência. Mas encontraram um ruído de fundo que não desaparecia no sinal, e não conseguiam imaginar como livrar-se dele. O ruído parecia vir de toda direção acima do horizonte, e não mudava com o tempo. Finalmente, resolveram olhar dentro de seu chifre gigantesco. Algumas pombas estavam fazendo ninho na antena, deixando uma substância dielétrica branca (cocô de pomba) por toda parte ali perto. As coisas devem ter se tornado desesperadoras para Penzias e Wilson: as fezes poderiam ser responsáveis, eles se perguntavam, pelo ruído de fundo? Eles limparam tudo, e certamente o barulho diminuiu um pouquinho. Mas ainda não desaparecia de todo. O artigo que publicaram em 1965, no *The Astrophysical Journal,* refere-se ao enigma persistente de uma inexplicável "temperatura excessiva na antena", e não à descoberta astronômica do século.

Enquanto Penzias e Wilson estavam removendo fezes de pássaros de sua antena, uma equipe de físicos na Universidade de Princeton, liderada por Robert H. Dicke, construía um detector especificamente projetado para encontrar a CBR que Gamow, Alpher e Herman tinham predito. Os professores, entretanto, não tinham os recursos de Bell Labs, por isso seu trabalho prosseguia mais lentamente. Assim que escutaram sobre os resultados de Penzias e Wilson, Dicke e seus colegas compreenderam que tinham sido passados para trás. A equipe de Princeton sabia exatamente o que era a "temperatura excessiva na antena". Tudo se encaixava na teoria: a temperatura, o fato de que o sinal vinha de todas as direções em quantidades iguais, e de que não estava sincronizado com a rotação da Terra ou a posição da Terra em órbita ao redor do Sol.

Mas por que alguém deveria aceitar a interpretação? Por boas razões. Os fótons levam tempo para chegar até nós vindos de partes distantes do cosmos, assim retrocedemos inevitavelmente no tempo sempre que voltamos os olhos para o espaço. Isso significa que se os habitantes inteligentes de uma galáxia muito, muito distante medissem a temperatura da radiação cósmica de fundo, muito antes que conseguíssemos fazê-lo, eles teriam descoberto que a temperatura era mais elevada que 2,73 graus Kelvin, porque teriam habitado o universo quando ele era mais jovem, menor e mais quente do que é hoje.

Uma afirmação tão audaciosa como essa pode ser testada? Sim. Resulta que o composto de carbono e nitrogênio chamado cianogênio – mais conhecido dos assassinos condenados como o ingrediente ativo do gás administrado pelos seus carrascos – torna-se excitado pela exposição às micro-ondas. Se as micro-ondas são mais quentes que as existentes em nossa CBR, elas vão excitar o composto com um pouco mais de eficácia do que nossas micro-ondas conseguem fazê-lo. Os compostos de cianogênio atuam assim como um termômetro cósmico. Quando os observamos em galáxias distantes e, portanto, mais jovens, eles devem se encontrar banhados num fundo cósmico mais quente que o cianogênio em nossa galáxia da Via Láctea. Em outras palavras, essas galáxias devem viver mais animadas do que nós. É isso o que de fato se dá. O espectro do cianogênio nas galáxias distantes mostra que as micro-ondas têm exatamente a temperatura que esperamos encontrar nesses tempos cósmicos primitivos.

Você não consegue inventar essas coisas.

A CBR contribui muito mais para o trabalho dos astrofísicos do que fornecer tão somente uma evidência direta do universo primitivo quente e, portanto, do modelo do *big bang*. Ocorre que os detalhes dos fótons que compreendem a CBR nos atingem carregados de informações sobre o cosmos que existia tanto antes como depois que o universo se tornou transparente. Observamos que até aquela época, cerca de 380.000 anos depois do *big bang*, o universo era opaco, de modo que não se poderia ter testemunhado a matéria criando formas, ainda que se estivesse sentado no centro da primeira fila. Você não poderia ter visto onde os aglomerados de galáxias estavam começando a se formar. Antes que qualquer um, em qualquer lugar, pudesse ver algo que valesse a pena, os fótons tinham de adquirir a capacidade de viajar, desimpedidos, através do universo. Quando chegou a hora, cada fóton começou sua jornada através do cosmos no ponto em que se chocou contra o último elétron que se interpôs no seu caminho. À medida que mais e mais fótons escapavam sem serem defletidos por elétrons (graças aos elétrons se juntarem aos núcleos para formar átomos), eles criavam uma casca em expansão de fótons que os astrofísicos chamam "a superfície da última dispersão". Essa casca, que se formou durante um período de cerca de cem mil anos, marca a época em que nasceram quase todos os átomos no cosmos.

A essa altura, a matéria em grandes regiões do universo já começara a coalescer. Onde a matéria acumula, a gravidade se torna mais forte, permitindo que mais e mais matéria se reúna. Essas regiões ricas em matéria semearam a formação dos superaglomerados de galáxias, enquanto outras regiões permaneciam relativamente vazias. Os fótons que pela última vez espalharam elétrons dentro das regiões em coalescência desenvolveram um espectro diferente, ligeiramente mais frio, ao escaparem do campo de gravidade cada vez mais forte, o que lhes roubou um pouquinho da energia.

A CBR mostra lugares que são levemente mais quentes ou levemente mais frios que a média, em geral por um centésimo de milésimo de grau. Esses lugares quentes e frios marcam as estruturas mais primitivas do cosmos, os primeiros amontoamentos de matéria. Sabemos como é a matéria hoje em dia porque vemos galáxias, aglomerados e superaglomerados de galáxias. Para descobrir como esses sistemas surgiram, sondamos a radiação cósmica de fundo, uma relíquia extraordinária do passado remoto, que ainda preenche o universo inteiro. Estudar os padrões na CBR equivale a uma espécie de frenologia cósmica: podemos ler as saliências no "crânio" do jovem universo e, a partir delas, deduzir o comportamento não só de um universo bebê, mas também de um universo adulto.

Ao acrescentar outras observações do universo local e do universo distante, os astrônomos podem determinar todos os tipos de propriedades cósmicas fundamentais a partir da CBR. Ao compararmos a distribuição de tamanhos e temperaturas das áreas levemente mais quentes e mais frias, por exemplo, podemos inferir a força da gravidade no universo primitivo, e assim a rapidez com que a matéria se acumulou. A partir disso, podemos então deduzir quanta matéria comum, matéria escura e energia escura existe no universo (as porcentagens são 4, 23 e 73, respectivamente). A partir daí, é fácil dizer se o universo vai se expandir para sempre ou não, e se a expansão terá sua velocidade diminuída ou aumentada à medida que o tempo passa.

A matéria comum é aquilo de que todo mundo é feito. Exerce gravidade e pode absorver, emitir e interagir com a luz de outras maneiras. A matéria escura, como veremos no Capítulo 4, é uma substância de natureza desconhecida que produz gravidade, mas não interage com a luz em nenhum modo conhecido. E a energia escura, como veremos no Capítulo 5, induz uma aceleração da expansão cósmica, forçando o universo a se expandir mais rapidamente do que caso contrário se expandiria. O exame de frenologia atual informa que os cosmólogos compreendem como o universo primitivo se comportava, mas que a maior parte do universo, naquela época e agora, consiste em alguma coisa sobre a qual eles não têm nenhuma pista.

Apesar dessas áreas profundas de ignorância, hoje, como nunca antes, a cosmologia tem uma âncora. A CBR traz a marca de um portal através do qual todos nós outrora passamos.

A descoberta do fundo cósmico de micro-ondas acrescentou nova precisão à cosmologia ao verificar a conclusão, originalmente derivada de observações de galáxias distantes, de que o universo tem se expandido por bilhões de anos. Foi o mapa acurado e detalhado da CBR – um mapa feito primeiro para pequenos trechos do céu por meio de instrumentos carregados por balões e um telescópio no polo Sul, e mais tarde para todo o céu por meio de um satélite chamado Sonda de Anisotropia de Micro-ondas Wilkinson (WMAP) – que assegurou o lugar da cosmologia no quadro da ciência experimental. Vamos ouvir muito mais sobre a WMAP, cujos primeiros resultados apareceram em 2003, antes que nossa narrativa cosmológica tenha chegado ao fim.

Os cosmólogos têm um ego grande: senão como poderiam ter a audácia de deduzir o que gerou a existência do universo? Mas a nova era da cosmologia observacional talvez exija uma postura mais modesta, mais comedida entre seus profissionais. Cada nova observação, cada migalha de dados, pode ser boa ou má para suas teorias. Por um lado, as observações fornecem um fundamento básico para a cosmologia, um fundamento que tantas outras ciências aceitam como natural por realizarem séries valiosas de observações de laboratório. Por outro lado, os novos dados quase certamente liquidarão algumas das histórias extravagantes que os teóricos fantasiavam, quando não tinham observações que as confirmassem ou não.

Nenhuma ciência atinge a maturidade sem a precisão dos dados. A cosmologia agora se tornou uma ciência de precisão.

CAPÍTULO 4

Que se faça escuro

A gravidade, a mais familiar das forças naturais, oferece-nos simultaneamente os fenômenos mais e menos compreendidos da natureza. Foi necessária a mente de Isaac Newton, a mais brilhante e influente do milênio, para compreender que a misteriosa "ação à distância" da gravidade surge dos efeitos naturais de cada pedacinho de matéria, e que as forças atrativas entre dois objetos quaisquer podem ser descritas por uma simples equação algébrica. Foi necessária a mente de Albert Einstein, a mais brilhante e influente do século XX, para mostrar que podemos descrever com mais precisão a ação à distância da gravidade como uma dobra no tecido do espaço-tempo, produzida por toda e qualquer combinação de matéria e energia. Einstein demonstrou que a teoria de Newton requer alguma modificação para descrever a gravidade com acuidade – ao predizer, por exemplo, o quanto os raios de luz se curvarão ao passar perto de um objeto massivo. Embora as equações de Einstein sejam mais elegantes que as de Newton, elas acomodam muito bem a matéria que viemos a conhecer e amar. Matéria que podemos ver, tocar, sentir e, de vez em quando, degustar.

Não sabemos quem é o próximo na sequência de gênios, mas há bem mais de meio século estamos esperando que apareça alguém para nos explicar por que o volume de todas as forças gravitacionais que já medimos no universo surge de substâncias que não vemos, nem tocamos, nem sentimos, nem degustamos. Ou talvez a gravidade excessiva não venha absolutamente da matéria, mas emane de alguma outra coisa conceitual. Em todo caso, estamos sem nenhuma pista. Hoje descobrimos que não estamos mais perto de uma resposta do que estávamos quando esse problema da "massa ausente" foi identificado pela primeira vez em 1933, por astrônomos que mediam as velocidades de galáxias cuja gravidade afetava suas vizinhas próximas, e mais plenamente analisado em 1937, pelo fascinante astrofísico búlgaro-suíço-americano Fritz Zwicky, que lecionou no Instituto de Tecnologia da Califórnia por mais de quarenta anos, combinando seus *insights* de longo alcance sobre o cosmos com um meio de expressão vívido e uma capacidade impressionante de antagonizar seus colegas.

Zwicky estudou o movimento de galáxias dentro de um aglomerado titânico de galáxias, localizado muito além das estrelas locais da Via Láctea que delineiam a constelação Coma Berenices (a "cabeleira de Berenice", uma rainha egípcia da antiguidade). O aglomerado de Coma, assim como é chamado por aqueles que são do ramo, é um conjunto isolado e ricamente povoado de galáxias a cerca de 300 milhões de anos-luz da Terra. Seus muitos milhares de galáxias orbitam o centro do aglomerado, movendo-se em todas as direções como abelhas circulando sua colmeia. Usando os movimentos de algumas dúzias de galáxias como traçadores do campo gravitacional que une o aglomerado inteiro, Zwicky descobriu que sua velocidade média é chocantemente elevada. Como forças gravitacionais maiores induzem velocidades mais elevadas nos objetos que atraem, Zwicky deduziu uma enorme massa para o aglomerado de Coma. Quando somamos todas as massas estimadas de suas galáxias, Coma está entre os maiores e mais massivos aglomerados de galáxias no universo. Mesmo assim, o aglomerado não contém matéria visível suficiente para explicar as velocidades observadas em suas galáxias membros. Parece estar faltando matéria.

Se você aplica a lei da gravidade de Newton e supõe que o aglomerado não existe num estado ocasional de expansão ou colapso, você pode calcular qual deveria ser a velocidade média característica de suas galáxias. Você só precisa saber o tamanho do aglomerado e uma estimativa de sua massa total: a massa, agindo sobre distâncias caracterizadas pelo tamanho do aglomerado, determina a velocidade com que as galáxias devem se mover para evitar cair no centro deste ou escapar inteiramente do aglomerado.

Num cálculo semelhante, como mostrou Newton, pode-se deduzir a que velocidade cada um dos planetas em sua distância particular do Sol deve se mover em sua órbita. Longe de serem mágicas, essas velocidades satisfazem a circunstância gravitacional em que cada um dos planetas se encontra. Se o Sol de repente adquirisse mais massa, a Terra e tudo o mais no sistema solar precisaria de velocidades maiores para permanecer em suas órbitas atuais. Com velocidade demais, entretanto, a gravidade do Sol será insuficiente para manter a órbita de todos. Se a velocidade orbital da Terra fosse maior que a raiz quadrada de duas vezes sua velocidade atual, o nosso planeta atingiria a "velocidade de escape" e, você já adivinhou, escaparia para fora do sistema solar. Podemos aplicar o mesmo raciocínio para objetos muito maiores, como a nossa própria galáxia da Via Láctea, na qual as estrelas se movem em órbitas que reagem à gravidade de todas as outras estrelas, ou em aglomerados de galáxias, onde cada uma das galáxias sente da mesma forma a gravidade de todas as outras galáxias. Como Einstein certa vez escreveu (com mais sonoridade em alemão do que nesta tradução feita por um de nós [DG] para honrar Isaac Newton):

Olhem para as estrelas que elas ensinam
Como as ideias do mestre podem nos alcançar
Cada uma segue a matemática de Newton
Em silêncio ao longo de seu caminho.

Quando examinamos o aglomerado de Coma, como Zwicky fez na década de 1930, descobrimos que todas as suas galáxias membros se movem mais rapidamente do que a velocidade de escape para o aglomerado, mas apenas se estabelecemos essa velocidade a partir da soma de todas as massas da galáxia consideradas uma a uma, o que estimamos a partir dos brilhos das galáxias. Portanto, o aglomerado deveria se dispersar velozmente, mal e mal deixando um vestígio de sua existência de colmeia, depois que apenas algumas centenas de milhões de anos, talvez um bilhão, tivessem se passado. Mas o aglomerado tem mais de 10 bilhões de anos, é quase tão velho quanto o próprio universo. E assim nasceu o que continua a ser o mistério mais duradouro da astronomia.

Ao longo das décadas que se seguiram ao trabalho de Zwicky, outros aglomerados de galáxias revelaram o mesmo problema. Assim não se podia culpar Coma por ser estranha. Então em quem deveríamos pôr a culpa? Em Newton? Não, suas teorias tinham sido examinadas por 250 anos e aprovadas em todos os testes. Einstein? Não. A gravidade formidável dos aglomerados de galáxias não se torna tão alta a ponto de requerer a ferramenta plena da teoria da relatividade geral de Einstein, que existia há apenas duas décadas quando Zwicky fez sua pesquisa. Talvez a "massa ausente" necessária para unir as galáxias do aglomerado de Coma realmente exista, mas de alguma forma invisível, desconhecida. Por algum tempo, os astrônomos deram ao problema da massa ausente o nome de o "problema da luz ausente", pois a massa tinha sido fortemente inferida a partir do excesso de gravidade. Hoje, com melhores determinações das massas dos aglomerados de galáxias, os astrônomos usam o apelido "matéria escura", embora "gravidade escura" fosse mais preciso.

O problema da matéria escura ergueu sua cabeça invisível uma segunda vez. Em 1976, Vera Rubin, uma astrofísica do Carnegie

Institution de Washington, descobriu uma "massa ausente" semelhante anomalamente dentro das próprias galáxias espirais. Ao estudar as velocidades com que as estrelas orbitam seus centros da galáxia, Rubin primeiro descobriu o que ela esperava: dentro do disco visível de cada galáxia, as estrelas mais distantes do centro se movem a velocidades maiores do que as estrelas perto do miolo. As estrelas mais afastadas têm mais matéria (estrelas e gases) entre elas próprias e o centro da galáxia, requerendo velocidades mais elevadas para sustentar suas órbitas. Para além do disco luminoso da galáxia, entretanto, ainda podemos encontrar algumas nuvens de gás isoladas e umas poucas estrelas brilhantes. Usando esses objetos como traçadores do campo de gravidade "fora" da galáxia, onde a matéria visível já não contribui para o total, Rubin descobriu que suas velocidades orbitais, que deveriam ter caído com a distância crescente lá fora em lugar nenhum, de fato continuavam altas.

Esses volumes de espaço em grande parte vazios – as regiões rurais de cada galáxia – contêm muito pouca matéria visível para explicar as velocidades orbitais dos traçadores. Rubin raciocinou corretamente que alguma forma de matéria escura deveria estar nessas regiões afastadas, bem além da beirada visível de cada galáxia espiral. Na verdade, a matéria escura forma uma espécie de halo ao redor de toda a galáxia.

Esse problema do halo existe debaixo de nossos narizes, bem em nossa própria galáxia da Via Láctea. De galáxia a galáxia e de aglomerado a aglomerado, a discrepância entre a massa em objetos visíveis e a massa total de sistemas vai de um fator de apenas dois ou três até fatores de muitas centenas. Através do universo, o fator chega à média de aproximadamente seis, isto é, a matéria escura cósmica possui cerca de seis vezes a massa de toda a matéria visível.

Nos últimos vinte e cinco anos, mais pesquisas têm revelado que a maior parte da matéria escura não pode consistir em matéria comum não luminosa. Essa conclusão se fundamenta em duas linhas de raciocínio. Primeiro, podemos eliminar com quase toda a certeza todos os plausíveis candidatos familiares, como os suspeitos numa linha de reconhecimento da polícia. A matéria escura poderia residir em buracos negros? Não, pensamos que a teríamos detectado em muitos buracos negros por seus efeitos gravitacionais em estrelas próximas. Poderia ser nuvens escuras? Não, elas absorveriam ou interagiriam de algum outro modo com a luz de estrelas atrás delas, o que a matéria escura real não faz. Poderia ser planetas, asteroides e cometas interestelares (ou intergalácticos), todos objetos que não produzem luz própria? É difícil de acreditar que o universo manufaturaria seis vezes mais massa em planetas do que em estrelas. Isso significaria seis mil Júpiteres para cada estrela na galáxia, ou ainda pior, 2 milhões de Terras. Em nosso próprio sistema solar, por exemplo, tudo o que não é o Sol acrescenta um insignificante 0,2% da massa do Sol.

Assim, conforme nossas melhores suposições, a matéria escura simplesmente não consiste em matéria que é por acaso escura. Em vez disso, é algo completamente diferente. A matéria escura exerce gravidade segundo as mesmas regras seguidas pela matéria comum, mas pouco mais faz que pudesse permitir-nos detectá-la. Claro, estamos paralisados nessa análise por não saber o que é a matéria escura. As dificuldades de detectar a matéria escura, intimamente conectadas com nossas dificuldades de perceber o que poderia ser, propõem a questão: se toda a matéria tem massa, e toda a massa tem gravidade, toda a gravidade tem matéria? Não sabemos. O nome "matéria escura" pressupõe a existência de um tipo de matéria que tem gravidade e que ainda não compreendemos. Mas talvez seja a gravidade o que não compreendemos.

Para estudar a matéria escura indo além de deduzir sua existência, os astrofísicos agora procuram aprender onde essa coisa se acumula no espaço. Se a matéria escura existisse apenas nas beiradas exteriores de aglomerados de galáxias, por exemplo, as velocidades das galáxias não exibiriam nenhuma evidência de problema da matéria escura, porque as velocidades e trajetórias de galáxias reagem apenas a fontes de gravidade interiores a suas órbitas. Se a matéria escura ocupasse apenas os centros dos aglomerados, a sequência das velocidades da galáxia medidas do centro do aglomerado até sua beirada reagiria tão somente à matéria comum. Mas as velocidades das galáxias em aglomerados revelam que a matéria escura permeia todo o volume ocupado pelas galáxias em órbita. Na realidade, as localizações da matéria comum e da matéria escura coincidem de maneira muito indefinida. Há vários anos uma equipe liderada pelo astrofísico americano J. Anthony Tyson, então na Bell Labs e agora em UC Davis (ele é chamado "Primo Tony" por um de nós, embora não tenhamos nenhum parentesco) produziu o primeiro mapa detalhado da distribuição da gravidade da matéria escura dentro e ao redor de um titânico aglomerado de galáxias. Em qualquer lugar onde vemos grandes galáxias, encontramos também uma concentração mais elevada de matéria escura dentro do aglomerado. O contrário é também verdade: regiões sem galáxias visíveis têm uma escassez de matéria escura.

A discrepância entre a matéria escura e a matéria comum varia significativamente de um ambiente astrofísico para outro, mas torna-se mais pronunciada em grandes entidades como as galáxias e os aglomerados de galáxias. Nos objetos menores, como luas e planetas, não existe discrepância. A gravidade da superfície da Terra, por exemplo, pode ser explicada inteiramente pelo que está sob nossos pés. Assim, se você está acima do peso sobre a Terra, não ponha a culpa na matéria escura. A matéria escura tampouco tem relação com a órbita da Lua ao redor da Terra, nem com os movimentos dos planetas ao redor do Sol. Mas precisamos dela para explicar os movimentos das estrelas ao redor do centro da galáxia.

Será que em escala galáctica opera um tipo diferente de física gravitacional? Provavelmente não. É mais provável que a matéria escura consista em matéria cuja natureza ainda temos de adivinhar, algo que se amontoa mais difusamente que a matéria comum. Caso contrário, descobriríamos que uma em cada seis porções de matéria escura tem um naco de matéria comum agarrado a ela. Até onde podemos afirmar, não é assim que as coisas são.

Correndo o risco de provocar depressão, os astrofísicos às vezes argumentam que toda a matéria que viemos a conhecer e amar no universo – a matéria de estrelas, planetas e vida – são meras boias flutuando num vasto oceano cósmico de algo que parece nada.

Mas e se essa conclusão estiver totalmente errada? Quando nada mais parece funcionar, alguns cientistas vão questionar, compreensivelmente e com toda a razão, as leis fundamentais da física que sustentam as pressuposições feitas por outros que procuram compreender o universo.

Durante o início da década de 1980, o físico israelense Mordehai Milgrom do Weizmann Institute of Science em Rehovot, Israel, sugeriu uma mudança nas leis de gravidade de Newton, uma teoria agora conhecida como MOND (dinâmica newtoniana modificada). Ao aceitar o fato de que a dinâmica newtoniana padrão opera com sucesso em escalas de tamanho menores que as galáxias, Milgrom sugeriu que Newton precisava de uma ajuda para descrever os efeitos da gravidade em distâncias do tamanho de galáxias e aglomerados de galáxias, dentro dos quais as estrelas individuais e os aglomerados de estrelas se acham tão separados que exercem relativamente pouca força gravitacional entre si. Milgrom acrescentou um termo extra à equação de Newton, especificamente talhado para ganhar vida em distâncias astronomicamente grandes. Embora tenha inventado o MOND como uma ferramenta computacional, Milgrom não excluiu a possibilidade de que sua teoria pudesse se referir a um novo fenômeno da natureza.

O MOND teve um sucesso apenas limitado. A teoria pode explicar o movimento de objetos isolados nos confins exteriores de muitas galáxias espirais, mas provoca mais perguntas do que fornece respostas. O MOND não consegue predizer com segurança a dinâmica de configurações mais complexas, como o movimento de galáxias em sistemas binários e múltiplos. Além disso, o mapa detalhado da radiação cósmica de fundo, produzido pelo satélite WMAP em 2003, permitiu que os cosmólogos isolassem e medissem a influência da matéria escura no universo primitivo. Como esses resultados parecem corresponder a um modelo consistente do cosmos baseado em teorias convencionais da gravidade, o MOND tem perdido muitos adeptos.

Durante o primeiro meio milhão de anos depois do *big bang*, um mero momento no âmbito de 14 bilhões de anos de história cósmica, a matéria no universo já começara a coalescer em bolhas que se tornariam aglomerados e superaglomerados de galáxias. Mas o cosmos estava sempre se expandindo e dobraria de tamanho durante seu próximo meio milhão de anos. Assim o universo reage a dois efeitos concorrentes: a gravidade querendo fazer as coisas coagularem, mas a expansão querendo diluí-las. Se você faz os cálculos, vai rapidamente deduzir que a gravidade da matéria comum não poderia ganhar essa batalha sozinha. Precisava da ajuda da matéria escura, sem a qual estaríamos vivendo – na realidade, não vivendo – num universo sem estrutura: sem aglomerados, sem galáxias, sem estrelas, sem planetas, sem pessoas. Quanta gravidade da matéria escura se fazia necessária? Seis vezes a quantidade fornecida pela própria matéria comum. Essa análise não deixa margem para os pequenos termos corretivos do MOND nas leis de Newton. A análise não nos diz o que é a matéria escura, apenas que os efeitos da matéria escura são reais – e que, por mais que se tente, não se pode creditar esse fato à matéria comum.

A matéria escura desempenha outro papel crucial no universo. Para avaliar tudo o que a matéria escura fez por nós, é preciso voltar no tempo a uns dois minutos depois do *big bang*, quando o universo ainda era tão imensamente quente e denso que os núcleos de hidrogênio (prótons) podiam se fundir. Esse cadinho do cosmos primitivo fundiu hidrogênio em hélio, junto com vestígios de lítio, mais uma quantidade ainda menor de deutério, que é uma versão mais pesada do núcleo de hidrogênio, com um nêutron acrescentado ao próton. Essa mistura de núcleos fornece outra impressão digital cósmica do *big bang*, uma relíquia que nos permite reconstruir o que aconteceu quando o cosmos tinha uns poucos minutos de existência. Na criação dessa impressão digital, o principal motor foi a força nuclear forte – a força que une os prótons e nêutrons dentro do núcleo – e não a gravidade, uma força tão fraca que só ganha importância quando as partículas se aglomeram aos trilhões.

Quando a temperatura caiu abaixo de um valor limiar, a fusão nuclear em todo o universo criara um núcleo de hélio para cada dez núcleos de hidrogênio. O universo também transformara cerca de uma parte em mil de sua matéria comum em núcleos de lítio, e duas partes em cem mil em deutério. Se a matéria escura não consistisse em alguma substância não interativa, mas fosse feita de matéria comum escura – matéria com privilégios de fusão normais – então, porque a matéria escura comprimia seis vezes mais partículas nos minúsculos volumes do universo primitivo do que a matéria comum, sua presença teria aumentado dramaticamente a taxa de fusão do hidrogênio. O resultado teria sido uma superprodução perceptível de hélio, em comparação com a quantidade observada, e o nascimento de um universo visivelmente diferente daquele que habitamos.

O hélio é um núcleo duro, relativamente fácil de fazer, mas extremamente difícil de fundir em outros núcleos. Como as estrelas têm continuado a gerar hélio a partir de hidrogênio em seus núcleos, destruindo relativamente pouco hélio por meio de uma fusão nuclear mais avançada, podemos esperar que os lugares onde encontramos as menores quantidades de hélio no universo não teriam menos hélio do que a quantidade produzida pelo universo durante seus primeiros minutos. Sem dúvida, galáxias cujas estrelas só processam minimamente seus ingredientes mostram que um em dez de seus átomos consiste em hélio, assim como se esperaria da nudez do cosmos no *big bang*, desde que a matéria escura então presente não participasse da fusão nuclear que criou os núcleos.

Assim, a matéria escura é nossa amiga. Mas os astrofísicos se tornam compreensivelmente desconfortáveis sempre que devem basear seus cálculos em conceitos que não compreendem, ainda que essa não seja a primeira vez que agem dessa maneira. Os astrofísicos mediram a energia do Sol, por exemplo, muito antes que alguém soubesse que a fusão termonuclear era responsável por ela. No século XIX, antes da introdução da mecânica quântica e da descoberta de outros *insights* profundos sobre o comportamento da matéria em suas menores escalas, a fusão nem sequer existia como um conceito.

Alguns céticos implacáveis talvez comparem a matéria escura de hoje com o hipotético e agora defunto "éter", proposto séculos atrás como o meio transparente e sem peso através do qual a luz se movia. Por muitos anos, até um famoso experimento de 1887 em Cleveland, realizado por Albert Michelson e Edward Morley, os físicos pressupunham a existência do éter, ainda que nem um fiapo de evidência sustentasse essa presunção. Cientes de que a luz é uma onda, os físicos consideravam que a luz requeria um meio pelo qual se mover, assim como as ondas de som se movem pelo ar. Entretanto, revelou-se que a luz fica muito feliz viajando pelo vácuo do espaço, desprovido de qualquer meio de sustentação. Ao contrário das ondas sonoras, entretanto, que consistem em vibrações do ar, as ondas de luz se propagam por si mesmas.

Mas a ignorância da matéria escura difere fundamentalmente da ignorância do éter. Enquanto o éter equivalia a um representante de nossa compreensão incompleta, a existência da matéria escura não deriva de mera presunção, mas de efeitos observados de sua gravidade sobre a matéria visível. Não estamos inventando a matéria escura a partir do nada; em vez disso, deduzimos sua existência a partir de fatos observacionais. A matéria escura é simplesmente tão real quanto os mais de cem planetas descobertos em órbita ao redor de estrelas que não o Sol – quase todos encontrados unicamente pela sua influência gravitacional nas estrelas anfitriãs. O pior que pode acontecer é que os físicos (ou outros de *insights* profundos) descubram que a matéria escura não consiste absolutamente em matéria, mas em alguma outra coisa, sem, entretanto, conseguir descartá-la pela argumentação. A matéria escura poderia ser a manifestação de forças de uma outra dimensão? Ou de um universo paralelo intersectando o nosso? Mesmo assim, nada disso mudaria a invocação bem-sucedida da gravidade da matéria escura nas equações que usamos para compreender a formação e evolução do universo.

Outros céticos implacáveis poderiam declarar "ver para crer". Uma abordagem "ver para crer" da vida funciona bem em muitos empreendimentos, inclusive engenharia mecânica, pescaria e talvez encontros amorosos. É também boa, aparentemente, para residentes de Missouri. Mas não produz boa ciência. A ciência não concerne apenas a ver. A ciência diz respeito a medir – de preferência com algo que *não* seja nossos próprios olhos, que estão inextricavelmente amalgamados com a bagagem de nosso cérebro: ideias preconcebidas, noções pós-concebidas, imaginação não verificada com respeito a outros dados, e viés.

Tendo resistido a tentativas de detectá-la diretamente sobre a Terra por três quartos de século, a matéria escura tornou-se uma espécie de teste Rorschach do investigador. Alguns físicos de partículas dizem que a matéria escura deve consistir numa classe fantasmagórica de partículas ainda não descobertas que interagem com a matéria via gravidade, mas que, excluindo essa possibilidade, interagem com a matéria ou a luz apenas fracamente, ou de forma alguma. Isso parece bizarro, mas a sugestão tem precedente. Sabe-se muito bem, por exemplo, que os neutrinos existem, embora interajam de modo extremamente fraco com a luz e a matéria comuns. Os neutrinos do Sol – dois neutrinos para cada núcleo de hélio feito no núcleo solar – viajam pelo vácuo do espaço quase à velocidade da luz, mas depois passam através da Terra como se ela não existisse. O cálculo: noite e dia, 100 bilhões de neutrinos vindos do Sol entram e depois saem de cada polegada quadrada (6,25 centímetros quadrados) de nossos corpos a cada segundo.

Mas os neutrinos podem ser detidos. A cada rara ocasião, eles interagem com a matéria via força nuclear fraca da natureza. E se conseguimos deter uma partícula, podemos detectá-la. Compare-se o comportamento elusivo dos neutrinos com o do Homem Invisível (em sua fase invisível) – um candidato tão bom quanto qualquer outro para a matéria escura. Ele podia passar por paredes e portas como se elas não estivessem ali. Embora equipado com esses talentos, por que ele simplesmente não caía, passando através do piso, dentro do porão?

Se pudermos construir detectores suficientemente sensíveis, as partículas da matéria escura, estudadas pelo físico de partículas, talvez se revelem por meio de interações familiares. Ou talvez revelem sua presença por meio de outras forças que não a força nuclear forte, a força nuclear fraca e o eletromagnetismo. Essas três forças (mais a gravidade) mediam todas as interações entre duas partículas e entre todas as partículas conhecidas. Assim as escolhas são claras. Ou as partículas da matéria escura devem esperar que descubramos e controlemos uma nova força ou classe de forças por meio das quais as partículas interagem, ou então as partículas da matéria escura interagem via forças normais, mas com uma fraqueza assombrosa.

Os teóricos do MOND não veem partículas exóticas em seus testes Rorschach. Eles acham que é a gravidade, e não as partículas, que precisa de correção. E assim produziram uma dinâmica newtoniana modificada – uma tentativa audaciosa que parece ter falhado, mas que é sem dúvida a precursora de outras tentativas de mudar nossa visão da gravidade em vez de alterar nosso censo das partículas subatômicas.

Outros físicos perseguem o que eles chamam TOEs ou "teorias de tudo". Num subproduto de uma dessas versões, o nosso próprio universo está perto de um universo paralelo, com o qual interagimos apenas por meio da gravidade. Nunca nos deparamos com nenhuma matéria desse universo paralelo, mas podemos talvez sentir seu puxão atravessando as dimensões espaciais de nosso próprio universo. Imagine um universo fantasma bem ao lado do nosso, que nos é revelado apenas pela sua gravidade. Parece exótico e inacreditável, mas provavelmente não mais do que as primeiras sugestões de que a Terra orbita o Sol, ou de que nossa galáxia não está sozinha no universo.

Assim, os efeitos da matéria escura são reais. Apenas não sabemos o que é a matéria escura. Parece não interagir por meio da força forte, por isso não é capaz de formar núcleos. Não se descobriu que interage por meio da força nuclear fraca, algo que até os elusivos neutrinos fazem. Não parece interagir com a força eletromagnética, portanto não cria moléculas, nem absorve, emite, reflete ou espalha luz. Exerce gravidade, entretanto, à qual a matéria comum reage. Só isso. Depois de todos esses anos de investigação, os astrofísicos não a descobriram fazendo nada mais.

Mapas detalhados da radiação cósmica de fundo têm demonstrado que a matéria escura deve ter existido durante os primeiros 380.000 anos do universo. Hoje também precisamos da matéria escura em nossa galáxia e em aglomerados de galáxias para explicar os movimentos dos objetos nelas contidos. Mas, até onde sabemos, a marcha da astrofísica ainda não foi descarrilada ou bloqueada pela nossa ignorância. Carregamos simplesmente a matéria escura conosco como uma amiga estranha, invocando-a onde e quando o universo requer que o façamos.

No que esperamos ser um futuro não tão distante, o divertimento vai continuar quando aprendermos a explorar a matéria escura – uma vez decifrada a substância de que é feita. Imagine brinquedos invisíveis, carros que passam um através do outro, ou aviões totalmente indetectáveis. A história de descobertas obscuras e obtusas na ciência é rica em exemplos de pessoas inteligentes que vieram mais tarde e que descobriram como explorar esse conhecimento para seu próprio proveito e para o benefício da vida sobre a Terra.

CAPÍTULO 5

Que se faça mais escuro

O cosmos, sabemos agora, tem um lado luminoso e um lado escuro. O lado luminoso abrange todos os objetos celestes familiares – as estrelas, que se agrupam aos bilhões em galáxias, bem como os planetas e alguns escombros cósmicos menores que talvez não produzam luz visível, mas emitem outras formas de radiação eletromagnética, como o infravermelho ou as ondas de rádio.

Descobrimos que o lado escuro do universo abrange a enigmática matéria escura, detectada apenas por sua influência gravitacional sobre a matéria visível, porém, quanto ao mais, de forma e composição completamente desconhecidas. Uma quantidade modesta dessa matéria escura pode ser matéria comum que permanece invisível, porque não produz nenhuma radiação detectável. Mas, conforme detalhado no capítulo anterior, o grande volume da matéria escura deve consistir em matéria não comum cuja natureza continua a nos eludir – exceto por sua força gravitacional sobre a matéria que podemos ver.

Além de todas as questões concernentes à matéria escura, o lado escuro do universo tem outro aspecto, inteiramente diferente. Um aspecto que não se acha em matéria de nenhum tipo, mas no próprio espaço. Devemos esse conceito, junto com os resultados surpreendentes que implica, ao pai da cosmologia moderna, a ninguém menos que o próprio Albert Einstein.

Há noventa anos, enquanto as recém-aperfeiçoadas metralhadoras da Primeira Guerra Mundial massacravam milhares de soldados algumas centenas de quilômetros mais para o oeste, Albert Einstein estava em seu escritório em Berlim, meditando sobre o universo. Quando a guerra começou, Einstein e um colega tinham feito circular uma petição contra a guerra entre seus pares, colhendo duas outras assinaturas além das suas próprias. Esse ato o afastou de seus colegas cientistas, a maioria dos quais tinha assinado um apelo para ajudar o esforço de guerra alemão, e arruinou a carreira de seu colega. Mas a personalidade cativante e a fama científica de Einstein lhe permitiram manter a estima de seus pares. Ele continuou seus esforços para encontrar equações que pudessem descrever acuradamente o cosmos.

Antes do fim da guerra, Einstein obteve sucesso – indiscutivelmente seu maior sucesso dentre todos. Em novembro de 1915, ele produziu sua teoria da relatividade geral, que descreve como o espaço e a matéria interagem: a matéria diz ao espaço como se curvar, e o espaço diz à matéria como se mover. Para substituir a misteriosa "ação à distância" de Newton, Einstein via a gravidade como uma deformação local no tecido do espaço. O Sol, por exemplo, cria uma espécie de depressão, curvando o espaço mais perceptivelmente nas distâncias que lhe são mais próximas. Os planetas tendem a rolar para essa depressão, mas sua inércia os impede de cair totalmente até o fundo. Em vez disso, eles se movem em órbitas ao redor do Sol que os mantém a uma distância quase constante em relação à depressão no espaço. No período de algumas semanas depois que Einstein publicou sua teoria, o físico Karl Schwarzschild, distraindo-se dos horrores da vida no exército alemão (que lhe causaram uma doença fatal pouco depois), usou o conceito de Einstein para demonstrar que um objeto com uma gravidade suficientemente forte vai criar uma "singularidade" no espaço. Nessa singularidade, o espaço se curva completamente ao redor do objeto e impede qualquer coisa, inclusive a luz, de sair de sua vizinhança imediata. Agora chamamos esses objetos de buracos negros.

A teoria da relatividade geral de Einstein o levou à equação-chave que andara buscando, a equação que liga os conteúdos do espaço a seu comportamento global. Ao estudar essa equação na privacidade de seu escritório, criando modelos do cosmos em sua mente, Einstein quase descobriu o universo em expansão, uma dúzia de anos antes que as observações de Edwin Hubble o revelassem.

A equação básica de Einstein prediz que, num universo em que a matéria tem uma distribuição aproximadamente uniforme, o espaço não pode ser "estático". O cosmos não pode apenas "estar ali", como nossa intuição insiste que seria seu papel, e como todas as observações astronômicas até aquela época sugeriam. Em vez disso, a totalidade do espaço deve estar sempre se expandindo ou contraindo: o espaço deve se comportar um pouco como a superfície de um balão que se enche ou esvazia, mas nunca como a superfície de um balão de tamanho constante.

Isso preocupava Einstein. Pela primeira vez, esse teórico ousado, que desconfiava da autoridade e nunca hesitara em se opor a ideias convencionais da física, sentia que tinha ido longe demais. Nenhuma observação astronômica sugeria um universo em expansão, porque os astrônomos tinham apenas documentado os movimentos de estrelas próximas e ainda não haviam determinado as distâncias longínquas até o que agora chamamos de galáxias. Em vez de anunciar ao mundo que o universo devia estar se expandindo ou contraindo, Einstein retornou à sua equação, procurando um modo de imobilizar o cosmos.

Logo encontrou essa maneira. A equação básica de Einstein levava em consideração um termo com um valor constante mas desconhecido, que representa a quantidade de energia contida em cada centímetro cúbico do espaço vazio. Como nada sugeria que esse termo constante deveria ter um ou outro valor qualquer, Einstein lhe havia dado, em sua primeira etapa, um valor igual a zero. Einstein publicou então um artigo científico para demonstrar que se esse termo constante, a que os cosmólogos deram mais tarde o nome de "constante cosmológica", tivesse um determinado valor, o espaço poderia ser estático. Nesse caso, a teoria já não entraria em conflito com as observações do universo, e Einstein poderia considerar sua equação como válida.

A solução de Einstein se deparou com graves dificuldades. Em 1922, um matemático russo chamado Alexander Friedmann provou que o universo estático de Einstein deveria ser instável, como um lápis equilibrado sobre sua ponta. A menor ondulação ou perturbação faria com que o espaço se expandisse ou contraísse. Einstein primeiro proclamou que Friedmann estava equivocado, mas depois, num ato generoso típico de sua personalidade, publicou um artigo retirando aquela afirmação e reconhecendo que Friedmann estava afinal correto. Quando terminou a década de 1920, Einstein teve o prazer de ficar sabendo que Hubble descobrira que o universo está se expandindo. Segundo as recordações de George Gamow, Einstein declarou que a constante cosmológica tinha sido sua "maior burrada". Exceto por alguns cosmólogos que continuaram a invocar uma constante cosmológica não zero (com um valor diferente do que Eisntein tinha usado) para explicar certas observações enigmáticas, a maioria das quais provou-se mais tarde ser incorreta, os cientistas de todo o mundo suspiraram de alívio pelo fato de o espaço mostrar que não tinha necessidade dessa constante.

Ou assim eles pensavam. A grande história cosmológica do final do século XX, a surpresa que virou o mundo da cosmologia de cabeça para baixo, de um lado, e mudou sua atitude, de outro, reside na descoberta espantosa, anunciada pela primeira vez em 1998, de que o universo possui realmente uma constante cosmológica não zero. O espaço vazio contém na verdade energia, chamada "energia escura", e possui características altamente inusitadas que determinam o futuro de todo o universo.

Para compreender, e possivelmente até para acreditar, essas afirmações dramáticas, devemos seguir os temas cruciais no pensamento dos cosmólogos durante os setenta anos após a descoberta de Hubble, de que o universo está em expansão. A equação fundamental de Einstein leva em conta a possibilidade de que o espaço é capaz de ter curvatura, descrita matematicamente como positiva, zero ou negativa. A curvatura zero descreve o "espaço plano", a espécie que nossas mentes insistem em considerar como a única possibilidade, que se estende ao infinito em todas as direções, como a superfície de um quadro-negro infinito. Em contraste, um espaço positivamente curvado corresponde, em analogia, à superfície de uma esfera, um espaço bidimensional cuja curvatura podemos ver usando a terceira dimensão. É de notar que o centro da esfera, o ponto que parece permanecer estacionário, enquanto sua superfície bidimensional se expande ou contrai, reside nessa terceira dimensão e não aparece em nenhum lugar sobre a superfície que representa o espaço inteiro.

Assim como todas as superfícies positivamente curvadas incluem apenas uma quantidade finita de área, todos os espaços positivamente curvados contêm apenas uma quantidade finita de volume. Um cosmos positivamente curvado tem a propriedade de que, se viajarmos para fora da Terra por um tempo suficientemente longo, acabaremos retornando ao nosso ponto de origem, assim como Magalhães circum-navegando nosso globo. Ao contrário das superfícies esféricas positivamente curvadas, os espaços negativamente curvados estendem-se ao infinito, mesmo que não sejam planos. Uma superfície bidimensional negativamente curvada parece a superfície de uma sela infinitamente grande: ela se curva "para cima" numa direção (frente para trás) e "para baixo" na outra (lado a lado).

Se a constante cosmológica é igual a zero, podemos descrever as propriedades globais do universo com apenas dois números. Um deles, chamado a constante de Hubble, mede a velocidade com que o universo está se expandindo agora. O outro mede a curvatura do espaço. Durante a segunda metade do século XX, quase todos os cosmólogos acreditavam que a constante cosmológica era zero, e consideravam que medir a velocidade de expansão cósmica e a curvatura do espaço era sua agenda primária de pesquisa.

Esses dois números podem ser encontrados por medições acuradas das velocidades com que objetos localizados a diferentes distâncias estão recuando em relação a nós. A tendência global entre distância e velocidade – a taxa em que as velocidades de recessão das galáxias aumentam com a distância cada vez maior – produz a constante de Hubble, enquanto pequenos desvios dessa tendência geral, que só aparecem quando observamos os objetos mais distantes de nós, revelarão a curvatura do espaço. Sempre que os astrônomos observam objetos a muitos bilhões de anos-luz da Via Láctea, eles parecem tão distantes no tempo que os cientistas veem o cosmos não como é agora, mas como era quando significativamente menos tempo tinha se passado desde o *big bang*. Observações de galáxias localizadas a 5 bilhões de anos-luz, ou mais, da Via Láctea permitem que os cosmólogos reconstruam uma parte significativa da história do universo em expansão. Em particular, eles podem ver como a taxa da expansão mudou com o tempo – a chave para determinar a curvatura do espaço. Essa abordagem funciona, ao menos em princípio, porque a quantidade da curvatura do espaço induz diferenças sutis na taxa de mudança da expansão universal através dos bilhões de anos passados.

Na prática, os astrofísicos continuaram incapazes de realizar esse programa, porque não conseguiam fazer estimativas suficientemente confiáveis das distâncias até os aglomerados de galáxias a muitos bilhões de anos-luz da Terra. Eles tinham outra bala na agulha, entretanto. Se conseguissem medir a densidade média de toda a matéria no universo – isto é, o número médio de gramas de material por centímetro cúbico do espaço – eles poderiam comparar esse número com a "densidade crítica", um valor previsto pelas equações de Einstein que descrevem o universo em expansão. A densidade crítica especifica a densidade exata requerida por um universo com curvatura zero do espaço. Se a densidade real está acima desse valor, o universo tem curvatura positiva. Nesse caso, supondo que a constante cosmológica seja igual a zero, o cosmos vai finalmente parar de se expandir e começar a se contrair. Se, entretanto, a densidade real for exatamente igual à densidade crítica, ou cair abaixo dela, o universo se expandirá para sempre. A igualdade exata dos valores reais e críticos da densidade ocorre num cosmos com curvatura zero, enquanto num universo negativamente curvado, a densidade real é menor que a densidade crítica.

Em meados da década de 1990, os cosmólogos sabiam que, mesmo depois de incluir toda a matéria escura que tinham detectado (a partir de sua influência gravitacional sobre a matéria visível), a densidade total da matéria no universo só chegava a cerca de um quarto da densidade crítica. Esse resultado não parece espantoso, embora implique que o cosmos nunca vai deixar de se expandir, e que o espaço em que todos nós vivemos deve ser negativamente curvado. Mas isso feria cosmólogos de orientação teórica, porque eles tinham passado a acreditar que o espaço devia ter curvatura zero.

Essa crença baseava-se no "modelo inflacionário" do universo, nomeado (sem surpresas) num tempo de índice de preços ao consumidor em exorbitante elevação. Em 1979, Alan Guth, um físico que trabalhava no Centro de Acelerador Linear Stanford, na Califórnia, levantou a hipótese de que, durante seus primeiros momentos, o cosmos se expandiu numa taxa incrivelmente rápida – tão rapidamente que diferentes porções de matéria aceleraram, afastando-se umas das outras, atingindo velocidades muito maiores que a velocidade da luz. Mas a teoria da relatividade especial de Eisntein não faz da velocidade da luz um limite universal de velocidade para todo e qualquer movimento? Não exatamente. O limite de Einstein se aplica somente a objetos que se movem dentro do espaço, e não à expansão do próprio espaço. Durante a "época inflacionária", que durou apenas desde aproximadamente 10^{-37} segundo até 10^{-34} segundo depois do *big bang*, o cosmos se expandiu por um fator de aproximadamente 10^{50}.

O que produziu essa enorme expansão cósmica? Guth especulou que todo o espaço deve ter passado por uma "transição de fase", algo análogo ao que acontece quando a água líquida congela rapidamente para formar gelo. Depois de alguns ajustes cruciais por seus colegas da União Soviética, Reino Unido e Estados Unidos, a ideia de Guth tornou-se tão atraente que tem dominado os modelos teóricos do universo extremamente primitivo por duas décadas.

E o que torna a inflação uma teoria tão atraente? A era inflacionária explica por que o universo, em suas propriedades globais, parece o mesmo em todas as direções: tudo o que podemos ver (e bastante mais que isso) inflou a partir de uma única região minúscula do espaço, convertendo suas propriedades locais em universais. Outras vantagens, que não precisam nos deter aqui, contribuem para a teoria, ao menos para aqueles que criam universos modelos em suas mentes. Uma característica adicional merece ênfase, entretanto. O modelo inflacionário faz uma predição direta, testável: o espaço no universo deve ser plano, nem positivamente nem negativamente curvado, mas apenas tão plano quanto nossa intuição o imagina.

Segundo essa teoria, o achatamento do espaço nasce da enorme expansão que ocorreu durante a era inflacionária. Imagine-se, por analogia, sobre a superfície de um balão, e deixe que o balão se expanda por um fator tão grande que você perca a conta dos zeros. Depois dessa expansão, a parte da superfície do balão que você consegue ver será plana como uma panqueca. Assim também deve ser o espaço que sempre esperamos medir – se o modelo inflacionário realmente descreve o universo real.

Mas a densidade total da matéria equivale somente a cerca de um quarto da quantidade requerida para tornar o espaço plano. Durante as décadas de 1980 e 1990, muitos cosmólogos teóricos acreditavam que, como o modelo inflacionário deve ser válido, novos dados acabariam fechando a "lacuna de massa" cósmica, a diferença entre a densidade total da matéria, que apontava para um universo negativamente curvado, e a densidade crítica, aparentemente requerida para alcançar um cosmos com espaço plano. Suas crenças os conduziam animadamente adiante, mesmo quando cosmólogos observacionais zombavam de sua confiança exagerada na análise teórica. E então a zombaria parou.

Em 1998, duas equipes rivais de astrônomos anunciaram novas observações sugerindo a existência de uma constante cosmológica não zero – não era (obviamente) o número que Einstein tinha proposto a fim de manter o universo estático, mas outro, de valor totalmente diferente, um número que indicava que o universo vai se expandir para sempre numa taxa cada vez maior.

Se os teóricos tivessem proposto isso para ainda outro modelo de universo, o mundo teria pouco notado, nem lembrado por muito tempo, seu esforço. Aqui, entretanto, conceituados especialistas em observar o universo real tinham desconfiado uns dos outros, checado as atividades suspeitas de seus rivais, e descoberto que concordavam a respeito dos dados e sua interpretação. Os resultados da observação não só implicavam uma constante cosmológica diferente de zero, mas também atribuíam a essa constante um valor que torna o espaço plano.

O que é que você está dizendo? Que a constante cosmológica achata o espaço? Você não está sugerindo, como a Rainha Vermelha em *Alice no País das Maravilhas*, que cada um de nós acredita em seis coisas impossíveis antes do café da manhã? Uma reflexão mais madura, entretanto, talvez o convença de que se o espaço aparentemente vazio contém energia (!), essa energia deve contribuir com massa para o cosmos, assim como indica a famosa equação de Einstein, $E = mc^2$. Se existe alguma E, você pode concebê-la como uma quantidade correspondente de m, igual a E dividida por c^2. Assim a densidade total deve ser igual ao total dessa densidade contribuída pela matéria, mais a densidade contribuída pela energia.

A nova densidade total é o que devemos comparar com a densidade crítica. Se as duas são iguais, o espaço deve ser plano. Isso satisfaria a predição do espaço plano do modelo inflacionário, pois ele não se importa se a densidade total no espaço provém da densidade da matéria, ou da matéria equivalente fornecida pela energia no espaço vazio, ou de uma combinação das duas.

A evidência crucial que sugere uma constante cosmológica não zero, e assim a existência da energia escura, veio das observações, realizadas por astrônomos, de um tipo particular de explosão de estrela ou supernova, estrelas que experimentam mortes espetaculares em explosões titânicas. Essas supernovas, chamadas Tipo Ia ou SN Ia, diferem de outros tipos que ocorrem, quando os núcleos de estrelas massivas colapsam depois de exaurirem todas as possibilidades de produzir mais energia por fusão nuclear. Em contraste, as SN Ia devem sua origem a estrelas anãs brancas que pertencem aos sistemas binários estelares. Duas estrelas que por acaso nasceram uma perto da outra passarão suas vidas executando órbitas simultâneas ao redor de seu centro comum de massa. Se uma das duas estrelas tem mais massa que a outra, passará mais rapidamente pela plenitude da vida, na maioria dos casos perderá então suas camadas externas de gás, revelando seu núcleo ao cosmos como uma "anã branca" encolhida, degenerada, um objeto não maior que a Terra, mas que contém tanta massa quanto o Sol. Os físicos chamam a matéria nas anãs brancas de "degenerada" porque ela tem uma densidade tão alta – mais do que cem mil vezes a densidade do ferro ou do ouro – que os efeitos da mecânica quântica atuam sobre a matéria em forma volumosa, impedindo-a de colapsar sob suas enormes forças autogravitacionais.

Uma anã branca em órbita mútua com uma estrela companheira envelhecida atrai material gasoso que escapa da estrela. Essa matéria, ainda relativamente rica em hidrogênio, acumula sobre a anã branca, tornando-se constantemente mais densa e mais quente. Finalmente, quando a temperatura se eleva a 10 milhões de graus, a estrela inteira se inflama em fusão nuclear. A explosão resultante – semelhante em conceito a uma bomba de hidrogênio, mas trilhões de vezes mais violenta – despedaça completamente a anã branca e produz uma supernova Tipo Ia.

As SN Ia têm se mostrado particularmente úteis para os astrônomos porque possuem duas qualidades distintas. Primeiro, produzem as explosões de supernova mais luminosas no cosmos, visíveis através de bilhões de anos-luz. Segundo, a natureza impõe um limite ao máximo de massa que qualquer anã branca é capaz de ter, igual a cerca de 1,4 vezes a massa do Sol. A matéria pode acumular sobre a superfície de uma anã branca apenas até a massa da anã branca atingir esse valor limite. Nesse ponto, a fusão nuclear faz explodir a anã branca – e a explosão ocorre em objetos com a mesma massa e a mesma composição, espalhados por todo o universo. Como resultado, todas essas supernovas de anãs brancas atingem quase a mesma produção máxima de energia, e todas desaparecem aos poucos quase na mesma taxa depois de alcançarem seu máximo brilho.

Esses atributos duais permitem que as SN Ia propiciem aos astrônomos "velas padrões" altamente luminosas, facilmente reconhecíveis, objetos conhecidos por atingirem a mesma produção máxima de energia sempre que aparecem. Claro, as distâncias até as supernovas afetam seu brilho quando as observamos. Duas SN Ia, vistas em duas galáxias remotas, somente parecerão atingir o mesmo brilho máximo se tiverem a mesma distância em relação a nós. Se uma tiver duas vezes a distância da outra, ela só vai atingir um quarto do brilho máximo aparente da outra, porque o brilho com que qualquer objeto nos aparece diminui em proporção ao quadrado de sua distância.

Assim que aprenderam a reconhecer as supernovas Tipo Ia, baseados no seu estudo detalhado do espectro da luz vinda de cada um desses objetos, os astrônomos adquiriram uma chave de ouro para decifrar o enigma de determinar distâncias acuradas. Depois de medir (por outros meios) as distâncias para as mais próximas SN Ia, eles puderam estimar distâncias muito maiores para outras supernovas Tipo Ia, simplesmente comparando os brilhos dos objetos relativamente próximos e distantes.

Durante toda a década de 1990, duas equipes de especialistas em supernovas, uma centrada em Harvard e a outra na Universidade da Califórnia, em Berkeley, refinaram essa técnica ao descobrir como compensar as diferenças pequenas, mas reais entre as SN Ia que as supernovas nos revelam por meio dos detalhes em seus espectros. Para usar sua chave recém-forjada de decifrar as distâncias até as supernovas remotas, os pesquisadores necessitavam de um telescópio capaz de observar galáxias distantes com uma precisão refinada, e eles o encontraram no Telescópio Espacial Hubble, reformado em 1993 para corrigir seu espelho primário que tinha sido polido na forma errada. Os especialistas em supernova usaram telescópios baseados na Terra para descobrir dezenas de SN Ia em galáxias a bilhões de anos-luz distantes da Via Láctea. Depois prosseguiram com o Telescópio Hubble, do qual podiam obter apenas uma fração modesta do tempo total de observação, para estudar em detalhe essas supernovas recém-encontradas.

Quando a década de 1990 se aproximava do fim, as duas equipes de observadores de supernovas competiram vivamente para extrair um novo e expandido "diagrama de Hubble", o gráfico-chave em cosmologia que plota as distâncias das galáxias *versus* as velocidades com que as galáxias estão se distanciando de nós. Os astrofísicos calculam essas velocidades por meio de seu conhecimento do efeito Doppler (descrito no Cap. 13), que muda as cores da luz das galáxias com um efeito que depende das velocidades com que as galáxias estão recuando em relação a nós.

A distância e a velocidade de recessão de cada galáxia especificam um ponto no diagrama de Hubble. Para galáxias relativamente próximas, esses pontos marcham em sintonia, pois uma galáxia duas vezes mais distante que outra mostra estar se afastando duas vezes mais rápido. A proporcionalidade direta entre as distâncias e as velocidades de recessão das galáxias encontra expressão algébrica na lei de Hubble, a equação simples que descreve o comportamento básico do universo: $v = H_0 \times d$. Nessa equação, v representa a velocidade de recessão, d a distância, e H_0 é uma constante universal, chamada constante de Hubble, que descreve o universo inteiro em qualquer época particular. Observadores alienígenas em todo o universo, estudando o cosmos 14 bilhões de anos depois do *big bang*, encontrarão galáxias que recuam a velocidades que seguem a lei de Hubble, e todos deduzirão o mesmo valor para a constante de Hubble, embora provavelmente passem a lhe dar um nome diferente. Essa pressuposição de democracia cósmica está subjacente a toda a cosmologia moderna. Não podemos provar que o cosmos inteiro segue esse princípio democrático. Talvez, muito além do horizonte mais distante de nossa visão, o cosmos se comporte de maneira totalmente diferente da que vemos. Mas os cosmólogos rejeitam essa abordagem, ao menos para o universo observável. Nesse caso, $v = H_0 \times d$ representa uma lei universal.

Com o tempo, entretanto, o valor da constante de Hubble pode mudar e, na verdade, muda. Um novo e aperfeiçoado diagrama de

Hubble, um diagrama que se estende para incluir galáxias distantes a muitos bilhões de anos-luz, revelará não só o valor da constante H_0 de Hubble (expressa na inclinação da linha que atravessa os pontos que representam as distâncias e velocidades de recessão das galáxias), mas também a maneira como a taxa corrente de expansão do universo difere de seu valor existente há bilhões de anos. O último valor seria revelado pelos detalhes dos limites superiores do gráfico, cujos pontos descrevem as galáxias mais distantes já observadas. Assim, um diagrama de Hubble estendendo-se a distâncias de muitos bilhões de anos-luz revelaria a história da expansão do cosmos, expressa em sua taxa variável de expansão.

Ao se esforçar por atingir essa meta, a comunidade astrofísica teve a boa sorte de contar com duas equipes rivais de observadores de supernovas. Os resultados das supernovas, anunciados pela primeira vez em fevereiro de 1998, tiveram um impacto tão grande que nenhum grupo teria sobrevivido sozinho ao ceticismo natural dos cosmólogos diante da derrubada de seus modelos do universo amplamente aceitos. Como as duas equipes de observadores dirigiram seu ceticismo basicamente uma contra a outra, cada uma delas procurou com brilhantismo erros nos dados ou na interpretação da outra equipe. Quando se declararam satisfeitas, apesar de seus preconceitos humanos, com o cuidado e a competência de seus rivais, o mundo cosmológico não teve outra escolha senão aceitar, embora com algumas ressalvas, as novidades das fronteiras do espaço.

Quais eram essas novas? Apenas que as SN Ia mais distantes se revelaram um pouquinho mais tênues do que o esperado. Isso implica que as supernovas estão um tanto mais distantes do que deveriam estar, o que por sua vez mostra que algo obrigou o universo a se expandir um pouco mais rapidamente do que deveria. O que provocou essa expansão adicional? O único culpado que se encaixa nos fatos é a "energia escura" que está escondida no espaço vazio – a energia cuja existência corresponde a um valor não zero para a constante cosmológica. Medindo o quanto as supernovas distantes se mostraram mais fracas do que o esperado, as duas equipes de astrônomos mediram a forma e o destino do universo.

Quando as duas equipes das supernovas chegaram a um consenso, o cosmos revelou-se plano. Para compreender, devemos enfrentar um pouco de dureza e resvalar no idioma grego. Um universo com uma constante cosmológica não zero requer um número adicional para descrever o cosmos. À constante de Hubble, que escrevemos como H_0 para denotar seu valor na época atual, e à densidade média da matéria, que determina sozinha a curvatura do espaço, se a constante cosmológica é zero, devemos agora acrescentar a densidade equivalente providenciada pela energia escura, que, pela fórmula de Einstein $E = mc^2$, deve possuir o equivalente de massa (m) porque tem energia (E). Os cosmólogos expressam as densidades da matéria e a energia escura com os símbolos Ω_M e Ω_Λ, onde Ω (a letra maiúscula grega ômega) representa a razão entre a densidade cósmica e a densidade crítica. Ω_M representa a razão entre a densidade média de toda a matéria no universo e a densidade crítica, enquanto Ω_Λ representa a razão da densidade equivalente providenciada pela energia escura e a densidade crítica. Aqui Λ (a letra maiúscula grega lambda) representa a constante cosmológica. Num universo plano, que tem curvatura de espaço zero, a soma de Ω_M e Ω_Λ é sempre igual a 1, porque a densidade total (da matéria real mais a matéria equivalente providenciada pela energia escura) é exatamente igual à densidade crítica.

As observações de supernovas distantes Tipo Ia medem a diferença entre Ω_M e Ω_Λ. A matéria tende a retardar a expansão do universo, pois a gravidade atrai tudo na direção de tudo o mais. Quanto maior a densidade da matéria, mais essa atração vai retardar as coisas. A energia escura, entretanto, faz algo diferente. Ao contrário de pedaços de matéria, cuja atração mútua desacelera a expansão cósmica, a energia escura tem uma estranha propriedade: ela tende a forçar o espaço a se expandir, e assim acelera a expansão. Quando o espaço se expande, mais energia escura é gerada, de modo que o universo em expansão representa o último almoço grátis. A nova energia escura tende a fazer o cosmos se expandir ainda mais rápido, de modo que o almoço grátis se torna cada vez maior com o passar do tempo. O valor de Ω_Λ é a medida do tamanho da constante cosmológica e nos dá a magnitude dos modos expansionistas da energia escura. Quando mediram a relação entre as distâncias das galáxias e suas velocidades de recessão, os astrônomos encontraram o resultado da competição entre a gravidade atraindo as coisas para uni-las e a energia escura empurrando-as para se separarem. Suas medições indicaram que $\Omega_\Lambda - \Omega_M =$ 0,46, mais ou menos cerca de 0,03. Como os astrônomos já tinham determinado que Ω_M é igual a aproximadamente 0,25, esse resultado fixa Ω_Λ em aproximadamente 0,71. Então a soma de Ω_Λ e Ω_M se eleva para 0,96, perto do total previsto pelo modelo inflacionário. Os novos resultados recentes têm afinado esses valores e tornado o resultado dessa soma ainda mais perto de 1.

Apesar do acordo entre os dois grupos rivais de especialistas em supernovas, alguns cosmólogos continuaram cautelosos. Não é todo dia que um cientista abandona uma crença mantida há muito tempo, como a convicção de que a constante cosmológica deve ser zero, e a substitui por outra surpreendentemente diferente, como a conclusão de que a energia escura preenche cada centímetro cúbico do espaço vazio. Quase todos os céticos que tinham acompanhado os meandros das possibilidades cosmológicas declararam-se por fim convencidos, depois de digerirem as novas observações de um satélite projetado e operado para observar a radiação cósmica de fundo com uma acuidade sem precedentes. Esse satélite, o todo-poderoso WMAP descrito no Capítulo 3, começou a fazer observações úteis em 2002, e no início de 2003 tinha acumulado dados suficientes para que os cosmólogos fizessem um mapa de todo o céu, visto nas micro-ondas que carregam a maior parte da radiação cósmica de fundo. Embora tivessem revelado os resultados básicos a serem extraídos desse mapa, as observações anteriores tinham observado apenas pequenas porções do céu ou mostrado muito menos detalhes. O mapa do céu inteiro de WMAP propiciou o clímax do esforço de mapeamento e determinou, de uma vez por todas, as características mais importantes da radiação cósmica de fundo.

O aspecto mais surpreendente e significativo desse mapa, o que também vale para as observações feitas com base em balões e para o predecessor do WMAP, o satélite COBE (Explorador do Fundo Cósmico [Cosmic Background Explorer]), reside na sua quase ausência de características. Não aparecem diferenças mensuráveis na intensidade da radiação cósmica de fundo que chega de todas as direções até atingirmos uma precisão de cerca de uma parte em mil em nossas medições. Mesmo então, as únicas diferenças discerníveis aparecem como uma intensidade ligeiramente maior, centrada numa determinada direção, que se casa com uma intensidade correspondente ligeiramente menor, centrada na direção oposta. Essas diferenças surgem do movimento de nossa galáxia Via Láctea entre suas galáxias vizinhas. O efeito Doppler faz com que recebamos uma radiação ligeiramente mais forte proveniente da direção desse movimento, não porque a radiação seja realmente mais forte, mas porque nosso movimento em direção à radiação cósmica de fundo (CBR) aumenta ligeiramente as energias dos fótons que detectamos.

Assim que compensamos o efeito Doppler, a radiação cósmica de fundo parece perfeitamente uniforme – até atingirmos uma precisão ainda mais elevada de cerca de uma parte em cem mil. Nesse nível, aparecem desvios minúsculos da uniformidade total. Eles rastreiam localizações a partir das quais a CBR chega com um pouco mais, ou um pouco menos, de intensidade. Como observado anteriormente, as diferenças na intensidade marcam direções em que a matéria era um pouco mais quente e mais densa, ou um pouco mais fria e mais rarefeita, do que o valor médio de 380.000 anos depois do *big bang*. O satélite COBE percebeu primeiro essas diferenças; as observações de instrumentos sustentados em balões e feitas no polo Sul melhoraram nossas medições; e depois o satélite WMAP forneceu uma precisão ainda melhor ao fazer o levantamento de todo o céu, permitindo que os cosmólogos construíssem um mapa detalhado da intensidade da radiação cósmica de fundo, observada com uma resolução angular inédita de cerca de um grau.

Os desvios minúsculos da uniformidade revelados por COBE e WMAP têm mais do que um interesse passageiro para os cosmólogos. Antes de tudo, eles mostram as sementes de estrutura no universo à época em que a radiação cósmica de fundo deixou de interagir com a matéria. As regiões reveladas como ligeiramente mais densas que a média naquela época tinham uma vantagem a seu favor para realizar mais contração, e ganharam a competição de adquirir o máximo de matéria pela gravidade. Assim o resultado primário do novo mapa da intensidade da CBR em diferentes direções é a verificação de teorias dos cosmólogos sobre como as imensas diferenças de densidade de lugar para lugar por todo o cosmos ora observadas devem sua existência a diferenças diminutas de densidade que existiam algumas centenas de milhares de anos depois do *big bang*.

Mas os cosmólogos podem usar suas novas observações da radiação cósmica de fundo para discernir outro fato ainda mais básico sobre o cosmos. Os detalhes no mapa da intensidade da CBR de lugar para lugar revelam a própria curvatura do espaço. Esse resultado espantoso reside no fato de que a curvatura do espaço afeta o modo como a radiação viaja através dela. Se, por exemplo, o espaço tem uma curvatura positiva, então quando observamos a radiação cósmica de fundo, estamos quase na mesma situação de um observador no polo Norte que olha ao longo da superfície da Terra para estudar a radiação produzida perto do Equador. Como as linhas de longitude convergem para o polo, a fonte de radiação parece abranger um ângulo menor do que abrangeria se o espaço fosse plano.

Para compreender como a curvatura do espaço afeta o tamanho angular de características na radiação cósmica de fundo, imagine a época em que a radiação finalmente parou de interagir com a matéria. Naquela época, os maiores desvios da uniformidade que poderiam ter existido no universo possuíam um tamanho que os cosmólogos conseguem calcular: a idade do universo àquela época, multiplicada pela velocidade da luz – aproximadamente 380.000 anos-luz de extensão. Isso representa a distância máxima em que as partículas poderiam ter afetado umas às outras para produzir quaisquer irregularidades. A maiores distâncias, a "notícia" de outras partículas ainda não teria chegado, assim elas não podem ser culpadas por quaisquer desvios da uniformidade.

Qual é o tamanho do ângulo que abrangeria esses desvios máximos no céu de agora? Isso depende da curvatura do espaço, que podemos determinar encontrando a soma de Ω_M e Ω_Λ. Quanto mais essa soma se aproximar de 1, tanto mais a curvatura do espaço se aproximará de zero, e tanto maior será o tamanho angular que observamos para os desvios máximos da uniformidade na CBR. Essa curvatura do espaço depende apenas da soma dos dois Ωs, porque os dois tipos de densidade fazem o espaço se curvar da mesma maneira. Portanto, as observações da radiação cósmica de fundo oferecem uma medição direta de $\Omega_M + \Omega_\Lambda$, em contraste com as observações das supernovas, que medem a diferença entre Ω_M e Ω_Λ.

Os dados do WMAP mostram que os maiores desvios da uniformidade na CBR abarcam um ângulo de aproximadamente 1 grau, o que implica que $\Omega_M + \Omega_\Lambda$ tem um valor de 1,02, mais ou menos

0,02. Assim, dentro dos limites da acuidade experimental, podemos concluir que $\Omega_M + \Omega_\Lambda = 1$, e que o espaço é plano. O resultado das observações de SN Ia distantes pode ser expresso como $\Omega_\Lambda - \Omega_M = 0{,}46$. Se combinamos esse resultado com a conclusão de que $\Omega_M + \Omega_\Lambda = 1$, encontramos que $\Omega_M = 0{,}27$ e $\Omega_\Lambda = 0{,}73$, com uma incerteza de alguns percentuais em cada número. Como já observado, essas são as melhores estimativas atuais dos astrofísicos para os valores desses dois parâmetros cósmicos chave, que nos dizem que a matéria – tanto a comum como a escura – providencia 27% da densidade de energia total do universo, e a energia escura 73%. (Se preferirmos pensar na massa equivalente da energia, E/c^2, então a energia escura fornece 73% de toda a massa.)

Os cosmólogos sabem há muito tempo que, se o universo tem uma constante cosmológica não zero, a relativa influência da matéria e da energia escura deve mudar significativamente com o passar do tempo. Por outro lado, um universo plano continua plano para sempre, desde sua origem no *big bang* até o futuro infinito que nos espera. Num universo plano, a soma de Ω_M e Ω_Λ é sempre igual a 1, assim, se um deles muda, o outro também deve variar em compensação.

Durante as épocas cósmicas que se seguiram logo após o *big bang*, a energia escura não produziu nenhum efeito sobre o universo. Existia tão pouco espaço então, em comparação com as eras que se seguiriam, que Ω_Λ tinha um valor só um pouquinho acima de zero, enquanto Ω_M era apenas um pouquinho menos que 1. Nessas eras passadas, o universo se comportava de maneira quase igual a um cosmos sem uma constante cosmológica. À medida que o tempo passava, entretanto, Ω_M diminuía constantemente e Ω_Λ com igual constância aumentava, mantendo sua soma constante em 1. Por fim, daqui a centenas de bilhões de anos, Ω_M cairá quase até zero e Ω_Λ se elevará quase até a unidade. Assim, a história do espaço plano com uma constante cosmológica não zero implica uma transição desde seus primeiros anos, quando a energia escura mal importava, passando pelo período "presente", quando Ω_M e Ω_Λ têm valores aproximadamente iguais, e continuando rumo a um futuro infinitamente longo, quando a matéria se espalhará tão difusamente pelo espaço que Ω_M deverá perseguir um declive infinitamente longo em direção a zero, mesmo quando a soma dos dois Ωs continuar igual a 1.

A dedução das observações sobre quanta massa existe nos aglomerados de galáxias confere agora a Ω_M um valor de aproximadamente 0,25, enquanto as observações da CBR e das supernovas distantes indicam um valor perto de 0,27. Dentro dos limites de precisão experimental, esses dois valores coincidem. Se o universo em que vivemos tem realmente uma constante cosmológica não zero, e se essa constante é responsável (junto com a matéria) pela produção do universo plano que o modelo inflacionário prevê, então a constante cosmológica deve ter um valor que torna Ω_Λ igual a pouco mais que 0,7, duas vezes e meia o valor de Ω_M. Em outras palavras, Ω_Λ deve fazer a maior parte do trabalho para tornar ($\Omega_M + \Omega_\Lambda$) igual a 1. Isso significa que já passamos pela era cósmica quando a matéria e a constante cosmológica contribuíam a mesma quantidade (para cada uma delas igual a 0,5) para manter o achatamento do espaço.

Em menos de uma década, a explosão dupla das supernovas Tipo Ia e da radiação cósmica de fundo mudou o *status* da energia escura, que passou de uma ideia bizarra com que Einstein brincara no passado para um fato cósmico da vida. A menos que uma legião de observações acabe provando que essa ideia é fruto de má interpretação, imprecisa ou simplesmente errada, devemos aceitar o resultado de que o universo jamais se contrairá ou reciclará. Em vez disso, o futuro parece sombrio: daqui a cem bilhões de anos, quando a maioria das estrelas terá se extinguido, tudo menos as galáxias mais próximas terá desaparecido pelo nosso horizonte de visibilidade.

A essa altura a Via Láctea terá se ligado com suas vizinhas mais próximas, criando uma galáxia gigante literalmente no meio do nada.

Nosso céu noturno conterá estrelas em órbita, (mortas e vivas) e nada mais, deixando aos futuros astrofísicos um universo cruel. Sem galáxias para rastrear a expansão cósmica, eles concluirão erroneamente, como fez Einstein, que vivemos num universo estático. A constante cosmológica e sua energia escura terão desenvolvido o universo até um ponto em que elas já não poderão ser medidas ou sequer sonhadas. Desfrutem a cosmologia enquanto ainda é possível.

CAPÍTULO 6

Um universo ou muitos?

A descoberta de que vivemos num universo em aceleração, com uma taxa sempre crescente de expansão, sacudiu o mundo da cosmologia já em 1998, com a primeira notícia das observações das supernovas que apontam para essa aceleração. Agora que o universo em aceleração recebeu confirmação das observações detalhadas da radiação cósmica de fundo, e agora que os cosmólogos tiveram vários anos para lutar corpo a corpo com as implicações de uma expansão cósmica em aceleração, surgiram duas grandes perguntas para atormentar seus dias e iluminar seus sonhos: o que faz o universo acelerar? E por que essa aceleração tem o valor particular que agora caracteriza o cosmos?

A resposta simples à primeira pergunta atribui toda a responsabilidade pela aceleração à existência da energia escura ou, equivalentemente, a uma constante cosmológica não zero. A quantidade da aceleração depende diretamente da quantidade de energia escura por centímetro cúbico: mais energia implica maior aceleração. Assim, se conseguissem apenas explicar de onde vem a energia escura, e por que ela existe na quantidade que eles atualmente encontram, os cosmólogos poderiam alegar ter revelado um segredo fundamental do universo – a explicação para o "almoço grátis" cósmico, a energia no espaço vazio que impulsiona continuamente o cosmos para uma expansão eterna cada vez mais rápida e para um futuro distante de enormes extensões de espaço, correspondentes a enormes quantidades de energia escura e quase nenhuma matéria por ano-luz cúbico.

O que cria a energia escura? A partir dos reinos profundos da física de partículas, os cosmólogos produzem uma resposta: a energia escura surge de eventos que devem ocorrer no espaço vazio, se confiamos no que apreendemos da teoria quântica da matéria e energia. Toda a física de partículas se baseia nessa teoria, que tem sido verificada com tanta frequência e com tanta exatidão no reino submicroscópico que quase todos os físicos a aceitam como correta. Uma parte integrante da teoria quântica indica que aquilo que denominamos espaço vazio, na verdade, zumbe com "partículas virtuais", que piscam surgindo e sumindo com tanta rapidez que nunca podemos determiná-las diretamente, mas apenas observar seus efeitos. O aparecimento e desaparecimento contínuo dessas partículas virtuais, denominadas "flutuações quânticas do vácuo" por aqueles que gostam de uma boa expressão da física, fornece energia ao espaço vazio. Além disso, os físicos de partículas podem calcular, sem muita dificuldade, a quantidade de energia que reside em cada centímetro cúbico do vácuo. A aplicação direta da teoria quântica ao que chamamos de vácuo prediz que as flutuações quânticas devem criar energia escura. Quando contamos a história a partir dessa perspectiva, a grande pergunta sobre a energia escura parece ser: por que os cosmólogos levaram tanto tempo para reconhecer que essa energia devia existir?

Infelizmente, os detalhes da situação real transformam essa pergunta em: como é que os físicos de partículas incorreram em erro até agora? Os cálculos da quantidade de energia escura que se move furtivamente em cada centímetro cúbico produzem um valor cerca de 120 potências de 10 maior que o valor que os cosmólogos encontraram por meio das observações das supernovas e pela radiação cósmica de fundo. Em situações astronômicas incomuns, os cálculos que se mostraram corretos dentro de um único fator de 10 são muitas vezes julgados ao menos temporariamente aceitáveis, mas um fator de 10^{120} não pode ser varrido para baixo do tapete, nem mesmo pelas Polianas da física. Se o espaço vazio real contivesse energia escura em quantidade semelhante às propostas pelos físicos de partículas, o universo há muito tempo teria se avolumado de tal maneira que nossas cabeças nem sequer teriam começado a rodar, pois uma diminuta fração de um segundo teria bastado para espalhar a matéria para longe numa rarefação inimaginável. A teoria e a observação concordam que o espaço vazio deve conter energia escura, mas discordam por um trilhão na décima potência sobre a quantidade dessa energia. Nenhuma analogia terrestre, nem mesmo uma cósmica, consegue ilustrar precisamente essa discrepância. A distância até a galáxia mais longínqua que conhecemos excede o tamanho de um próton por um fator de 10^{40}. Mesmo esse número enorme é apenas a raiz cúbica do fator pelo qual a teoria e a observação divergem atualmente quanto ao valor da constante cosmológica.

Os físicos de partículas e os cosmólogos sabem há muito tempo que a teoria quântica prediz um valor inaceitavelmente grande para a energia escura, mas nos dias em que a constante cosmológica era considerada igual a zero, eles esperavam descobrir alguma explicação que cancelasse termos positivos com negativos na teoria e, desse modo, manipulasse o problema com elegância e o eliminasse. Um cancelamento similar resolveu certa vez o problema de quanta energia as partículas virtuais contribuem para as partículas que de fato observamos. Agora que a constante cosmológica se revela não zero, as esperanças de encontrar tal cancelamento parecem mais fracas. Se realmente existir, o cancelamento deverá remover de algum modo quase todo o valor teórico gigantesco que temos hoje em dia. Por ora, sem nenhuma boa explicação para o tamanho da constante cosmológica, os cosmólogos devem continuar a colaborar com os físicos de partículas, procurando conciliar teorias de como o cosmos gera energia escura com o valor observado para a quantidade de energia escura por centímetro cúbico.

Algumas das inteligências mais aguçadas empenhadas na cosmologia e na física de partículas têm dirigido grande parte da sua energia para explicar esse valor dado pela observação, sem nenhum sucesso. Isso provoca fogo, e às vezes ira, entre os teóricos, em parte porque eles sabem que um Prêmio Nobel – para não falar da imensa alegria da descoberta – aguarda aqueles que conseguirem explicar o que a natureza fez para gerar o espaço assim como o descobrimos. Mas outra questão atiça controvérsia ao gritar por explicação: por que a quantidade de energia escura, medida pela sua massa equivalente, é aproximadamente igual à quantidade de energia fornecida por toda a matéria no universo?

Podemos reformular essa questão em termos dos dois Ωs que usamos para medir a densidade da matéria e a densidade equivalente de energia escura: Por que Ω_M e Ω_Λ são aproximadamente iguais um ao outro, em vez de um ser enormemente maior que o outro? Durante os primeiros bilhões de anos depois do *big bang*, Ω_M era quase precisamente igual a 1, enquanto Ω_Λ era essencialmente zero. Naqueles anos, Ω_M era primeiro milhões, depois milhares, e mais tarde centenas de vezes maior que Ω_Λ. Hoje, com $\Omega_M = 0,27$ e $\Omega_\Lambda = 0,73$, os dois valores são aproximadamente iguais, embora Ω_Λ já seja perceptivelmente maior que Ω_M. No futuro distante, daqui a mais de 50 bilhões de anos, Ω_Λ será primeiro centenas, depois milhares, mais tarde milhões, e ainda mais tarde bilhões de vezes maior que Ω_M. Somente durante a era cósmica de cerca de 3 bilhões a 50 bilhões de anos depois do *big bang* é que as duas quantidades se casam, ainda que aproximadamente.

Para a mente sossegada, o intervalo entre 3 bilhões e 50 bilhões de anos abarca um período muito longo de tempo. Assim, qual é o problema? De um ponto de vista astronômico, essa extensão de tempo equivale a quase nada. Os astrônomos adotam frequentemente uma abordagem logarítmica do tempo, dividindo-o em intervalos que aumentam por fatores de 10. Primeiro o cosmos tinha alguma idade; depois tornou-se dez vezes mais velho; após dez vezes mais velho que isso; e assim por diante rumo ao tempo infinito, que requer um número infinito de pulos de 10 vezes. Vamos supor que comecemos a contar o tempo no primeiro momento depois do *big bang* que tem alguma importância na teoria quântica, 10^{-43} segundo depois do *big bang*. Como cada ano conta cerca de 30 milhões (3×10^7) segundos, precisamos aproximadamente 60 fatores de 10 para passar de 10^{-43} segundo para 3 bilhões anos depois do *big bang*. Em contraste, requeremos apenas um pouquinho mais que um único fator de 10 para perambular de 3 bilhões para 50 bilhões de anos, o único período em que Ω_M e Ω_Λ são vagamente iguais. Depois disso, um número infinito de fatores de 10 vezes abre o caminho para o futuro infinito. Dessa perspectiva logarítmica, existe apenas uma probabilidade infinitamente pequena de nos descobrirmos vivendo numa situação cósmica para a qual Ω_M e Ω_Λ têm valores mesmo vagamente similares. Michael Turner, um importante cosmólogo americano, denominou esse enigma – a questão de por que nos descobrimos vivos num tempo em que Ω_M e Ω_Λ são aproximadamente iguais – o "problema Nancy Kerrigan" em homenagem à patinadora artística olímpica, que perguntou depois de sofrer um ataque do namorado de sua rival: "Por que eu? Por que agora?".

Apesar de sua incapacidade para calcular uma constante cosmológica cujo valor chegue perto do medido, os cosmólogos têm uma resposta para o problema Kerrigan, mas eles diferem agudamente sobre seu significado e implicações. Alguns a adotam; outros a aceitam apenas relutantemente; alguns dançam ao seu redor; e outros a desprezam. Essa explicação liga o valor da constante cosmológica ao fato de que estamos aqui, vivos sobre um planeta que orbita uma estrela comum numa galáxia comum. Porque existimos, diz esse argumento, os parâmetros que descrevem o cosmos, e em particular o valor da constante cosmológica, devem ter valores que nos permitem existir.

Considere, por exemplo, o que aconteceria num universo com uma constante cosmológica muito maior que seu valor real. Uma quantidade muito maior de energia escura faria Ω_Λ elevar-se muito acima de Ω_M, não depois de cerca de 50 bilhões de anos, mas depois de apenas alguns milhões de anos. A essa altura, num cosmos dominado pelos efeitos aceleradores da energia escura, a matéria se dispersaria tão rapidamente que nenhuma galáxia, estrela ou planeta poderia se formar. Se pressupomos que a extensão de tempo da primeira formação de blocos de matéria até a origem e desenvolvimento da vida abrange ao menos 1 bilhão de anos, podemos concluir que nossa existência limita a constante cosmológica a um valor entre zero e algumas vezes seu valor real, expulsando de cena a série infinita de valores mais elevados.

O argumento ganha mais força se pressupomos, como fazem muitos cosmólogos, que tudo que chamamos de universo pertence a um "multiverso" maior, que contém um número infinito de universos, nenhum dos quais interage com outro: no conceito de multiverso, todo o estado de coisas está embutido em dimensões mais elevadas, de modo que o espaço em nosso universo continua completamente inacessível a qualquer outro universo, e vice-versa. Essa falta de interações mesmo teoricamente possíveis insere a teoria do multiverso na categoria de hipóteses aparentemente não testáveis e, portanto, inverificáveis – ao menos enquanto inteligências mais sábias não descobrirem maneiras de testar o modelo do multiverso. No multiverso, novos universos nascem em épocas completamente aleatórias, capazes de crescerem por inflação formando enormes volumes de espaço, e de assim procederem sem interferir de modo algum no número infinito de outros universos.

No multiverso, cada novo universo irrompe com suas próprias leis físicas e seu próprio conjunto de parâmetros cósmicos, inclusive as regras que determinam o tamanho da constante cosmológica. Muitos desses outros universos têm constantes cosmológicas enormemente maiores que a nossa, e aceleram-se rapidamente para situações de densidade perto de zero, o que não é bom para a vida. Apenas uma diminuta, talvez uma infinitesimal fração de todos os universos no multiverso oferece condições que permitem a existência da vida, porque apenas essa fração tem parâmetros que dão margem a que a matéria se organize em galáxias, estrelas, planetas, e a que esses objetos perdurem por bilhões de anos.

Os cosmólogos dão a essa abordagem, que busca explicar o valor da constante cosmológica, o nome de princípio antrópico, embora abordagem antrópica ofereça provavelmente um nome melhor. Essa abordagem para explicar uma questão crucial na cosmologia tem um grande apelo: as pessoas a amam ou odeiam, mas raramente adotam uma postura neutra a seu respeito. Como muitas ideias intrigantes, a abordagem antrópica pode ser vergada para favorecer, ou ao menos parecer favorecer, várias estruturas mentais teológicas e teleológicas. Alguns fundamentalistas religiosos acham que a abordagem antrópica sustenta as convicções deles, porque ela sugere um papel central para a humanidade: sem alguém para observá-lo, o cosmos – ao menos o cosmos que conhecemos – não estaria aqui, não poderia estar aqui; por isso um poder mais elevado deve ter feito as coisas exatamente para nós. Um opositor dessa conclusão notaria que isso não é realmente o que a abordagem antrópica implica; num nível teológico, esse argumento em prol da existência de Deus sugere certamente o criador mais perdulário que se poderia imaginar, alguém que cria inumeráveis universos para que num setor diminuto de apenas um deles a vida possa surgir. Por que não pular os intermediários e ir direto aos mitos da criação mais antigos que centram na humanidade?

Por outro lado, se optar por ver Deus em tudo, como Spinoza, você não pode deixar de admirar um multiverso que não para de florescer universos. Como a maioria das novidades da fronteira da ciência, o conceito de multiverso e a abordagem antrópica podem ser inclinados facilmente em diferentes direções para servir às necessidades de determinados sistemas de crença. Nas presentes circunstâncias, muitos cosmólogos já acham mais do que suficiente acreditar no multiverso sem conectá-lo a qualquer sistema de crenças. Stephen Hawking, que (como Isaac Newton antes dele) ocupa a cátedra lucasiana de astronomia na Universidade de Cambridge, julga a abordagem antrópica uma solução excelente do problema Kerrigan. Stephen Weinberg, que ganhou o Prêmio Nobel por seus *insights* em física de partículas, não gosta dessa abordagem, mas declara-se a favor, ao menos por enquanto, porque não apareceu nenhuma outra solução razoável.

A história pode acabar mostrando que por ora os cosmólogos estão concentrados no problema errado – errado no sentido de que ainda não compreendemos o bastante para atacá-lo apropriadamente. Weinberg gosta da analogia com a tentativa de Johannes Kepler explicar por que o Sol tem seis planetas (como os astrônomos então acreditavam), e por que eles se movem nas órbitas que descrevem. Quatrocentos anos depois de Kepler, os astrônomos ainda sabem muito pouco sobre a origem dos planetas para explicar o número preciso e as órbitas da família do Sol. Sabemos que a hipótese de Kepler, que propunha que o espaçejamento das órbitas dos planetas ao redor do Sol permite que um dos cinco sólidos perfeitos se encaixe exatamente entre cada par de órbitas adjacentes, não tem nenhuma validade, porque os sólidos não se encaixam particularmente bem, e (ainda mais importante) porque não temos nenhuma boa razão para explicar por que as órbitas dos planetas deveriam obedecer a essa regra. Gerações posteriores talvez venham a considerar os cosmólogos atuais como Keplers modernos, lutando valorosamente para explicar o que continua inexplicável pela compreensão atual do universo.

Nem todos são a favor da abordagem antrópica. Alguns cosmólogos a atacam como derrotista, a-histórica (pois essa abordagem contradiz numerosos exemplos do sucesso da física em explicar, mais cedo ou mais tarde, uma legião de fenômenos outrora misteriosos) e perigosa, porque a abordagem antrópica sugere a argumentos de *design* inteligente. Além disso, muitos cosmólogos acham inaceitável, como fundamento para uma teoria do universo, a pressuposição de que vivemos num multiverso que contém uma multidão de universos com os quais nunca podemos interagir, mesmo em teoria.

O debate sobre o princípio antrópico acentua o ceticismo que existe subjacente à abordagem científica da compreensão do cosmos. Uma teoria que agrada a um cientista, tipicamente àquele que a elaborou, talvez pareça ridícula ou simplesmente errada para outro. Ambos sabem que as teorias sobrevivem e prosperam quando outros cientistas as consideram a melhor maneira de explicar a maioria dos dados colhidos pela observação. (Como um famoso cientista observou certa vez: cuidado com uma teoria que explica *todos* os dados – muito provável que parte dela se revele errada.)

O futuro talvez não produza uma solução rápida para esse debate, mas trará certamente outras tentativas para explicar o que vemos no universo. Por exemplo, Paul Steinhardt da Universidade de Princeton, a quem faria bem algumas aulas sobre como criar nomes interessantes, produziu um "modelo ecpirótico" teórico do cosmos em colaboração com Neil Turok da Universidade de Cambridge. Motivado pela seção da física de partículas chamada teoria das cordas, Steinhardt imagina um universo com onze dimensões, a maioria das quais estão "compactificadas", mais ou menos enroladas como uma meia, de modo que ocupam apenas quantidades infinitesimais de espaço. Mas algumas das dimensões adicionais têm tamanho e significado real, exceto que não podemos percebê-las porque continuamos trancados em nossas quatro dimensões familiares. Se você faz de conta que todo o espaço em nosso universo preenche uma lâmina fina infinita (esse modelo reduz as três dimensões do espaço a duas), você pode imaginar outra lâmina paralela, e então visualizar as duas lâminas aproximando-se e colidindo. A colisão produz o *big bang*, e enquanto as lâminas ricocheteiam afastando-se uma da outra, a história de cada lâmina prossegue ao longo de linhas familiares, gerando galáxias e estrelas. Por fim, as duas lâminas param de se separar e começam a se aproximar uma da outra mais uma vez, produzindo outra colisão e outro *big bang* em cada lâmina. O universo tem assim uma história cíclica, repetindo-se, ao menos em suas linhas mais gerais, a intervalos de centenas de bilhões de anos. Como "ecpirose" significa "conflagração" em grego (vale lembrar a palavra familiar "piromaníaco"), o "universo ecpirótico" lembra a todos os que sabem grego na ponta da língua o grande fogo que deu origem ao cosmos que conhecemos.

Esse modelo ecpirótico do universo tem uma atração emocional e intelectual, embora não seja o suficiente para conquistar os corações e mentes de muitos dos colegas cosmólogos de Steinhardt. Ainda não, de qualquer modo. Algo vagamente semelhante ao modelo ecpirótico, senão esse próprio modelo, talvez propicie um dia a descoberta que os cosmólogos agora aguardam nas suas tentativas de explicar a energia escura. Mesmo aqueles que são a favor da abordagem antrópica não insistiriam em resistir a uma nova teoria que pudesse fornecer uma boa explicação para a constante cosmológica sem invocar um número infinito de universos, dentre os quais o nosso é por acaso um dos sortudos. Como uma das figuras de um cartum de R. Crumb disse certa vez: "Em que mundo estranho e maravilhoso vivemos! Uhuhh!".

PARTE II

A ORIGEM DAS GALÁXIAS E A ESTRUTURA CÓSMICA

CAPÍTULO 7

Descobrindo galáxias

Há dois séculos e meio, pouco antes que o astrônomo inglês Sir William Herschel construísse o primeiro realmente grande telescópio do mundo, o universo conhecido consistia em pouco mais que estrelas, o Sol e a Lua, os planetas, algumas luas de Júpiter e Saturno, alguns objetos indistintos, e a galáxia que forma uma faixa leitosa através do céu noturno. Na realidade, a palavra "galáxia" vem do grego *galaktos*, ou "leite". O céu também tinha os objetos indistintos, denominados cientificamente por nebulosas em referência à palavra latina para nuvens (*nebulae*) – objetos de forma indeterminada como a nebulosa do Caranguejo, na constelação de Touro, e a nebulosa de Andrômeda, que parece viver entre as estrelas da constelação de Andrômeda.

O telescópio de Herschel tinha um espelho com um diâmetro de 122 centímetros, um tamanho sem precedentes para 1789, o ano em que foi construído. Um arranjo complexo de armações para sustentar e apontar esse telescópio para o alto tornou-o um instrumento deselegante, mas quando o voltou na direção dos céus, Herschel logo pôde ver as inúmeras estrelas que compõem a Via Láctea. Usando seu instrumento de 122 centímetros, bem como um telescópio menor e mais ágil, Herschel e sua irmã Caroline compilaram o primeiro extenso catálogo das nebulosas setentrionais do "céu profundo". Sir John – o filho de Herschel – continuou essa tradição da família, aumentando a lista dos objetos setentrionais de seu pai e tia, e, durante uma estada prolongada no cabo da Boa Esperança na extremidade sul da África, catalogou uns 1.700 objetos indistintos visíveis a partir do hemisfério sul. Em 1864, Sir John produziu uma síntese dos objetos conhecidos no céu profundo: A *General Catalogue of Nebulae and Clusters of Stars* (Um catálogo geral de nebulosas e aglomerados de estrelas), que incluía mais de cinco mil registros.

Apesar desse grande corpo de dados, ninguém na época conhecia a verdadeira identidade das nebulosas, suas distâncias da Terra ou as diferenças entre elas. Ainda assim, o catálogo de 1864 tornou possível classificar as nebulosas morfologicamente – isto é, segundo suas formas. Na tradição de "nós os chamamos assim como os vemos" criada pelos árbitros de beisebol (que começavam a ser respeitados por volta da época em que o *Catálogo Geral* de Herschel foi publicado), os astrônomos chamaram as nebulosas com forma de espiral de "nebulosas espirais", aquelas com uma forma vagamente elíptica "nebulosas elípticas", e as várias nebulosas de forma irregular – nem espiral, nem elíptica – "nebulosas irregulares". Por fim, chamaram as nebulosas que pareciam pequenas e redondas, como a imagem telescópica de um planeta, "nebulosas planetárias", um ato que sempre confunde os iniciantes em astronomia.

Na maior parte de sua história, a astronomia tem mantido uma linguagem direta, usando métodos descritivos de pesquisa que lembram em grande parte aqueles utilizados na botânica. Usando seu compêndio cada vez mais comprido de estrelas e coisas indistintas, os astrônomos procuraram padrões e classificaram os objetos de acordo com eles. Um passo bastante sensato, sem dúvida. A maioria das pessoas, desde a infância, arranja as coisas segundo a aparência e forma, sem nem sequer lhes ser dito que assim devem proceder. Mas essa abordagem pode nos levar apenas até certo ponto. Os Herschel sempre supuseram, porque muitos de seus objetos indistintos abrangem um trecho mais ou menos do mesmo tamanho no céu noturno, que todas as nebulosas estão mais ou menos à mesma distância da Terra. Assim, para eles, era ciência boa e imparcial submeter todas as nebulosas às mesmas regras de classificação.

O problema é que a pressuposição de que todas as nebulosas se achavam a distâncias semelhantes revelou-se muito equivocada. A natureza pode ser elusiva, até tortuosa. Algumas das nebulosas classificadas pelos Herschel não estão mais distantes que as estrelas, de modo que são relativamente pequenas (se é que uma extensão de um trilhão de milhas [1,61 x 10^{12} km] pode ser chamada de "relativamente pequena"). Outras revelaram-se muito mais distantes, por isso devem ser muito maiores que os objetos indistintos relativamente perto de nós, se aparecem com o mesmo tamanho no céu.

A lição de casa é que em algum ponto precisamos parar de nos fixar no que parece ser e começar a perguntar o que é. Felizmente, no final do século XIX muitos avanços na ciência e tecnologia tinham dado aos astrônomos a capacidade de fazer exatamente isso, ir além da mera classificação dos conteúdos do universo. Essa mudança levou ao nascimento da astrofísica, a aplicação útil das leis da física a situações astronômicas.

Durante a mesma era em que Sir John Herschel publicou seu vasto catálogo de nebulosas, um novo instrumento científico, o espectroscópio, juntou-se à procura das nebulosas. A única tarefa de um espectroscópio é quebrar a luz num arco-íris de suas cores componentes. Essas cores, e as características nelas embutidas, não revelam somente finos detalhes sobre a composição química da fonte de luz, mas também, em virtude de um fenômeno chamado efeito Doppler, o movimento da fonte de luz aproximando-se ou afastando-se da Terra.

A espectroscopia revelou algo extraordinário: as nebulosas espirais, que por acaso predominam fora da faixa da Via Láctea, estão quase todas se afastando da Terra, e em velocidades extremamente elevadas. Em contraste, todas as nebulosas planetárias, bem como as nebulosas muito irregulares, estão viajando em velocidades relativamente baixas – algumas aproximando-se e outras afastando-se de nós. Alguma explosão catastrófica teria ocorrido no centro da Via Láctea, chutando para fora apenas as nebulosas espirais? Em caso positivo, por que nenhuma delas estava retrocedendo? Estávamos captando a catástrofe numa época especial? Apesar dos avanços em fotografia que produziram emulsões mais rápidas, capacitando os astrônomos a medir os espectros de nebulosas cada vez mais tênues, o êxodo continuava e essas perguntas permaneciam sem resposta.

A maioria dos avanços em astronomia, como em outras ciências, tem sido impulsionada pela introdução de uma tecnologia melhor. Quando a década de 1920 se abriu, outro instrumento-chave apareceu em cena: o formidável Telescópio Hooker de 100 polegadas (254 centímetros) do Observatório Mount Wilson, perto de Pasadena, Califórnia. Em 1923, o astrônomo americano Edwin P. Hubble usou esse telescópio – o maior do mundo àquela época – para descobrir uma estirpe especial de estrela, uma estrela variável Cefeida, na nebulosa de Andrômeda. As estrelas variáveis de qualquer tipo variam de brilho segundo padrões bem conhecidos; as variáveis Cefeidas, denominadas em referência ao protótipo da classe, uma estrela na constelação de Cefeu, são todas extremamente luminosas e, portanto, visíveis por vastas distâncias. Como seu brilho varia em ciclos reconhecíveis, a paciência e a persistência apresentarão um número crescente dessas estrelas ao observador cuidadoso. Hubble tinha encontrado algumas dessas variáveis Cefeidas dentro da Via Láctea e estimado suas distâncias; mas, para seu espanto, a Cefeida que descobriu em Andrômeda era muito mais fraca que qualquer uma delas.

A explicação mais provável para esse brilho indistinto era que a nova variável Cefeida, e a nebulosa de Andrômeda em que vive, está a uma distância muito maior que as Cefeidas da Via Láctea. Hubble compreendeu que isso colocava a nebulosa de Andrômeda a uma distância tão grande que ela não poderia estar entre as estrelas na constelação de Andrômeda, nem em nenhum ponto dentro da Via Láctea – e tampouco poderia ter sido chutada para fora, junto com todas as suas irmãs espirais, durante um derramamento de leite catastrófico.

As implicações eram de tirar o fôlego. A descoberta de Hubble mostrou que as nebulosas espirais são sistemas inteiros de estrelas por seu próprio mérito, tão imensas e abarrotadas de estrelas como nossa Via Láctea. Na expressão do filósofo Immanuel Kant, Hubble tinha demonstrado que deve haver dúzias de "universos ilhas" fora de nosso próprio sistema estelar, pois o objeto em Andrômeda meramente liderava a lista de nebulosas espirais bem conhecidas. A nebulosa de Andrômeda era, de fato, a *galáxia* de Andrômeda.

Em 1936, tantos universos ilhas tinham sido identificados e fotografados por meio do Hooker e outros telescópios grandes que Hubble também decidiu tentar um estudo de morfologia. Sua análise dos tipos de galáxia baseava-se no pressuposto não testado de que variações de uma forma para outra entre as galáxias significam passos evolutivos do nascimento à morte. Em seu livro de 1936, *Realm of the Nebulae* (Reino das nebulosas), Hubble classificou as galáxias colocando os diferentes tipos ao longo de um diagrama em forma de diapasão, chamado de diagrama de Hubble, cujo cabo representa as galáxias elípticas, com as elípticas arredondadas na extremidade do cabo e as elípticas achatadas perto do ponto onde as duas pontas se juntam. Ao longo de uma das pontas estão as galáxias espirais comuns: aquelas mais próximas do cabo têm seus braços espirais enrolados de maneira bem apertada, enquanto aquelas mais para o fim da ponta têm os braços espirais enrolados de maneira cada vez mais solta. Ao longo da outra ponta estão as galáxias espirais cuja região central exibe uma "barra" reta, mas sob outros aspectos são semelhantes às espirais comuns.

Hubble imaginou que as galáxias começam suas vidas como elípticas arredondadas e tornam-se cada vez mais achatadas à medida que vão tomando forma, revelando por fim uma estrutura espiral que lentamente se desenrola com a passagem do tempo. Brilhante. Belo. Até elegante. Só que totalmente errado. Não só classes inteiras de galáxias irregulares foram omitidas dessa disposição, como também os astrofísicos aprenderiam mais tarde que as estrelas mais velhas em cada galáxia tinham mais ou menos a mesma idade, o que sugere que todas as galáxias nasceram durante uma única era na história do universo.

Por três décadas (com algumas oportunidades de pesquisa perdidas por causa da Segunda Guerra Mundial), os astrônomos observaram e catalogaram galáxias de acordo com o diagrama de Hubble como elípticas, espirais e espirais barradas, com as irregulares formando um subconjunto minoritário, completamente fora do diagrama por causa de suas formas estranhas. Das galáxias elípticas poder-se-ia dizer, como Ronald Reagan disse sobre as sequoias da Califórnia, que se você viu uma, viu todas. As galáxias elípticas se parecem umas com as outras por não possuírem nem os padrões de braços espirais que caracterizam as espirais e as espirais barradas, nem as nuvens gigantescas de gás e poeira interestelar que dão origem a novas estrelas. Nessas galáxias, a formação de estrelas terminou há muitos bilhões de anos, deixando atrás grupos esféricos ou elipsoidais de estrelas. As maiores galáxias elípticas, como as maiores espirais, contêm cada uma muitas centenas de bilhões de estrelas – talvez até um trilhão ou mais – e possuem diâmetros perto de cem mil anos-luz. À exceção de astrônomos profissionais, ninguém jamais suspirou por padrões fantásticos e por histórias complexas de formação de estrelas nas galáxias elípticas pela excelente razão de que, ao menos em comparação com as espirais, as elípticas têm formas simples e formação de estrelas sem mistério: todas elas transformaram o gás e a poeira em estrelas até não poderem mais fazê-lo.

Felizmente, as espirais e as espirais barradas fornecem a excitação visual que tanta falta faz nas elípticas. A mais profundamente relevante de todas as imagens de galáxias que podemos algum dia ver, a visão de toda a Via Láctea tomada a partir de um ponto fora dela, vai mexer com nossos corações e mentes, assim que conseguirmos enviar uma câmera para várias centenas de milhares de anos-luz acima ou abaixo do plano central de nossa galáxia. Hoje, quando nossas mais remotas sondas espaciais viajaram um bilionésimo dessa distância, esse objetivo talvez pareça inatingível, e na verdade até uma sonda que conseguisse chegar quase à velocidade da luz exigiria uma longa espera – muito mais longa que o período atual da história registrada – para produzir o resultado desejado. Por enquanto, os astrônomos devem continuar a mapear a Via Láctea a partir de seu interior, esboçando a floresta galáctica ao delinear suas árvores estelares e nebulosas. Esses esforços revelam que nossa galáxia se parece muito com nossa grande vizinha mais próxima, a grande galáxia espiral em Andrômeda. Convenientemente localizada a cerca de 2,4 milhões de anos-luz, a galáxia de Andrômeda tem fornecido uma riqueza de informações sobre os padrões estruturais básicos das galáxias espirais, bem como sobre diferentes tipos de estrelas e sua evolução. Como todas as estrelas da galáxia de Andrômeda têm a mesma distância de nós (alguns pontos percentuais a mais ou a menos), os astrônomos sabem que os brilhos das estrelas têm uma correlação direta com suas luminosidades, isto é, com as quantidades de energia que emitem a cada segundo. Esse fato, negado aos astrônomos quando eles estudam objetos na Via Láctea, mas aplicável a toda galáxia mais além da nossa, tem permitido que tirem conclusões-chave sobre a evolução estelar, com mais facilidade do que a facultada pelo exame das estrelas na Via Láctea. Duas galáxias satélites elípticas que orbitam a galáxia de Andrômeda, contendo cada uma delas apenas uma pequena porcentagem do número de estrelas da galáxia principal, forneceram igualmente importantes informações sobre as vidas das estrelas e sobre a estrutura galáctica global das galáxias elípticas. Numa noite clara, longe das luzes da cidade, um observador de olhos aguçados que sabe para onde olhar consegue localizar o contorno indistinto da galáxia de Andrômeda – o mais distante objeto visível a olho nu, brilhando com a luz que começou sua viagem enquanto nossos ancestrais erravam pelos desfiladeiros da África em busca de raízes e frutinhas.

Como a Via Láctea, a galáxia de Andrômeda está na metade de uma das pontas do diagrama de Hubble, porque seus braços espirais estão enrolados de um modo nem particularmente apertado, nem solto. Se as galáxias fossem animais num zoo, haveria uma gaiola dedicada às elípticas, mas várias jaulas para as gloriosas espirais. Estudar a imagem do Telescópio Hubble de um desses animais, tipicamente (para os mais próximos) vistos a partir de 10 ou 20 milhões de anos-luz, é entrar num mundo de visões tão ricas em possibilidades, tão profundas na sua separação em relação à vida sobre a Terra, tão complexas na estrutura, que a mente despreparada talvez sinta vertigem, ou talvez providencie uma defesa lembrando a seu dono que nada disso consegue afinar as coxas ou curar o osso fraturado.

As irregulares, as órfãs do sistema de classe galáctico, compreendem cerca de 10% de todas as galáxias, com o resto dividido entre espirais e elípticas, com uma vantagem forte para as espirais. Em oposição às elípticas, as galáxias irregulares contêm tipicamente uma proporção mais alta de gás e poeira do que as espirais, e oferecem os sítios mais animados de formação de estrelas em andamento. A Via Láctea tem duas grandes galáxias satélites, ambas irregulares, confusamente chamadas de Nuvens de Magalhães porque os primeiros homens brancos a percebê-las, marinheiros na circum-navegação da Terra feita por Fernão de Magalhães, em 1520, pensaram primeiro que estavam vendo tufos de nuvens no céu. Essa honra coube à expedição de Magalhães, porque as Nuvens de Magalhães estão tão perto do polo celeste sul (o ponto diretamente acima do polo Sul da Terra) que nunca se elevam acima do horizonte para os observadores nas latitudes mais povoadas do Norte, incluindo as da Europa e grande parte dos Estados Unidos. Cada uma das Nuvens de Magalhães contém muitos bilhões de estrelas, embora não as centenas de bilhões que caracterizam a Via Láctea e outras grandes galáxias, e exibem imensas regiões de formação de estrelas, muito notavelmente a "nebulosa da Tarântula" da Grande Nuvem de Magalhães. Essa galáxia tem igualmente a honra de ter revelado a supernova mais próxima e mais brilhante a aparecer durante os últimos três séculos, a Supernova 1987A, que deve ter realmente explodido cerca de 160.000 a.C. para que sua luz chegasse à Terra em 1987.

Até a década de 1960, os astrônomos se contentavam em classificar quase todas as galáxias como espirais, espirais barradas, elípticas ou irregulares. Eles tinham a razão a seu lado, pois mais de 99% de todas as galáxias se ajustavam numa dessas classes. (Com uma classe galáctica chamada "irregular", esse resultado talvez pareça uma barbada.) Mas durante aquela bela década, um astrônomo americano chamado Halton Arp tornou-se o paladino das galáxias que não se ajustavam ao simples plano de classificação do diagrama de Hubble acrescido das irregulares. No espírito de *"Give me your tired, your poor, your huddled masses"*[1], Arp usou o maior telescópio do mundo, o Telescópio Hale de 200 polegadas (508 centímetros) no Observatório Palomar perto de San Diego, Califórnia, para fotografar 338 sistemas de aparência extremamente perturbada. O *Atlas of Peculiar Galaxies* (Atlas de galáxias peculiares), publicado em 1966, tornou-se uma verdadeira

---

[1] "Deem-me suas massas cansadas, pobres, acotoveladas" – citação de um soneto de Emma Lazarus, *New Colossus*, gravado numa placa que se encontra no pedestal da Estátua da Liberdade. (N. da T.)

arca do tesouro para oportunidades de pesquisa sobre o que pode dar errado no universo. Embora as "galáxias peculiares" – definidas como galáxias com formas tão estranhas que até o termo "irregular" deixa de lhes fazer justiça – formem apenas uma diminuta minoria de todas as galáxias, elas carregam informações importantes sobre o que pode acontecer para que as galáxias deem errado. Revela-se, por exemplo, que muitas galáxias embaraçosamente peculiares no atlas de Arp são os restos mesclados de duas galáxias, outrora separadas, que colidiram. Isso significa que essas galáxias "peculiares" não são absolutamente tipos diferentes de galáxias, assim como um Lexus destroçado não é um novo tipo de carro.

Para rastrear como essa colisão se desenrola, é preciso muito mais que lápis e papel, porque cada estrela em ambos os sistemas galácticos tem sua própria gravidade, que afeta simultaneamente todas as outras estrelas nos dois sistemas. Faz-se necessário, em suma, um computador. As colisões de galáxias são dramas grandiosos, que levam centenas de milhões de anos do início ao fim. Ao usar uma simulação de computador, pode-se dar início, e fazer uma pausa sempre que se quiser, a uma colisão de duas galáxias, tirando instantâneos depois de 10 milhões de anos, 50 milhões de anos, 100 milhões de anos. A cada vez, as coisas parecem diferentes. E quando se entra no atlas de Arp – bingo! – aqui um primeiro estágio da colisão, e ali um estágio posterior. Aqui uma colisão de raspão, e ali uma colisão frontal.

Embora as primeiras simulações de computador tenham sido realizadas no início da década de 1960 (e, embora durante a década de 1940, o astrônomo sueco Erik Holmberg tenha feito uma tentativa inteligente de recriar uma colisão de galáxias sobre o topo de uma mesa, usando a luz como um análogo da gravidade), foi somente em 1972 que Alar e Juri Toomre, dois irmãos que ensinam no MIT, geraram o primeiro retrato convincente de uma colisão "deliberadamente simplista" entre duas galáxias espirais. O modelo dos Toomre revelou que marés de forças – diferenças na gravidade de lugar para lugar – na verdade rasgam as galáxias em pedaços. À medida que uma galáxia se aproxima da outra, a força gravitacional torna-se rapidamente mais intensa nos bordos de ataque da colisão, ou seja, as bordas das galáxias que ficam mais próximas entre si, distendendo e deformando ambas as galáxias quando elas passam uma ao lado da outra ou uma através da outra. Essa distensão e deformação explica a maior parte do que é peculiar no atlas das galáxias peculiares feito por Arp.

De que outra maneira as simulações de computador podem nos ajudar a compreender as galáxias? O diagrama de Hubble distingue as galáxias espirais "normais" das espirais que exibem uma densa barra de estrelas através de seus centros. As simulações mostram que essa barra poderia ser uma característica transitória, e não a marca distintiva de uma espécie diferente de galáxia. Os observadores contemporâneos das espirais barradas talvez estivessem simplesmente captando essas galáxias durante uma fase que vai desaparecer em mais ou menos 100 milhões de anos. Mas como não podemos permanecer por aqui o tempo suficiente para observar a barra desaparecer na vida real, temos de acompanhá-la indo e vindo num computador, onde um bilhão de anos podem se desenrolar em questão de minutos.

As galáxias peculiares de Arp mostraram ser a ponta de um *iceberg*, um mundo estranho de "não exatamente galáxias", cujas linhas gerais os astrônomos começaram a discernir durante a década de 1960 e passaram a compreender algumas décadas mais tarde. Antes de podermos apreciar esse emergente zoo galáctico, temos de retomar a história da evolução cósmica no ponto em que a deixamos. Devemos examinar a origem de todas as galáxias – normais, quase normais, irregulares, peculiares e estonteantemente exóticas – para ver como nasceram e como a sorte do acaso nos deixou em nossa localização relativamente calma no espaço, à deriva nos subúrbios de uma galáxia espiral gigante, a uns 30.000 anos-luz de seu centro e vinte milhares de anos-luz de sua beirada externa difusa. Graças à ordem geral das coisas numa galáxia espiral, imposta primeiro às nuvens de gás que mais tarde geraram as estrelas, o nosso Sol se move numa órbita quase circular ao redor do centro da Via Láctea, levando 240 milhões de anos (às vezes chamados de um "ano cósmico") para cada volta. Hoje, vinte órbitas depois de seu nascimento, o Sol deveria estar apto para outras vinte ou mais voltas, antes de abandonar seu movimento. Enquanto isso, vamos dar uma olhada para determinar de onde vieram as galáxias.

CAPÍTULO 8

A origem da estrutura

Quando examinamos a história da matéria no universo, retrocedendo 14 bilhões de anos da melhor forma possível, encontramos rapidamente uma tendência singular que clama por explicação. Por todo o cosmos, a matéria tem se organizado consistentemente em estruturas. De sua distribuição quase perfeitamente uniforme logo depois do *big bang*, a matéria tem se amontoado em todas as escalas de tamanho para produzir aglomerados gigantes e superaglomerados de galáxias, bem como as galáxias individuais dentro desses aglomerados, as estrelas que se congregam aos bilhões em toda galáxia, e bem possivelmente objetos muito menores – planetas, seus satélites, asteroides e cometas – que orbitam muitas, senão a maioria, dessas estrelas.

Para compreender a origem dos objetos que agora compõem o universo visível, devemos focar os mecanismos que transformaram a matéria outrora difusa do universo em componentes altamente estruturados. Uma completa descrição de como as estruturas surgiram no cosmos requer que misturemos dois aspectos da realidade cuja combinação ora nos escapa. Como visto em capítulos anteriores, devemos perceber como a mecânica quântica, que descreve o comportamento de moléculas, átomos e partículas que os formam, se ajusta à teoria da relatividade geral, que descreve como quantidades extremamente grandes de matéria e espaço afetam umas às outras.

As tentativas de criar uma única teoria que uniria nosso conhecimento do subatomicamente pequeno e do astronomicamente grande começaram com Albert Einstein. Têm continuado, relativamente com pouco sucesso, até o tempo presente e vão persistir num futuro incerto até atingirem a "grande unificação". Entre todos os desconhecidos que os incomodam, os cosmólogos modernos sentem de forma muito aguda a falta de uma teoria que una triunfantemente a mecânica quântica à relatividade geral. Enquanto isso, esses ramos aparentemente imiscíveis da física – a ciência do pequeno e a ciência do grande – não dão a mínima para nossa ignorância; em vez disso, coexistem com extraordinário sucesso dentro do mesmo universo, zombando de nossas tentativas de compreendê-los como um todo coerente. Uma galáxia com 100 bilhões de estrelas não dá aparentemente muita atenção à física dos átomos e moléculas que compõem seus sistemas de estrelas e nuvens de gás. Tampouco o fazem as ainda maiores aglomerações de matéria que chamamos de aglomerados e superaglomerados de galáxias, eles próprios contendo centenas, às vezes milhares de galáxias. Mas mesmo essas enormes estruturas no universo devem sua existência a flutuações quânticas imensuravelmente pequenas dentro do cosmos primevo. Para compreender como surgiram essas estruturas, devemos fazer todo o esforço possível em nosso presente estado de ignorância, passando dos minúsculos domínios governados pela mecânica quântica, que guardam a chave da origem da estrutura, para aqueles tão enormes que neles a mecânica quântica já não desempenha nenhum papel e a matéria obedece às leis estabelecidas pela relatividade geral.

Para esse fim, devemos procurar explicar o universo fortemente estruturado que vemos hoje como algo que surgiu de um cosmos quase sem características logo depois do *big bang*. Qualquer tentativa de explicar a origem da estrutura deve também levar em consideração o cosmos em seu presente estado. Mesmo essa tarefa modesta tem desconcertado os astrônomos e os cosmólogos com uma série de tentativas e erros, da qual agora nos afastamos (assim esperamos ardentemente) para caminhar na luz brilhante de uma descrição correta do universo.

Durante a maior parte da história da cosmologia moderna, os astrofísicos têm pressuposto que a distribuição da matéria no universo pode ser descrita como homogênea e isotrópica. Num universo homogêneo, todo local parece semelhante a todo outro local, como os conteúdos de um copo de leite homogeneizado. Um universo isotrópico é aquele que parece o mesmo em qualquer direção a partir de qualquer ponto determinado no espaço e tempo. Essas duas descrições podem parecer a mesma coisa, mas não são. Por exemplo, as linhas de longitude sobre a Terra não são homogêneas, porque elas são mais afastadas em algumas regiões e mais próximas em outras; elas são isotrópicas apenas em dois lugares, os polos Norte e Sul, para onde todas as linhas de longitude convergem. Se você ficar no "topo" ou no "fundo" do mundo, a grade de longitude parecerá a mesma para você, não importa até que ponto para a esquerda ou para a direita você virar a cabeça. Num exemplo mais físico, imagine-se em cima de uma montanha perfeita em forma de cone, e suponha que essa montanha é a única coisa no mundo. Nesse caso, toda visão da superfície da Terra a partir desse poleiro pareceria igual. O mesmo seria verdade, se você vivesse por acaso no centro de um alvo de arco e flecha, ou se você fosse uma aranha no centro de sua teia perfeitamente tecida. Em cada um desses casos, sua visão será isotrópica, mas definitivamente não homogênea.

Um exemplo de padrão homogêneo, mas não isotrópico aparece num muro de tijolos retangulares idênticos, dispostos à maneira sobreposta tradicional de um pedreiro. Na escala de vários tijolos adjacentes e sua argamassa, o muro será o mesmo em todo lugar – tijolos – mas linhas diferentes de visão ao longo do muro vão intersectar a argamassa de maneira diferente, destruindo qualquer pretensão de isotropia.

Intrigantemente (para aqueles que gostam de certo tipo de intriga), a análise matemática nos diz que o espaço se revelará homogêneo, apenas se for em todo lugar isotrópico. Outro teorema formal da matemática nos diz que, se o espaço é isotrópico em apenas três lugares, o espaço deve ser isotrópico em todo lugar. Apesar disso, alguns de nós ainda evitam a matemática por achá-la desinteressante e improdutiva!

Embora fosse estética a motivação para pressupor a homogeneidade e a isotropia na distribuição da matéria no espaço, os cosmólogos passaram a acreditar nessa pressuposição a ponto de estabelecê-la como um princípio cosmológico fundamental. Poderíamos também chamá-lo princípio da mediocridade: por que uma parte do universo deveria ser mais interessante que a outra? Nas menores escalas de tamanho e distância, reconhecemos facilmente que essa afirmação é falsa. Vivemos num planeta sólido com uma densidade de matéria média perto de 5,5 gramas por centímetro cúbico (em americanês, isso é cerca de 340 libras por pé cúbico). O nosso Sol, uma estrela típica, tem uma densidade média de aproximadamente 1,4 gramas por centímetro cúbico. Entretanto, os espaços interplanetários entre os dois têm uma densidade média significativamente menor – menor por um fator de aproximadamente 1 sextilhão. O espaço intergaláctico, que responde pela maior parte do volume do universo, contém menos de um átomo em cada dez metros cúbicos. Aqui a densidade média cai abaixo da densidade do espaço interplanetário por outro fator de 1 bilhão – o bastante para deixar a mente satisfeita com a acusação ocasional de ser densa.

Quando expandiram seus horizontes, os astrofísicos viram claramente que uma galáxia como a nossa Via Láctea consiste em estrelas que flutuam através do espaço interestelar quase vazio. Da mesma forma, as galáxias se agrupam em aglomerados que violam a pressuposição de homogeneidade e isotropia. Restava a esperança, entretanto, de que, ao mapearem a matéria visível nas maiores escalas, os astrofísicos descobrissem que os aglomerados de galáxias têm uma distribuição homogênea e isotrópica. Para que a homogeneidade e a isotropia existam dentro de uma determinada região do espaço, ela deve ser grande o suficiente para que nenhuma estrutura (ou falta de estrutura) resida singularmente dentro dela. Se você toma uma amostra dessa região, os requisitos de homogeneidade e isotropia implicam que as propriedades globais da região devem ser semelhantes, sob todos os aspectos, às propriedades médias de qualquer outra amostra com o mesmo tamanho tirada da região. Que embaraçoso seria se a metade esquerda do universo parecesse diferente de sua metade direita.

De que tamanho deve ser a região examinada para se encontrar um universo homogêneo e isotrópico? O nosso planeta Terra tem um diâmetro de 0,04 segundos-luz. A órbita de Netuno abrange 8 horas-luz. As estrelas da galáxia da Via Láctea delineiam um disco largo e chato com um diâmetro de aproximadamente 100.000 anos--luz. E o superaglomerado de galáxias de Virgem, ao qual pertence a Via Láctea, estende-se uns 60 milhões de anos-luz. Assim, o volume cobiçado que pode nos dar homogeneidade e isotropia deve ser maior que o superaglomerado de Virgem. Quando fizeram levantamentos da distribuição das galáxias no espaço, os astrofísicos descobriram que mesmo nessas escalas de tamanho, tão grandes quanto 100 milhões de anos-luz, o cosmos revela lacunas enormes, comparativamente vazias, limitadas por galáxias que têm se arranjado em lâminas e filamentos que se cruzam. Longe de lembrar um formigueiro fervilhante e homogêneo, a distribuição das galáxias nessa escala lembra uma bucha ou esponja vegetal.

Por fim, entretanto, os astrofísicos traçaram mapas ainda maiores, e descobriram sua apreciada homogeneidade e isotropia. Revela-se que os conteúdos de uma amostra de 300 milhões de anos-luz do universo lembram realmente outras amostras do mesmo tamanho, satisfazendo o critério estético há tanto tempo procurado para o cosmos.

Mas, claro, em escalas menores, tudo se amontoa em distribuições de matéria nitidamente não homogêneas e não isotrópicas.

Há três séculos, Isaac Newton considerou a questão de como a matéria adquiriu estrutura. Sua mente criativa adotou facilmente o conceito de um universo isotrópico e homogêneo, mas propôs de imediato um ponto que não ocorreria à maioria de nós: como se pode criar qualquer estrutura no universo, sem que toda a matéria do universo a ela se junte para criar uma massa gigantesca? Newton argumentava que, como não observamos tal massa, o universo deve ser infinito. Em 1692, escrevendo a Richard Bentley, o reitor de Trinity College, na Universidade de Cambridge, Newton propunha que

> se toda a matéria no universo estivesse espalhada uniformemente por todos os céus, e toda partícula tivesse uma gravidade inata em relação a todo o resto, e o espaço inteiro no qual essa matéria estivesse espalhada fosse tão somente finito, a matéria no exterior do espaço cairia, por sua gravidade, no meio de todo o espaço e ali comporia uma grande massa esférica. Mas se a matéria fosse disposta uniformemente por todo um espaço infinito, ela nunca poderia se reunir numa única massa, mas parte dela se reuniria numa massa e parte noutra, de modo a criar um número infinito de grandes massas, espalhadas a grandes distâncias umas das outras por todo aquele espaço infinito.

Newton supunha que seu universo infinito devia ser estático, nem expandindo-se, nem contraindo-se. Dentro desse universo, os objetos eram "reunidos" por forças gravitacionais – a atração que todo objeto com massa exerce sobre todos os outros objetos. Sua conclusão sobre o papel central da gravidade na criação de estrutura permanece válido até hoje, ainda que os cosmólogos enfrentem uma tarefa mais assustadora que a de Newton. Longe de desfrutar os benefícios de um universo estático, devemos levar em conta o fato de que o universo tem sempre se expandido desde o *big bang*, opondo-se naturalmente a qualquer tendência de que a matéria se amontoe pela gravidade. O problema de superar a tendência contra reunir a matéria ditada pela expansão cósmica torna-se mais sério, quando consideramos que o cosmos se expandiu muito rapidamente logo depois do *big bang*, a era quando as estruturas primeiro começaram a se formar. À primeira vista, não poderíamos contar com a gravidade para formar objetos massivos a partir de gás difuso, não mais do que poderíamos usar uma pá para mover pulgas através de um quintal. Entretanto, de algum modo a gravidade realizou o truque.

Durante os primeiros dias do universo, o cosmos expandiu-se de modo tão rápido que, se o universo tivesse sido rigorosamente homogêneo e isotrópico em todas as escalas de tamanho, a gravidade não teria tido nenhuma chance de vitória. Hoje tudo isso não seriam galáxias, estrelas, planetas ou pessoas, apenas uma distribuição dispersa de átomos por toda parte no espaço – um cosmos monótono e aborrecido, sem admiradores e objetos de admiração. Mas o nosso é um universo divertido e emocionante só porque apareceram *in*omogeneidades e *an*isotropias durante aqueles primeiros momentos cósmicos, que serviram como uma espécie de sopa-aperitivo para todas as concentrações de matéria e energia que surgiriam mais tarde. Sem essa vantagem no início, o universo rapidamente em expansão teria impedido a gravidade de reunir matéria para construir as estruturas familiares que hoje aceitamos como naturais no universo.

O que gerou esses desvios, as inomogeneidades e as anisotropias que fornecem as sementes para toda a estrutura no cosmos? A resposta chega da esfera da mecânica quântica, não sonhada por Isaac Newton, mas inevitável se esperamos compreender de onde viemos. A mecânica quântica nos diz que, nas menores escalas de tamanho, nenhuma distribuição de matéria pode permanecer homogênea e isotrópica. Em vez disso, flutuações aleatórias na distribuição da matéria vão aparecer, desaparecer e reaparecer em quantidades diferentes, quando a matéria se torna uma massa trêmula de partículas a desaparecer e renascer. Em qualquer tempo particular, algumas regiões do espaço terão ligeiramente mais partículas, e, portanto, uma densidade ligeiramente maior do que outras regiões. Dessa fantasia irreal, contraintuitiva, derivamos tudo o que existe. As regiões um pouco mais densas tinham a chance de atrair um pouco mais de partículas pela gravidade, e com o tempo o cosmos transformou essas regiões mais densas em estruturas.

Ao acompanhar o crescimento da estrutura desde a época logo depois do *big bang*, podemos adquirir uma compreensão de duas épocas-chave que já encontramos, a "era da inflação", quando o universo se expandiu num ritmo espantoso, e a "época do desacoplamento", aproximadamente 380.000 anos depois do *big bang*, quando a radiação cósmica de fundo parou de interagir com a matéria.

A era inflacionária durou de cerca de 10^{-37} segundo a 10^{-33} segundo depois do *big bang*. Durante esse período relativamente breve de tempo, o tecido do espaço e tempo se expandiu com mais rapidez que a luz, crescendo num bilionésimo de trilionésimo de trilionésimo de um segundo desde cem quintilhões de vezes menor que o tamanho de um próton até aproximadamente 10,16 centímetros. Sim, o universo observável cabia outrora dentro de uma toranja. Mas o que causou a inflação cósmica? Os cosmólogos nomearam o culpado: "uma transição de fase" que deixou atrás uma assinatura específica e observável na radiação cósmica de fundo.

Transições de fase não são exclusivas da cosmologia; ocorrem frequentemente na privacidade de nossas casas. Congelamos a água para fazer cubos de gelo, e fervemos a água para produzir vapor. A água açucarada faz surgir cristais de açúcar num fio que bamboleia dentro do líquido. E uma massa mole viscosa e úmida se transforma em bolo quando assada no forno. Há um padrão aqui. Em todos os casos, as coisas parecem diferentes nos dois lados de uma transição de fase. O modelo inflacionário do universo assegura que na juventude do universo o campo de energia prevalecente passou por uma transição de fase, uma das várias que teriam ocorrido durante aqueles tempos primitivos. Esse episódio particular não só catapultou a expansão primitiva e rápida, mas também imbuiu o cosmos de um padrão flutuante específico de regiões com alta e baixa densidade. Essas flutuações então se imobilizaram no tecido em expansão do espaço, criando uma espécie de planta do lugar onde as galáxias acabariam se formando. Assim no espírito de Pooh-Bah, o personagem em Mikado, de Gilbert e Sullivan, que orgulhosamente remontava sua ascendência a um "glóbulo atômico primordial", podemos atribuir nossas origens, e o início de toda a estrutura, a flutuações numa escala subnuclear que surgiram durante a era inflacionária.

Que fatos podemos citar para fundamentar essa afirmação ousada? Como os astrofísicos não têm como voltar os olhos ao primeiro 0,000 000000000000000000000000001 de um segundo do universo, eles seguem a melhor alternativa, e usam a lógica científica para conectar essa época primitiva a tempos que são capazes de observar. Se a teoria inflacionária está correta, as flutuações iniciais produzidas durante essa era – o inevitável resultado da mecânica quântica, que nos diz que pequenas variações de lugar para lugar sempre surgirão dentro de um líquido do contrário homogêneo e isotrópico – teriam tido a oportunidade de se transformar em regiões de altas e baixas concentrações de matéria e energia. É plausível nossa esperança de encontrar evidência dessas variações de lugar para lugar na radiação cósmica de fundo, que serve como um proscênio que separa a época atual dos primeiros momentos do universo neonato, e também a conecta com eles.

Como já vimos, a radiação cósmica de fundo consiste em fótons gerados durante os primeiros minutos depois do *big bang*. Bem cedo na história do universo, esses fótons interagiam com a matéria, batendo em quaisquer átomos que se formassem com tanta energia que nenhum átomo conseguia existir por muito tempo. Mas a expansão do universo em andamento roubava com efeito energia dos fótons, de modo que finalmente, no tempo do desacoplamento, nenhum dos fótons tinha energia suficiente para impedir que os elétrons orbitassem ao redor dos prótons e dos núcleos de hélio. Desde aquele tempo, 380.000 anos depois do *big bang*, os átomos têm persistido – a menos que um distúrbio local, como a radiação de uma estrela próxima, os despedace – enquanto os fótons, cada um com uma quantidade sempre menor de energia, continuam a vaguear pelo universo, formando coletivamente a radiação cósmica de fundo ou CBR.

A CBR traz, assim, o carimbo da história, um instantâneo de como era o universo na época do desacoplamento. Os astrofísicos têm aprendido a examinar esse instantâneo com uma acuidade sempre maior. Primeiro, o fato de que a CBR existe demonstra que a compreensão básica da história do universo por eles elaborada está correta. E segundo, depois de anos de aperfeiçoamento das capacidades para medir a radiação cósmica de fundo, os sofisticados instrumentos em satélites e carregados por balões lhes deram um mapa dos diminutos desvios da homogeneidade na CBR. Esse mapa fornece o registro das flutuações outrora minúsculas, cujo tamanho aumentou quando o universo se expandiu durante os poucos cem mil anos depois da era da inflação, e que desde então cresceram, durante os aproximadamente bilhões de anos seguintes, realizando a distribuição, em grande escala, da matéria no cosmos.

Por mais extraordinário que possa parecer, a CBR nos fornece os meios para mapear o carimbo do universo primitivo há muito desaparecido, e para localizar – a uma distância de 14 bilhões de anos-luz em todas as direções – as regiões de densidade um pouco maior que se tornariam aglomerados e superaglomerados de galáxias. As regiões com densidade maior que a média deixavam para trás um pouco mais de fótons que as regiões com densidades mais baixas. Quando o cosmos se tornou transparente, graças à perda de energia que deixou os fótons incapazes de interagir com os átomos recém-formados, cada fóton começou uma viagem que o levaria para bem longe de seu ponto de origem. Os fótons de nossa vizinhança viajaram 14 bilhões de anos-luz em todas as direções, fornecendo parte da CBR que civilizações muito distantes no fim do universo visível talvez estejam examinando ainda agora, e "seus" fótons, tendo atingido nossos instrumentos, nos informam como as coisas eram há muito tempo e em lugares muito remotos, no tempo em que as estruturas nem tinham começado a se formar.

Ao longo de mais de um quarto de século depois da primeira detecção da radiação cósmica de fundo em 1965, os astrofísicos procuraram anisotropias na CBR. De um ponto de vista teórico, eles precisavam desesperadamente encontrá-las, porque sem a existência de anisotropias na CBR num nível de poucas partes em cem mil, seu modelo básico de como surgiu a estrutura perderia toda e qualquer pretensão à validade. Sem as sementes da matéria que elas denunciam, não teríamos explicação para a razão de existirmos. Como quis o destino feliz, as anisotropias apareceram precisamente na hora certa. Assim que criaram instrumentos capazes de detectar anisotropias no nível apropriado, os cosmólogos as encontraram, primeiro com o satélite COBE em 1992, e mais tarde com instrumentos muito mais precisos a bordo de balões e no satélite WMAP descrito no Capítulo 3. As minúsculas flutuações de lugar para lugar nas quantidades de fótons de micro-ondas que formam a CBR, agora delineadas com impressionante precisão pelo WMAP, encarnam o registro de flutuações cósmicas num tempo 380.000 anos depois do *big bang*. A flutuação típica está apenas algumas centenas de milésimos de um grau acima ou abaixo da temperatura média da radiação cósmica de fundo, por isso detectá--las é como encontrar pálidas manchas de óleo sobre uma lagoa com

1,61 quilômetro de largura que tornam a mistura de água e óleo um pouquinho menos densa que a média. Por menores que fossem essas anisotropias, elas bastavam para dar partida ao processo.

No mapa WMAP da radiação cósmica de fundo, as maiores manchas quentes nos dizem onde a gravidade superaria as tendências dissipativas do universo em expansão e reuniria bastante matéria para manufaturar superaglomerados. Essas regiões hoje cresceram até conter cerca de 1.000 galáxias, cada uma com 100 bilhões de estrelas. Se acrescentamos a matéria escura nesse superaglomerado, sua massa total atinge o equivalente a 10^{16} sóis. Inversamente, as maiores manchas frias, sem vantagem contra o universo em expansão, evoluíram até tornar-se quase desprovidas de estruturas massivas. Os astrofísicos chamam essas regiões de "vazios", um termo que adquire significado por estar rodeado por algo que não é um vazio. Assim, as lâminas e filamentos gigantes das galáxias que podemos traçar no céu não só formam aglomerados nas suas intersecções, mas também traçam muros e outras formas geométricas que dão forma às regiões vazias do cosmos.

Claro, as próprias galáxias não apareceram sem mais nem menos, plenamente formadas, a partir de concentrações de matéria um pouquinho mais densas que a média. Desde 380.000 anos depois do *big bang* até cerca de 200 milhões de anos mais tarde, a matéria continuou a se reunir, mas nada brilhava no universo, cujas primeiras estrelas ainda estavam para nascer. Durante essa era cósmica escura, o universo continha apenas o que tinha produzido durante seus primeiros poucos minutos – hidrogênio e hélio, com vestígios de lítio. Sem elementos mais pesados que os citados – sem carbono, nitrogênio, oxigênio, sódio, cálcio ou elementos mais pesados – o cosmos não continha nenhum dos átomos ou moléculas agora comuns que podem absorver a luz, quando uma estrela começa a brilhar. Hoje, na presença desses átomos e moléculas, a luz de uma estrela recém-

-formada exercerá sobre eles uma pressão que afasta quantidades massivas de gás que do contrário cairiam dentro da estrela. Essa expulsão limita a massa máxima das estrelas recém-nascidas a menos de cem vezes a massa do Sol. Mas quando as primeiras estrelas se formaram, na ausência de átomos e moléculas que absorvessem a luz estelar, o gás cadente consistia quase inteiramente em hidrogênio e hélio, fornecendo apenas uma resistência simbólica à emissão das estrelas. Isso permitia que as estrelas se formassem com massas muito maiores, chegando a muitas centenas, talvez até alguns milhares, de vezes a massa do Sol.

As estrelas de alta massa seguem sua vida na pista de alta velocidade, e as mais massivas têm a vida mais veloz de todas. Elas convertem sua matéria em energia em velocidades espantosas, enquanto manufaturam elementos pesados e experimentam mortes jovens explosivas. Suas expectativas de vida não chegam a mais de um milésimo da expectativa do Sol. Hoje não esperamos encontrar viva nenhuma das estrelas mais massivas daquela era, porque as estrelas primitivas se extinguiram há muito tempo, e atualmente, com os elementos mais pesados comuns por todo o universo, as antigas estrelas de alta massa não podem se formar. Na verdade, nenhuma das gigantes de alta massa foi jamais observada. Mas nós lhes atribuímos a responsabilidade de terem introduzido pela primeira vez no universo quase todos os elementos familiares que agora aceitamos como naturais, inclusive o carbono, o oxigênio, o nitrogênio, o silício e o ferro. Chamem a isso de enriquecimento. Chamem de poluição. Mas as sementes da vida começaram com a primeira geração de estrelas de alta massa há muito desaparecida.

Durante os primeiros poucos bilhões de anos depois da época do desacoplamento, o colapso gravitacionalmente induzido prosseguiu sem comedimento, enquanto a gravidade unia a matéria em quase todas as escalas. Um dos resultados naturais da gravidade em funcionamento foi a formação de buracos negros supermassivos, cada um com uma massa igual a milhões ou bilhões de vezes a massa do Sol. Buracos negros com essa quantidade de massa têm aproximadamente o tamanho da órbita de Netuno e devastam seu ambiente nascente. Nuvens de gás atraídas para esses buracos negros querem ganhar velocidade, mas não conseguem, porque há muitas coisas pelo caminho. Em vez disso, elas batem e atritam contra tudo o que acabou de surgir antes delas, descendo em direção a seu senhor num redemoinho rodopiante. Pouco antes de essas nuvens desaparecerem para sempre, colisões dentro de sua matéria superaquecida irradiam quantidades titânicas de energia, igual a bilhões de vezes a luminosidade do Sol, tudo dentro do volume de um sistema solar. Jatos monstruosos de matéria e radiação jorram adiante, estendendo-se centenas de milhares de anos-luz acima e abaixo do gás rodopiante, enquanto a energia segue perfurando e escapa do funil de todas as maneiras possíveis. Quando uma nuvem cai dentro do buraco, e outra o orbita à espera, a luminosidade do sistema flutua, tornando-se mais brilhante e mais indistinta em questão de horas, dias ou semanas. Se os jatos estiverem por acaso voltados diretamente para nós, o sistema parecerá ainda mais luminoso, e mais variável na sua emissão, do que aqueles casos em que os jatos apontam para o lado. Vistos de qualquer distância apreciável, todas essas combinações de buracos negros acrescidos de matéria cadente parecerão surpreendentemente pequenas e luminosas em comparação às galáxias que vemos hoje. O que o universo criou – os objetos cujo nascimento acabamos de presenciar com palavras – são quasares.

Os quasares foram descobertos durante o início da década de 1960, quando os astrônomos começaram a usar telescópios equipados com detectores sensíveis a domínios invisíveis da radiação, como as ondas de rádio e os raios X. Portanto, seus retratos galácticos incluíam informações sobre a aparência das galáxias naquelas outras faixas do espectro eletromagnético. Combine isso com outros melhoramentos nas emulsões fotográficas, e um novo zoo de espécies de galáxias emergiu das profundezas do espaço. Muito notáveis nesse zoo eram alguns objetos que, nas fotografias, parecem estrelas simples, mas – bem diferentes das estrelas – produzem quantidades extraordinárias de ondas de rádio. Uma primeira descrição para esses objetos foi *"quasistellar radio source"* ("fonte de rádio quase estelar") – um termo logo abreviado para quasar. Ainda mais extraordinárias que a emissão de rádio desses objetos eram suas distâncias: agrupados numa classe, eles se revelaram os objetos mais distantes conhecidos no universo. Para que fossem tão pequenos e ainda visíveis a imensas distâncias, os quasares tinham de ser uma espécie inteiramente nova de objeto. Quão pequeno? Não maior que um sistema solar. Quão luminoso? Até os mais indistintos superam o brilho da galáxia média no universo.

No início da década de 1970, os astrofísicos tinham convergido para a tendência de considerar que os buracos negros supermassivos são o motor do quasar, devorando gravitacionalmente tudo ao seu alcance. O modelo buraco negro pode explicar o fato de os quasares serem tão pequenos e brilhantes, mas nada diz da fonte de abastecimento do buraco negro. Só na década de 1980 é que os astrofísicos começariam a compreender o ambiente do quasar, porque a tremenda luminosidade das regiões centrais de um quasar impede qualquer visão de seus arredores menos luminosos. Por fim, entretanto, com novas técnicas para mascarar a luz do centro, os astrofísicos conseguiram detectar uma névoa circundando alguns dos quasares mais indistintos. Quando as táticas e tecnologias de detecção melhoraram ainda mais, todo quasar mostrou ter névoa; alguns até exibiram uma estrutura espiral. Os quasares, revelou-se, não são uma nova espécie de objeto, mas sim uma nova espécie de núcleo galáctico.

Em abril de 1990, a Administração Nacional da Aeronáutica e do Espaço (NASA) lançou um dos instrumentos astronômicos mais caros já construídos: o Telescópio Espacial Hubble. Do tamanho de um ônibus interestadual, pilotado por comandos enviados da Terra, o Telescópio Hubble soube tirar proveito de orbitar fora de nossa atmosfera borradora de imagens. Assim que os astronautas instalaram lentes para corrigir erros na maneira como seu espelho primário fora feito, o telescópio conseguiu espiar regiões de galáxias comuns antes inexploradas, inclusive seus centros. Depois de contemplar esses centros, o telescópio descobriu estrelas movendo-se indesculpavelmente rápido, dada a gravidade inferida a partir da luz visível de outras estrelas nos arredores. Humm, gravidade forte, área pequena... deve ser um buraco negro. Galáxia após galáxia – dúzias delas – tinham estrelas suspeitosamente velozes em seus centros. Na verdade, sempre que o Telescópio Espacial Hubble tinha uma visão clara do centro de uma galáxia, lá estavam elas.

Agora parece provável que toda galáxia gigante abriga um buraco negro supermassivo, que poderia ter servido como uma semente gravitacional ao redor da qual a outra matéria se amontoou ou talvez tenha sido manufaturado mais tarde por matéria caindo em torrentes das regiões externas da galáxia. Mas nem todas as galáxias foram quasares na sua juventude.

A crescente lista de galáxias comuns conhecidas por terem um buraco negro em seu centro começou a erguer as sobrancelhas dos investigadores: um buraco negro supermassivo que não era um quasar? Um quasar que é rodeado por uma galáxia? Não se pode deixar de pensar numa nova descrição de como as coisas funcionam. Nessa descrição, algumas galáxias começam suas vidas como quasares. Para ser um quasar, que é realmente apenas o centro resplandecente visível de uma galáxia do contrário comum, o sistema precisa ter não só um buraco negro massivo e faminto, mas também um amplo suprimento de gás em queda. Uma vez que o buraco negro supermassivo tragou todo o alimento existente, deixando estrelas e gás não devorados em órbitas distantes e seguras, o quasar simplesmente se desconecta. Tem-se então uma galáxia dócil com um buraco negro latente cochilando em seu centro.

Os astrônomos têm descoberto outros novos tipos de objetos, classificados como intermediários entre os quasares e as galáxias normais, cujas propriedades também dependem do mau comportamento de buracos negros supermassivos. Às vezes, as correntes de material que caem no buraco negro central de uma galáxia fluem lenta e constantemente. Outras vezes, episodicamente. Esses sistemas povoam o zoo das galáxias cujos núcleos são ativos, mas não ferozes. Ao longo de anos, acumularam-se nomes para os vários tipos: LINERs (regiões de linhas de emissão nuclear de baixa ionização), galáxias Seyfert, galáxias N, blazares. Todos esses objetos são chamados genericamente AGNs, a abreviação dos astrofísicos para galáxias com núcleos "ativos". Ao contrário dos quasares, que aparecem somente a distâncias imensas, as AGNs aparecem tanto a grandes distâncias como relativamente perto. Isso sugere que as AGNs fazem parte da série de galáxias que não se comportam bem. Os quasares consumiram há muito tempo todo o seu alimento, assim nós os vemos apenas quando voltamos o olhar muito para trás no tempo, observando muito longe no espaço. As AGNs, em contraste, tinham apetites mais modestos, assim algumas delas ainda têm o que comer mesmo depois de bilhões de anos.

Classificar as AGNs unicamente com base na sua aparência visual daria uma história incompleta, assim os astrofísicos classificaram as AGNs pelos seus espectros e por todo o alcance de suas emissões eletromagnéticas. Durante meados e final da década de 1990, os investigadores aperfeiçoaram seu modelo de buraco negro, e descobriram que podiam caracterizar quase todos os animais no zoo AGN medindo apenas uns poucos parâmetros: a massa do buraco negro do objeto, o ritmo em que está sendo alimentado, e nosso ângulo de visão sobre o disco de acreção e seus jatos. Se, por exemplo, olhamos por acaso "bem no cano da arma", exatamente ao longo da mesma direção de um jato saindo da vizinhança de um buraco negro supermassivo, vemos um objeto muito mais brilhante do que veríamos se por acaso tivéssemos uma visão lateral por um ângulo muito diferente. Variações nesses três parâmetros podem explicar quase toda a impressionante diversidade que os astrofísicos observam, dando-lhes uma bem-vinda unificação dos modelos de AGNs de tipos de galáxia e uma compreensão mais profunda da formação e evolução das galáxias. O fato de que tanto pode ser explicado por – diferenças na forma, tamanho, luminosidade e cor – tão poucas variáveis representa um triunfo pouco divulgado da astrofísica do final do século XX. Como exigiu muitos investigadores, muitos anos e muito tempo de telescópio, não é o tipo de coisa anunciada no jornal da noite – mas não deixa de ser um triunfo.

Não vamos concluir, entretanto, que os buracos negros supermassivos podem explicar tudo. Ainda que tenham milhões ou bilhões de vezes a massa do Sol, eles não contribuem quase nada em comparação com as massas das galáxias em que estão engastados – tipicamente muito menos que 1% da massa total de uma galáxia grande. Quando procuramos explicar a existência da matéria escura, ou de outras fontes ocultas de gravidade no universo, esses buracos negros são insignificantes e podem ser ignorados. Mas quando calculamos quanta energia eles manejam – isto é, quando computamos a energia que eles liberaram como parte de sua formação – descobrimos que os buracos negros dominam a energética da formação das galáxias. Toda a energia de todas as órbitas de todas as estrelas e nuvens de gás que compõem basicamente uma galáxia torna-se pálida quando comparada com o que criou o buraco negro. Sem buracos negros supermassivos à espreita, as galáxias como as conhecemos talvez nem tivessem sido formadas. O buraco negro outrora luminoso, mas ora invisível, que se acha no centro de cada galáxia gigante fornece um elo oculto, a explicação física para a aglomeração de matéria num sistema complexo de bilhões de estrelas em órbita ao redor de um centro comum.

A explicação mais ampla para a formação das galáxias invoca não só a gravidade produzida pelos buracos negros supermassivos, mas também a gravidade em cenários astronômicos mais convencionais. O que criou os bilhões de estrelas numa galáxia? A gravidade também as criou, produzindo até centenas de milhares de estrelas numa única nuvem. A maioria das estrelas de uma galáxia nasceu dentro de "associações" relativamente soltas. As regiões mais compactas de nascimento de estrela permanecem "aglomerados de estrelas" identificáveis, dentro dos quais as estrelas membros orbitam o centro do aglomerado, traçando seus caminhos pelo espaço num balé cósmico coreografado pelas forças da gravidade de todas as outras estrelas dentro do aglomerado, mesmo quando os próprios aglomerados se movem em enormes trajetórias ao redor do centro da galáxia, a salvo do poder destrutivo do buraco negro central.

Dentro de um aglomerado, as estrelas se movem numa ampla gama de velocidades, algumas com tanta rapidez que arriscam escapar totalmente do sistema. Isso na realidade ocorre de vez em quando, quando estrelas velozes evaporam saindo das garras da gravidade de um aglomerado para vagar livremente pela galáxia. Essas estrelas de percurso livre, junto com os "aglomerados de estrelas globulares" que contêm centenas de milhares de estrelas cada um, juntam-se às estrelas que formam os halos esféricos das galáxias. Inicialmente luminosos, mas hoje desprovidos de suas estrelas mais brilhantes e de vida curta, os halos da galáxia são os objetos visíveis mais antigos do universo, com certidões de nascimento que remontam à formação das próprias galáxias.

Como os últimos a entrarem em colapso, e, assim, os últimos a se transformarem em estrelas, nós encontramos o gás e a poeira que se veem puxados e fixados no plano galáctico. Em galáxias elípticas, não existe esse plano, e todo o seu gás já se transformou em estrelas. As galáxias espirais, entretanto, têm distribuições altamente achatadas de matéria, caracterizadas por um plano central dentro do qual as estrelas mais jovens e mais brilhantes se formam em padrões espirais, testemunho de grandes ondas vibratórias de gás alternadamente denso e rarefeito que orbitam o centro galáctico. Como *marshmallows* quentes que se grudam ao entrarem em contato, todo o gás numa galáxia espiral que não participa rapidamente da formação de aglomerados de estrelas cai em direção ao plano galáctico, gruda em si mesmo e cria um disco de matéria que lentamente manufatura estrelas. Durante os últimos bilhões de anos, e por bilhões de anos ainda por vir, as estrelas continuarão a se formar em galáxias espirais, e cada geração aparecerá mais enriquecida em elementos pesados que a anterior. Esses elementos pesados (e com isso os astrofísicos querem dizer todos os elementos mais pesados que o hélio) foram lançados no espaço interestelar por fluxos que se derramam de estrelas envelhecidas ou como os restos explosivos de estrelas de alta massa, uma espécie de supernova. Sua existência torna a galáxia – e assim o universo – cada vez mais amigável para a química da vida que conhecemos.

Delineamos o nascimento de uma galáxia espiral clássica, numa sequência evolutiva que tem sido representada dezenas de bilhões de vezes, produzindo galáxias numa legião de diferentes arranjos: em aglomerados de galáxias, em longas cordas e filamentos de galáxias, e em lâminas de galáxias.

Porque olhamos para trás no tempo, assim como olhamos para longe no espaço, possuímos a habilidade de examinar galáxias não só como são agora, mas também como apareciam há bilhões de anos, simplesmente olhando para o alto. O problema de transformar esse conceito em realidade confirmada pela observação reside no fato de que galáxias a bilhões de anos-luz aparecem para nós como objetos extremamente pequenos e indistintos, de modo que nem mesmo nossos melhores telescópios conseguem uma boa resolução de seus contornos. Ainda assim, os astrofísicos têm feito um grande progresso nesse sentido durante os últimos anos. O avanço ocorreu em 1995, quando Robert Williams, então diretor do Instituto Científico do Telescópio Espacial na Universidade Johns Hopkins, manobrou para que o Telescópio Hubble apontasse numa única direção no espaço, perto da Ursa Maior, para uma observação de dez dias. Williams merece o crédito, porque o Comitê de Alocação do Tempo do telescópio, que seleciona as propostas de observação mais dignas do tempo real do instrumento, julgou que tal observação não merecia apoio. Afinal, a região a ser estudada foi deliberadamente escolhida por não ter nada de interessante a ser visto, e assim representar um trecho do céu monótono e aborrecido. Como resultado, nenhum projeto em andamento poderia se beneficiar diretamente desse grande comprometimento do tempo de observação altamente solicitado do telescópio. Felizmente, Williams, como diretor do Instituto Científico do Telescópio Espacial, tinha o direito de designar uma pequena porcentagem do total do tempo – seu "tempo discricionário de diretor" – e investiu seu poder de influência no que se tornou conhecido como o Campo Profundo do Hubble, uma das mais famosas fotografias astronômicas já tiradas.

A exposição de dez dias, feita coincidentemente durante a paralisação do governo em 1995, produziu de longe a imagem mais pesquisada na história da astronomia. Salpicada de galáxias e objetos semelhantes a galáxias, o campo profundo nos oferece um palimpsesto cósmico, no qual objetos a distâncias diferentes da Via Láctea escreveram suas assinaturas momentâneas de luz em tempos diferentes. Vemos objetos no campo profundo como eles eram, digamos, há 1,3 bilhão, 3,6 bilhões, 5,7 bilhões ou 8,2 bilhões de anos, com a época de cada objeto determinada pela sua distância de nós. Centenas de astrônomos se apoderaram da riqueza dos dados contidos nessa única imagem para deduzir novas informações sobre como as galáxias evoluíram com o tempo, e sobre como as galáxias pareciam ser logo depois de se formarem. Em 1998, o telescópio obteve uma imagem associada, o Campo Profundo Sul do Hubble, dedicando dez dias de observação a outro trecho do céu na direção oposta à do primeiro campo profundo, no hemisfério celeste sul. A comparação das duas imagens permitiu que os astrônomos se assegurassem de que os resultados do primeiro campo profundo não representavam uma anomalia (por exemplo, se as duas imagens tivessem sido idênticas em todos os detalhes, ou estatisticamente diferentes uma da outra sob todos os aspectos, teria sido possível concluir que o diabo estava fazendo das suas), e refinassem suas conclusões sobre como se formam tipos diferentes de galáxias. Depois de uma missão de manutenção bem-sucedida, na qual o Telescópio Hubble foi equipado com detectores ainda melhores (mais sensíveis), o Instituto Científico do Telescópio Espacial simplesmente não resistiu e, em 2004, autorizou o Campo Ultraprofundo do Hubble, revelando o cosmos cada vez mais distante.

Infelizmente, os primeiros estágios da formação das galáxias, que nos seriam revelados por objetos nas maiores distâncias, frustram até os melhores esforços do Telescópio Hubble, mesmo porque a expansão cósmica deslocou a maioria de sua radiação para a região infravermelha do espectro, não acessível aos instrumentos do telescópio. Para essas galáxias mais distantes, os astrônomos aguardam o projeto, a construção, o lançamento e a operação bem-sucedida do sucessor do Hubble, O Telescópio Espacial James Webb (JWST), que recebeu o nome do chefe da NASA durante a era Apollo. (Os cínicos dizem que foi escolhido esse nome, em vez de outro que honrasse um cientista famoso, para assegurar que o projeto do telescópio não fosse cancelado, pois isso implicaria apagar o legado de um importante oficial.)

O JWST terá um espelho maior que o do Hubble, projetado para se desdobrar como uma intricada flor mecânica, abrindo-se no espaço para proporcionar uma superfície reflexiva muito maior que qualquer uma passível de caber dentro de um de nossos foguetes. O novo telescópio espacial também possuirá um conjunto de instrumentos muito superiores aos do Telescópio Hubble, que foram projetados originalmente durante a década de 1960, construídos durante a década de 1970, lançados em 1991, e – embora significativamente aprimorados durante a década de 1990 – ainda não têm capacidades fundamentais como a de detectar a radiação infravermelha. Parte dessa capacidade existe agora no Telescópio Infravermelho Spitzer (SIRTF), lançado em 2003[2], que orbita o Sol muito mais longe da Terra do que o Hubble, evitando com isso a interferência das copiosas quantidades de radiação infravermelha produzida por nosso planeta. Para realizar essa meta, JWST terá da mesma forma uma órbita muito mais distante da Terra que o Hubble, e consequentemente será para sempre inacessível a missões de manutenção assim como elas são atualmente concebidas – é melhor que a NASA acerte esse telescópio logo na primeira vez. Se o novo telescópio entrar em operação em 2011[3], como planejado atualmente, ele deverá propiciar novas visões espetaculares do cosmos, inclusive imagens de galáxias a uma distância de mais de 10 bilhões de anos-luz, vistas muito mais próximas de seu tempo de origem do que qualquer uma revelada pelos Campos Profundos do Hubble. Trabalhando em colaboração com o novo telescópio espacial, como já fizeram com o antigo, grandes instrumentos baseados em terra estudarão em detalhe a riqueza dos objetos a serem revelados por nosso próximo grande passo em instrumentação baseada no espaço.

---

[2] A missão do Spitzer já foi descontinuada. (N. do E.)
[3] A previsão atual é 2018. (N. do E.)

Por mais rico em possibilidades que o futuro possa ser, não devemos esquecer as impressionantes realizações dos astrofísicos durante as últimas três décadas, resultado de sua capacidade de criar novos instrumentos para observar o universo. Carl Sagan gostava de dizer que era preciso ser feito de madeira insensível para não se curvar com reverência e admiração diante do que o cosmos realizou. Graças às nossas observações aperfeiçoadas, sabemos agora mais do que Sagan a respeito da espantosa sequência de eventos que resultaram em nossa existência: as flutuações quânticas na distribuição de matéria e energia, numa escala menor que o tamanho de um próton, que geraram superaglomerados de galáxias, com trinta milhões de anos-luz de extensão. Do caos ao cosmos, essa relação de causa e efeito atravessa mais de trinta e oito potências de dez em tamanho e quarenta e duas potências de dez em tempo. Como os cordões microscópicos do DNA que predeterminam a identidade de uma espécie macroscópica e as propriedades únicas de seus membros, a moderna aparência do cosmos foi escrita no tecido de seus primeiros momentos, e transportada implacavelmente através do tempo e espaço. É o que sentimos quando olhamos para o alto. É o que sentimos quando olhamos para baixo. É o que sentimos quando olhamos para dentro.

PARTE III

A ORIGEM DAS ESTRELAS

CAPÍTULO 9

Da poeira à poeira

Se olhamos para o céu numa noite clara longe das luzes da cidade, podemos localizar imediatamente uma faixa nebulosa de luz pálida, interrompida em alguns pontos por manchas escuras, que se estende de horizonte a horizonte. Há muito conhecida como a "via láctea" (em minúscula) no céu, essa névoa branca como leite combina a luz de um número assombroso de estrelas e nebulosas gasosas. Aqueles que observam a via láctea com binóculos ou um telescópio de quintal verão as áreas escuras e enfadonhas se resolverem em, ora, áreas escuras e enfadonhas – mas as áreas brilhantes passarão de um brilho difuso a incontáveis estrelas e nebulosas.

Em seu pequeno livro *Sidereus Nuncius (O mensageiro sideral)*, publicado em Veneza em 1610, Galileo Galilei apresentou o primeiro relato do céu visto através de um telescópio, inclusive uma descrição dos trechos de luz da via láctea. Referindo-se a seu instrumento como um óculo de alcance, já que o nome telescópio ("o que vê longe" em grego) ainda tinha de ser cunhado, Galileo não conseguiu se conter:

> A própria via láctea, que, com a ajuda do óculo de alcance, pode ser observada tão bem que todas as disputas, que por tantas gerações têm exasperado os filósofos, são destruídas pela certeza visível, e ficamos liberados de argumentos verbosos. Pois a Galáxia nada mais é do que um agregado de inumeráveis estrelas distribuídas em aglomerados.

Para qualquer região da galáxia que se dirija o óculo de alcance, um imenso número de estrelas se oferece imediatamente à visão, dentre as quais muitas parecem um tanto grandes e muito conspícuas, mas a multidão das pequenas é verdadeiramente insondável.[1]

Certamente o "imenso número de estrelas" de Galileo, que delineia as regiões mais densamente compactas da nossa galáxia da Via Láctea, deve ser o local da verdadeira ação astronômica. Ora, por que alguém deveria se interessar pelas áreas escuras intermédias sem estrelas visíveis? Com base em sua aparência visual, as áreas escuras são provavelmente buracos cósmicos, aberturas para os espaços infinitos e vazios mais além.

Três séculos se passariam antes que alguém decifrasse que os trechos escuros na via láctea, longe de serem buracos, consistem realmente em nuvens densas de gás e poeira que obscurecem os campos de estrelas mais distantes e mantêm berçários estelares bem lá no fundo de si mesmas. Seguindo sugestões anteriores do astrônomo americano George Cary Comstock, que se perguntava por que as estrelas distantes são muito mais tênues do que se esperaria, se consideradas tão somente suas distâncias, o astrônomo holandês Jacobus Cornelius Kapteyn identificou o culpado em 1909. Em dois artigos de pesquisa, ambos intitulados "Sobre a absorção da luz no espaço",[2] Kapteyn apresentou evidências de que as nuvens escuras – seu "meio interestelar" recém-descoberto – não só bloqueavam a luz das estrelas, como também o faziam de forma irregular através do arco-íris de cores no espectro de uma estrela: elas absorvem e dispersam, e portanto atenuam, a luz na extremidade violeta do espectro visível com mais eficácia do que atuam sobre a luz vermelha.

---

[1] Galileo Galilei, *Siderius Nuncius*, trad. Albert van Helden. Chicago: University of Chicago Press, 1989, p. 62.
[2] J. C. Kapteyn, *Astrophysical Journal* 29, 46, 1909; 30, 284, 1909.

Essa absorção seletiva remove preferencialmente mais luz violeta que vermelha, fazendo as estrelas distantes parecerem mais vermelhas que as próximas. A medida desse avermelhamento interestelar aumenta em proporção à quantidade total de material que a luz encontra no seu percurso até nós.

O hidrogênio e o hélio comuns, os principais componentes das nuvens de gás cósmicas, não avermelham a luz. Mas as moléculas feitas de muitos átomos o fazem – especialmente aquelas que contêm os elementos carbono e silício. Quando as partículas interestelares se tornam grandes demais para serem chamadas de moléculas, com centenas de milhares ou milhões de átomos individuais em cada uma delas, nós as chamamos de poeira. A maioria de nós conhece poeira na variedade existente em nossas casas, embora poucos se deem ao trabalho de saber que, numa casa fechada, a poeira consiste principalmente em células de pele humana morta e desprendida (mais caspa do animal de estimação, se houver um ou mais mamíferos morando na casa). Pelo que se sabe, a poeira cósmica não contém epiderme de ninguém. Entretanto, a poeira interestelar inclui realmente um conjunto extraordinário de moléculas complexas, que emitem fótons principalmente nas regiões infravermelha e de micro-onda do espectro. Os astrofísicos não tinham bons telescópios de micro-ondas antes da década de 1960, nem telescópios infravermelhos eficazes antes da década de 1970. Uma vez criados esses instrumentos de observação, eles puderam investigar a verdadeira riqueza química do material que existe entre as estrelas. Durante as décadas que se seguiram a esses avanços tecnológicos, surgiu uma descrição fascinante e intrincada do nascimento de uma estrela.

Nem todas as nuvens de gás vão formar estrelas em todas as épocas. Com muita frequência, uma nuvem se descobre confusa quanto ao que fazer a seguir. Na realidade, os astrofísicos são os confusos aqui. Sabemos que uma nuvem interestelar "quer" colapsar sob sua própria gravidade para criar uma ou mais estrelas. Mas a rotação da nuvem, bem como os efeitos dos movimentos turbulentos do gás dentro da nuvem, se opõem a esse resultado. Oposição também exercida pela pressão do gás, a respeito da qual você aprendeu na aula de química na escola secundária. Os campos magnéticos também podem se contrapor ao colapso. Eles penetram na nuvem e restringem os movimentos de quaisquer partículas carregadas e errantes ali contidas, oferecendo resistência à compressão e, assim, impedindo a maneira como a nuvem pode reagir à sua própria gravidade. A parte assustadora desse exercício mental surge quando nos damos conta de que, se ninguém soubesse de antemão que as estrelas existem, a pesquisa de ponta ofereceria muitas razões convincentes para que as estrelas jamais pudessem se formar.

Como as várias centenas de bilhões de estrelas na nossa galáxia da Via Láctea, que recebeu seu nome em referência à faixa de luz que suas regiões mais densamente povoadas pintam através de nossos céus, nuvens gigantes de gás orbitam o centro de nossa galáxia. As estrelas equivalem a diminutos pontinhos, com uma extensão de apenas poucos segundos-luz, que flutuam num vasto oceano de espaço quase vazio, uma passando de vez em quando perto da outra, como navios à noite. As nuvens de gás, por outro lado, são imensas. Abrangendo tipicamente centenas de anos-luz, cada uma delas contém tanta massa quanto um milhão de sóis. Quando essas nuvens gigantes se movem pesadamente pela galáxia, elas frequentemente colidem uma com a outra, enredando suas entranhas carregadas de gás e poeira. Às vezes, dependendo de suas velocidades relativas e de seus ângulos de impacto, as nuvens se unem; outras vezes, aumentando ainda mais os estragos da colisão, elas se dilaceram entre si.

Se uma nuvem esfria até uma temperatura bastante baixa (menos de aproximadamente 100 graus acima do zero absoluto), seus átomos vão se unir ao colidir, em vez de saírem adernando entre si como fazem em temperaturas mais elevadas. Essa transição química tem consequências para todo mundo. As partículas crescentes – ora contendo dezenas de átomos cada uma – começam a espalhar luz visível de um lado para outro, atenuando fortemente a luz das estrelas atrás da nuvem. Quando as partículas se tornam grãos de poeira plenamente desenvolvidos, eles contêm bilhões de átomos cada um. As estrelas envelhecidas manufaturam grãos de poeira semelhantes e sopram-nos gentilmente para dentro do espaço interestelar durante suas fases de "gigantes vermelhas". Ao contrário das partículas menores, os grãos de poeira com bilhões de átomos já não espalham os fótons da luz visível das estrelas atrás deles; em vez disso, eles absorvem esses fótons e depois irradiam de novo sua energia como luz infravermelha, que pode facilmente escapar da nuvem. Quando isso ocorre, a pressão dos fótons, transmitida para as moléculas que a absorvem, empurra a nuvem na direção oposta à da fonte de luz. A nuvem então se acoplou à luz estelar.

O nascimento de uma estrela ocorre quando as forças que tornam uma nuvem cada vez mais densa acabam por levá-la a seu colapso gravitacionalmente induzido, durante o qual cada parte da nuvem puxa todas as outras partes para mais perto. Como o gás quente resiste à compressão e ao colapso mais efetivamente que o gás frio, nós nos defrontamos com uma situação estranha. É preciso que a nuvem esfrie antes que possa se aquecer produzindo uma estrela. Em outras palavras, a criação de uma estrela que possui um núcleo de 10 milhões de graus, quente o suficiente para dar início à fusão termonuclear, requer que a nuvem primeiro atinja suas condições internas mais frias possíveis. Apenas em temperaturas extremamente frias, algumas dúzias de graus acima do zero absoluto, é que a nuvem pode colapsar e permitir que se inicie de fato a formação de uma estrela.

O que acontece dentro de uma nuvem para que seu colapso se transforme em estrelas recém-nascidas? Os astrofísicos só conseguem gesticular. Por maior que seja seu desejo de rastrear a dinâmica interna de uma grande e massiva nuvem interestelar, ainda se encontra fora do alcance de nossa capacidade a criação de um modelo de computador que inclua as leis da física, todas as influências internas e externas sobre a nuvem, e todas as reações químicas relevantes que podem ocorrer dentro dela. Outro desafio reside no fato humilhante de que a nuvem original tem um tamanho bilhões de vezes maior que o da estrela que estamos tentando criar – a qual, por sua vez, tem uma densidade igual a 100 sextilhões de vezes a densidade média dentro da nuvem. Nessas situações, o mais importante numa escala de tamanhos talvez não seja o que deveria nos preocupar em outra.

Ainda assim, baseados no que vemos por todo o cosmos, podemos afirmar com segurança que, dentro das regiões mais profundas, mais escuras e mais densas de uma nuvem interestelar, onde as temperaturas caem a cerca de 10 graus acima do zero absoluto, a gravidade faz realmente com que bolsas de gás colapsem, superando facilmente a resistência oferecida pelos campos magnéticos e outros impedimentos. A contração converte a energia gravitacional das bolsas da nuvem em calor. A temperatura dentro de cada uma dessas regiões – prestes a se tornar o núcleo de uma estrela recém-nascida – eleva-se rapidamente durante o colapso, rompendo todos os grãos de poeira na vizinhança imediata quando eles colidem. Por fim, a temperatura na região central da bolsa de gás em colapso atinge o valor crucial de 10 milhões de graus na escala absoluta.

Nessa temperatura mágica, alguns dos prótons (que são simplesmente átomos de hidrogênio nus, privados do elétron que os orbita) se movem com rapidez suficiente para superar sua repulsão mútua. Suas altas velocidades permitem que os prótons cheguem suficientemente perto uns dos outros para que a "força nuclear forte" os una. Essa força, que só opera a distâncias extremamente pequenas, liga os prótons e os nêutrons em todos os núcleos. A fusão termonuclear de prótons – "termo" porque ocorre em altas temperaturas, e "fusão nuclear" porque funde as partículas num único núcleo – cria os núcleos de hélio, cada um dos quais tem uma massa ligeiramente menor que a soma das partículas a partir das quais se fundiu. A massa que desaparece durante essa fusão se transforma em energia, num equilíbrio descrito pela famosa equação de Einstein. A energia incorporada na massa (sempre numa quantidade igual à massa vezes o quadrado da velocidade da luz) pode ser convertida em outras formas de energia, como a energia cinética adicional (energia do movimento) das partículas velozes que emergem das reações da fusão nuclear.

Quando a nova energia produzida pela fusão nuclear se difunde para o exterior, o gás aquece e brilha. Então, na superfície da estrela, a energia antes trancada em núcleos individuais escapa para o espaço sob a forma de fótons, gerados pelo gás quando a energia liberada pela fusão o aquece a milhares de graus. Embora essa região de gás quente ainda esteja dentro do ventre cósmico de uma nuvem interestelar gigante, ainda assim podemos anunciar para a Via Láctea que... uma estrela nasceu.

Os astrônomos sabem que a massa das estrelas vai de um mero décimo da massa do Sol a quase cem vezes a massa de nossa estrela. Por razões não muito bem compreendidas, uma típica nuvem de gás gigante pode desenvolver uma multidão de bolsas frias que tendem todas a colapsar mais ou menos ao mesmo tempo para gerar estrelas – algumas pequenas e outras gigantes. Mas as chances são maiores para as pequenas: para cada estrela de alta massa, nascem mil estrelas de baixa massa. O fato de que não mais do que uma pequena porcentagem de todo o gás na nuvem original participa do nascimento da estrela propõe um desafio clássico para quem procura explicar a formação das estrelas. O que faz o rabo da estrela em formação abanar o cão em grande parte inalterado de uma nuvem de gás interestelar?

A resposta está provavelmente na radiação produzida pelas estrelas recém-nascidas, que tende a inibir outras formações de estrelas.

Podemos facilmente explicar o limite inferior para as massas de estrelas recém-nascidas. Bolsas de gás em colapso com massas menores que aproximadamente um décimo da massa do Sol têm muito pouca energia gravitacional para elevar as temperaturas de seu centro até os 10 milhões de graus requisitados para a fusão nuclear do hidrogênio. Nesse caso, não nascerá nenhuma estrela de fusão nuclear; em seu lugar, obtemos uma estrela fracassada, uma pseudoestrela – um objeto que os astrônomos chamam uma "anã marrom". Sem fonte de energia própria, uma anã marrom se enfraquece constantemente, brilhando com o modesto calor gerado durante o colapso original. As camadas externas gasosas de uma anã marrom são tão frias que muitas das grandes moléculas normalmente destruídas nas atmosferas de estrelas mais quentes continuam vivas e em bom estado dentro delas. Suas luminosidades fracas tornam as anãs marrons muito difíceis de detectar, por isso, para encontrá-las, os astrofísicos devem empregar métodos complexos semelhantes aos que usam ocasionalmente para detectar planetas: procurar o fraco brilho infravermelho desses objetos. Somente em anos recentes é que os astrônomos descobriram anãs marrons em números suficientes para classificá-las em mais de uma categoria.

Podemos também facilmente determinar o limite superior de massa para a formação de estrelas. Uma estrela com uma massa maior que aproximadamente cem vezes a do Sol terá uma luminosidade tão grande – uma efusão tão enorme de energia na forma de luz visível, infravermelha e ultravioleta – que qualquer gás e poeira adicional atraído para a estrela será afastado pela intensa pressão da luz estelar. Os fótons da estrela empurram os grãos de poeira dentro da nuvem, que, por sua vez, levam o gás embora com eles. Aqui a luz estelar se acopla irreversivelmente à poeira. Essa pressão da radiação opera com tanta eficácia que apenas umas poucas estrelas de alta massa dentro de uma nuvem escura e obscura vão ter luminosidade suficiente para dispersar quase toda a matéria interestelar, revelando ao universo dúzias, senão centenas, de estrelas novas em folha – todas irmãs, realmente – agora visíveis para o resto da galáxia.

Sempre que contemplamos a nebulosa de Órion, localizada logo abaixo das três estrelas brilhantes do cinturão de Órion, a meio caminho da espada um pouco mais pálida do Caçador, podemos ver um berçário estelar exatamente desse tipo. Milhares de estrelas têm nascido dentro dessa nebulosa, enquanto outros milhares aguardam seu nascimento, prestes a criarem um aglomerado de estrelas gigantes que se torna cada vez mais visível ao cosmos, à medida que a nebulosa se dissipa. As novas estrelas mais massivas, que formam um grupo chamado o Trapézio de Órion, estão ocupadas em soprar um buraco gigante no meio da nuvem da qual se formaram. As imagens dessa região feitas pelo Telescópio Hubble revelam centenas de novas estrelas apenas nessa zona, cada recém-nascida envolta dentro de um disco protoplanetário nascente feito de poeira e outras moléculas tiradas da nuvem original. E dentro de cada um desses discos, um sistema planetário está se formando.

Dez bilhões de anos depois que se formou a Via Láctea, a formação de estrelas continua hoje em múltiplas localizações na nossa galáxia. Embora a maior parte da formação de estrelas que vai ocorrer numa galáxia gigante típica como a nossa já tenha acontecido, temos sorte que novas estrelas continuam a se formar, e assim continuarão por muitos bilhões de anos ainda por vir. A nossa boa sorte reside em nossa capacidade de estudar o processo de formação e as estrelas mais jovens, procurando pistas que revelem, em toda a sua glória, a história completa de como as estrelas passam de gás frio e poeira para a maturidade luminosa.

Que idade têm as estrelas? Nenhuma estrela fica alardeando sua idade, mas algumas mostram a idade que têm nos seus espectros. Entre os vários meios que os astrofísicos conceberam para julgar as idades das estrelas, os espectros oferecem o mais confiável por analisar as diferentes cores da luz estelar em detalhes. Cada cor – cada comprimento de onda e frequência da luz que observamos – conta uma história sobre como a matéria criou a luz estelar, ou afetou essa luz quando ela deixou a estrela, ou estava por acaso ao longo da linha de visão entre nós e a estrela. Por meio de uma comparação precisa com os espectros de laboratório, os físicos determinaram a multidão de maneiras em que diferentes tipos de átomos e moléculas afetam o arco-íris de cores na luz visível. Eles podem aplicar esse conhecimento fértil a observações de espectros estelares, e deduzir os números de átomos e moléculas que têm afetado a luz vinda de uma determinada estrela, bem como a temperatura, pressão e densidade dessas partículas. Depois de anos comparando espectros de laboratório com os espectros de estrelas, junto com estudos de laboratório dos espectros de diferentes átomos e moléculas, os astrofísicos aprenderam a ler o espectro de um objeto como se fosse uma impressão digital, uma marca que revela quais são as condições físicas existentes dentro das camadas externas de uma estrela, a região da qual a luz flui diretamente para o espaço. Além disso, os astrofísicos podem determinar como átomos e moléculas que flutuam no espaço interestelar em temperaturas muito mais frias talvez tenham afetado o espectro da luz estelar que eles observam, e podem da mesma maneira deduzir a composição química, a temperatura, a densidade e a pressão dessa matéria interestelar.

Nessa análise espectral, cada tipo diferente de átomo ou molécula tem sua própria história para contar. A presença de moléculas de qualquer tipo, por exemplo, revelada por seus efeitos característicos em certas cores no espectro, demonstra que a temperatura nas camadas externas de uma estrela deve ser menor que cerca de 3.000º

Celsius (cerca de 5.000º Fahrenheit). Em temperaturas mais elevadas, as moléculas se movem tão rapidamente que suas colisões as rompem em átomos individuais. Ao estender esse tipo de análise a muitas substâncias diferentes, os astrofísicos podem deduzir um quadro quase completo das condições detalhadas nas atmosferas estelares. Dizem que alguns astrofísicos diligentes conhecem muito mais sobre os espectros de suas estrelas preferidas do que sobre suas próprias famílias. Isso pode ter seu lado depressivo para as relações interpessoais, mesmo quando contribui para o aumento da compreensão humana do cosmos.

De todos os elementos da natureza – de todos os diferentes tipos de átomos que podem criar padrões no espectro de uma estrela – os astrofísicos reconhecem e usam um deles em particular para descobrir as idades das estrelas mais jovens. Esse elemento é o lítio, o terceiro elemento mais simples e mais leve da tabela periódica, e familiar para alguns sobre a Terra como o ingrediente ativo de alguns medicamentos antidepressivos. Na tabela periódica dos elementos, o lítio ocupa a posição imediatamente depois do hidrogênio e do hélio, que são merecidamente muito mais famosos porque existem em quantidades muito maiores por todo o cosmos. Durante seus primeiros minutos, o universo fundiu hidrogênio formando núcleos de hélio em grandes números, mas gerou quantidades apenas relativamente diminutas de qualquer núcleo mais pesado. Como resultado, o lítio continuou a ser um elemento bastante raro, distinguido entre os astrofísicos pelo fato cósmico de que as estrelas quase nunca geram mais lítio, mas apenas o destroem. O lítio desce uma rua de mão única, porque toda estrela tem reações de fusão nuclear mais eficazes para destruir o lítio do que para criá-lo. Como resultado, o suprimento cósmico de lítio míngua constantemente e continua a diminuir. Se você quiser certa quantidade de lítio, agora seria uma boa época para adquiri-lo.

Para os astrofísicos, esse simples fato a respeito do lítio torna-o uma ferramenta muito útil para medir a idade das estrelas. Todas as estrelas começam sua vida com sua cota justa e proporcionada de lítio, restos da fusão nuclear que ocorreu durante a primeira meia hora do universo – e durante o próprio *big bang*. E qual é essa cota justa? Cerca de um em cada 100 bilhões de núcleos. Depois que uma estrela recém-nascida começa sua vida com essa "riqueza" de lítio, as coisas seguem ladeira abaixo, à maneira do lítio, enquanto as reações nucleares dentro do interior da estrela consomem lentamente os núcleos de lítio. A mistura constante e às vezes episódica da matéria no interior da estrela com a matéria do seu exterior leva o material para fora, de modo que após milhares de anos as camadas externas da estrela são capazes de refletir o que antes aconteceu no seu núcleo.

Quando procuram as estrelas mais jovens, os astrofísicos seguem, portanto, uma regra simples: procurar as estrelas com a *maior* abundância de lítio. O número de núcleos de lítio de cada estrela em proporção, por exemplo, ao hidrogênio (determinado a partir de um estudo cuidadoso do espectro da estrela) vai localizar a estrela em algum ponto num gráfico que mostra como a idade das estrelas tem correlação com o lítio em suas camadas externas. Pelo uso desse método, os astrofísicos podem identificar, com segurança, as estrelas mais jovens num aglomerado, e podem atribuir a cada uma dessas estrelas uma idade baseada no lítio. Como as estrelas são destruidoras eficientes do lítio, as estrelas mais velhas mostram ter pouco desse material, se é que o possuem. Por isso, o método funciona bem só para as estrelas com menos de algumas centenas de milhões de anos. Mas para essas estrelas mais jovens, a abordagem do lítio opera maravilhas. Um estudo recente de duas dúzias de estrelas jovens na nebulosa de Órion, todas com massas quase iguais à do Sol, mostram idades que estão entre 1 e 10 milhões de anos. Algum dia os astrofísicos talvez cheguem a identificar estrelas ainda mais jovens, mas por enquanto um milhão de anos representa mais ou menos o melhor que conseguem fazer.

Exceto por dispersar os casulos de gás a partir dos quais se formaram, os grupos de estrelas recém-nascidas não incomodam ninguém por um longo tempo, enquanto fundem hidrogênio em hélio em silêncio nos seus núcleos estelares e destroem seus núcleos de lítio como parte de suas reações de fusão. Mas nada dura para sempre. Ao longo de muitos milhões de anos, em reação aos contínuos distúrbios gravitacionais de enormes nuvens que passam, a maioria dos futuros aglomerados de estrela se "evapora", quando seus membros se dispersam no fundo geral de estrelas da galáxia.

Quase 5 bilhões de anos depois da formação de nossa estrela, a identidade das irmãs do Sol desapareceu, quer essas estrelas continuem vivas ou não. De todas as estrelas na Via Láctea e outras galáxias, aquelas com baixas massas consomem seu combustível de forma tão lenta que vivem praticamente para sempre. As estrelas de massas intermediárias como o nosso Sol acabam por se transformar em gigantes vermelhas, expandindo cem vezes o tamanho de suas camadas externas de gás, enquanto deslizam para a morte. Essas camadas externas tornam-se tão tenuemente conectadas à estrela que partem à deriva pelo espaço, expondo um interior de combustíveis nucleares gastos que forneceram energia às vidas de 10 bilhões de anos das estrelas. O gás que retorna ao espaço será varrido por nuvens passantes para participar em outras séries de formação de estrelas.

Apesar de sua raridade, as estrelas da mais alta massa guardam quase todas as cartas evolutivas. Suas altas massas lhes dão as maiores luminosidades estelares – algumas delas podem se vangloriar de uma luminosidade igual a um milhão de vezes a do Sol – e porque consomem seu combustível nuclear muito mais rapidamente do que as estrelas de baixa massa, elas têm a vida mais curta de todas as estrelas, apenas alguns milhões de anos, ou até menos. A fusão termonuclear continuada dentro das estrelas de alta massa lhes permite manufaturar dúzias de elementos nos seus núcleos, a começar do hidrogênio e prosseguindo para o hélio, o carbono, o nitrogênio, o oxigênio, o neônio, o magnésio, o silício, o cálcio e assim por diante, toda a série até o ferro. Essas estrelas forjam ainda mais elementos em suas fogueiras finais, que podem suplantar por pouco tempo o brilho de toda a galáxia natal de uma estrela. Os astrofísicos dão a cada uma dessas explosões o nome de supernova, semelhante na aparência (embora totalmente diferente na sua origem) às supernovas Tipo Ia descritas no Capítulo 5. A energia explosiva de uma supernova espalha tanto os elementos previamente gerados como os recém-cunhados através da galáxia, soprando buracos em sua distribuição de gás e enriquecendo nuvens próximas com matérias-primas para gerar novos grãos de poeira. A explosão se move supersonicamente através dessas nuvens interestelares, comprimindo seu gás e poeira, criando possivelmente algumas das bolsas de alta densidade necessárias para formar estrelas.

O maior presente que essas supernovas dão ao cosmos consiste em todos os elementos que não sejam hidrogênio e hélio – elementos capazes de formar planetas, protistas e pessoas. Nós, sobre a Terra, vivemos do produto de incontáveis estrelas que explodiram há bilhões de anos, em épocas antigas da história da Via Láctea, muito antes que nosso Sol e seus planetas se condensassem dentro dos recessos escuros e poeirentos de uma nuvem interestelar – ela própria dotada de um enriquecimento químico fornecido por prévias gerações de estrelas de alta massa.

Como é que chegamos a saborear esse delicioso grão de conhecimento, o fato de que todos os elementos além do hélio foram forjados dentro de estrelas? O prêmio dos autores para a descoberta científica mais subestimada do século XX vai para o reconhecimento de que as supernovas – a agonia mortal explosiva das estrelas de alta massa – fornecem a fonte primária para a origem e abundância de elementos pesados no universo. Essa compreensão relativamente pouco aclamada apareceu num longo artigo de pesquisa, publicado em 1957 na revista americana *Reviews of Modern Physics* sob o título "A síntese dos elementos nas estrelas", e escrito por E. Margaret Burbidge, Geoffrey R. Burbidge, William Fowler e Fred Hoyle. Nesse artigo, os quatro cientistas criaram uma estrutura teórica e computacional que interpretava e mesclava com novo vigor quarenta anos de meditações de outros cientistas sobre dois tópicos-chave: as fontes da energia estelar e a transmutação dos elementos químicos.

A química nuclear cósmica, a busca para compreender como a fusão nuclear cria e destrói tipos diferentes de núcleos, sempre foi um assunto confuso. As perguntas cruciais sempre incluíram as seguintes questões: como é que elementos variados se comportam, quando temperaturas e pressões variadas agem sobre eles? Os elementos se fundem ou se dividem? Com que facilidade realizam essa tarefa? Esses processos liberam nova energia cinética ou absorvem a energia cinética existente? E como é que os processos diferem para cada elemento na tabela periódica?

O que a tabela periódica significa para você? Sendo como a maioria de ex-estudantes, você vai se lembrar de uma gigantesca tabela na parede da sua aula de ciência, turbinado com misteriosas caixas nas quais letras e símbolos crípticos murmuravam contos de laboratórios empoeirados a serem evitados por jovens almas em fase de transição. Mas para aqueles que conhecem seus segredos, essa tabela conta cem histórias da violência cósmica que deu origem a seus componentes. A tabela periódica lista todo elemento conhecido no universo, arranjada pelo crescente número de prótons nos núcleos de cada elemento. Os dois elementos mais leves são o hidrogênio, com um próton por núcleo, e o hélio, com dois. Como compreenderam os quatro autores do artigo de 1957, nas condições corretas de temperatura, densidade e pressão, uma estrela pode usar o hidrogênio e o hélio para criar todos os outros elementos da tabela periódica.

Os detalhes desse processo de criação, e de outras interações que destroem núcleos em vez de criá-los, fornecem o tema de estudo para a química nuclear, que envolve o cálculo e o emprego das "seções de choque de colisão" para medir até que ponto uma partícula deve se aproximar de outra antes que seja provável a interação das duas de forma significativa. Os físicos podem calcular facilmente as seções de choque de colisão para betoneiras, ou para dois *trailers* unidos lado a lado descendo a rua sobre caminhões plataforma, mas eles enfrentam desafios maiores ao analisar o comportamento de diminutas e elusivas partículas subatômicas. Uma compreensão detalhada das seções de choque de colisão torna os físicos capazes de predizer as velocidades e caminhos da reação nuclear. Com frequência pequenas incertezas em suas tabelas de seções de choque de colisão induzem-nos a conclusões loucamente errôneas. Suas dificuldades se parecem com o que aconteceria se você tentasse seguir seu caminho pelo metrô de uma cidade, tendo o mapa do metrô de outra cidade como guia: sua teoria básica estaria correta, mas os detalhes poderiam matá-lo.

Apesar de sua ignorância quanto a seções de choque de colisão acuradas, os cientistas, durante a primeira metade do século XX, há muito suspeitavam que, se existissem em algum lugar no universo processos nucleares exóticos, os núcleos das estrelas pareciam os lugares prováveis para encontrá-los. Em 1920, o astrofísico teórico britânico Sir Arthur Eddington publicou um estudo intitulado "A constituição interna das estrelas", em que ele argumentava que o Laboratório Cavendish na Inglaterra, o principal centro de pesquisa física nuclear e atômica, não podia ser o único lugar no universo que conseguia transformar alguns elementos em outros:

Mas é possível admitir que tal transmutação esteja ocorrendo? É difícil afirmar, mas talvez mais difícil negar, que esteja em andamento... e o que é possível no Laboratório Cavendish talvez não seja demasiado difícil no Sol. Acho que em geral se tem acalentado a suspeita de que as estrelas são os cadinhos em que os átomos mais leves que abundam nas nebulosas são combinados para formar elementos mais complexos.

O estudo de Eddington, que prenunciou a pesquisa detalhada de Burbidge, Burbidge, Fowler e Hoyle, apareceu vários anos antes da descoberta da mecânica quântica, sem a qual nossa compreensão da física dos átomos e núcleos deve ser julgada fraca na melhor das hipóteses. Com extraordinária presciência, Eddington começou a formular um roteiro para a energia gerada nas estrelas via fusão termonuclear do hidrogênio para o hélio e mais além:

Não precisamos nos ater à formação do hélio a partir do hidrogênio como a única reação que supre energia [para uma estrela], embora pareça que os estágios posteriores na construção dos elementos envolvem muito menos liberação, e às vezes até absorção, de energia. A posição pode ser resumida nestes termos: os átomos de todos os elementos são construídos com átomos de hidrogênio ligados entre si, e presumivelmente foram formados em certo momento a partir do hidrogênio; o interior de uma estrela parece um lugar tão provável como qualquer outro para que a evolução tenha ocorrido.

Qualquer modelo da transmutação dos elementos deve explicar a mistura observada de elementos encontrados sobre a Terra e em outros lugares no universo. Para isso, os físicos precisavam descobrir o processo fundamental com que as estrelas geram energia transformando um elemento em outro. Em 1931, com as teorias da mecânica quântica bastante bem desenvolvidas (embora o nêutron ainda não tivesse sido descoberto), o astrofísico britânico Robert d'Escourt Atkinson publicou um artigo extenso, sumariado como uma "teoria da síntese da energia estelar e da origem dos elementos... em que os vários elementos químicos desde os mais leves são construídos passo a passo no interior estelar, pela sucessiva incorporação de prótons e elétrons, um de cada vez".

No mesmo ano, o químico nuclear americano William D. Harkins publicou um artigo observando que "os elementos de peso atômico baixo [o número de prótons mais nêutrons em cada núcleo] são mais abundantes que os de peso atômico elevado e que, em média, os elementos com números atômicos pares [os números de prótons em cada núcleo atômico] são aproximadamente 10 vezes mais abundantes que aqueles com números atômicos ímpares de valor similar". Harkins supunha que as abundâncias relativas dos elementos dependem antes da fusão nuclear que de processos químicos como a combustão, e que os elementos pesados devem ter sido sintetizados a partir dos leves.

O mecanismo detalhado da fusão nuclear nas estrelas podia explicar em última análise a presença cósmica de muitos elementos, especialmente aqueles obtidos cada vez que adicionamos o núcleo de hélio com dois prótons e dois nêutrons a nosso elemento previamente forjado. Esses constituem os elementos abundantes com "números atômicos pares" que Harkins descreveu. Mas a existência e os números relativos de muitos outros elementos continuavam inexplicáveis. Algum outro meio de construção de elementos devia ter ocorrido no cosmos.

O nêutron, descoberto em 1932 pelo físico britânico James Chadwick quando trabalhava nos Laboratórios Cavendish, desempenha um papel significativo na fusão nuclear que Eddington não poderia ter imaginado. Reunir os prótons requer trabalho duro, porque os prótons naturalmente se repelem, como fazem todas as partículas com o mesmo sinal de carga elétrica. Para fundir prótons, é preciso aproximá-los bastante uns dos outros (frequentemente por meio de altas temperaturas, pressões e densidades) para vencer sua repulsão mútua a fim de que a força nuclear forte os ligue. O nêutron sem carga, entretanto, não repele nenhuma outra partícula, por isso pode simplesmente entrar no núcleo de outro e juntar-se às outras partículas reunidas, ali mantidas pela mesma força que liga os prótons. Esse passo não cria outro elemento, que é definido por um número diferente de *prótons* em cada núcleo. Ao acrescentar um nêutron, criamos um "isótopo" do núcleo do elemento original, que só difere do núcleo original em detalhes porque sua carga elétrica total permanece inalterada. Para alguns elementos, o nêutron recém-capturado se revela instável depois de juntar-se ao núcleo. Nesse caso, o nêutron converte-se espontaneamente num próton (que permanece no núcleo) e num elétron (que escapa imediatamente). Dessa maneira, como os soldados gregos que abriram uma brecha nos muros de Troia escondendo-se dentro de um cavalo de madeira, os prótons podem entrar sorrateiramente dentro de um núcleo disfarçados de nêutrons.

Se o fluxo contínuo de nêutrons se mantém alto, cada núcleo pode absorver muitos nêutrons antes que o primeiro se desintegre. Esses nêutrons rapidamente absorvidos ajudam a criar um conjunto de elementos cuja origem é identificada com o "processo de captura rápida de nêutrons", e diferem do sortimento resultante de elementos quando os nêutrons são capturados lentamente, caso em que cada nêutron sucessivo se desintegra num próton antes que o núcleo capture o seguinte.

Os dois processos lento e rápido de captura de nêutrons são responsáveis por criar muitos dos elementos que do contrário não são formados pela fusão termonuclear tradicional. Os elementos restantes na natureza podem ser feitos por alguns outros processos, inclusive fazendo fótons de alta energia (raios gama) colidirem em núcleos de átomos pesados, que então se despedaçam em menores.

Correndo o risco de simplificar exageradamente o ciclo de vida de uma estrela de alta massa, podemos afirmar que cada estrela vive gerando e liberando em seu interior a energia que permite que a estrela se sustente contra a gravidade. Sem sua produção de energia por meio da fusão termonuclear, cada bola de gás estelar simplesmente colapsaria sob seu próprio peso. Esse destino pesa sobre as estrelas que esgotam seus suprimentos de núcleos de hidrogênio (prótons) em seus interiores. Como já observado, depois de converter seu hidrogênio em hélio, o núcleo de uma estrela massiva fundirá a seguir o hélio gerando carbono, depois carbono para oxigênio, oxigênio para neônio, e assim por diante até o ferro. Fundir sucessivamente essa sequência de elementos cada vez mais pesados requer temperaturas sucessivamente mais altas para que os núcleos superem sua repulsão natural. Felizmente, tudo isso acontece por si mesmo, porque ao final de cada estágio intermediário, quando a fonte de energia da estrela seca temporariamente, as regiões internas se contraem, a temperatura se eleva, e o próximo caminho da fusão entra em cena. Como nada dura para sempre, a estrela acaba se confrontando com um enorme problema: a fusão do ferro não libera energia, mas pelo contrário a absorve. Isso traz más notícias para a estrela, que já não pode se sustentar contra a gravidade realizando o truque mágico de tirar um novo processo de liberação de energia de seu chapéu da fusão nuclear. Nesse ponto, a estrela de repente entra em colapso, forçando sua temperatura interna a se elevar tão rapidamente que uma explosão gigantesca se segue, com a estrela explodindo suas entranhas em pedaços.

Durante cada explosão, a disponibilidade de nêutrons, prótons e energia permite que a supernova crie elementos de muitas maneiras diferentes. Em seu artigo de 1957, Burbidge, Burbidge, Fowler e Hoyle combinaram (1) os bem testados princípios da mecânica quântica; (2) a física das explosões; (3) as mais recentes seções de choque de colisão; (4) os processos variados que transmutam os elementos uns nos outros; e (5) o essencial da teoria evolutiva estelar, para envolver definitivamente as explosões das supernovas como a fonte primária de todos os elementos mais pesados que o hidrogênio e o hélio no universo.

Com as estrelas de alta massa como fonte de elementos pesados, e as supernovas como evidência da distribuição dos elementos, os quatro fabulosos adquiriram grátis a solução para outro problema: quando se forjam elementos mais pesados que o hidrogênio e o hélio nos núcleos estelares, não se faz nenhum bem ao resto do universo a não ser que de algum modo esses elementos sejam lançados no espaço interestelar, tornando-os disponíveis para formar mundos com marsupiais. Burbidge, Burbidge, Fowler e Hoyle unificaram nossa compreensão da fusão nuclear em estrelas com a produção de elementos visíveis por todo o universo. Suas conclusões têm sobrevivido a décadas de análise cética, assim, sua publicação é um momento decisivo em nosso conhecimento de como o universo funciona.

Sim, a Terra e toda a sua vida provêm da poeira das estrelas. Não, não resolvemos todas as nossas questões químicas cósmicas. Um mistério contemporâneo curioso envolve o elemento tecnécio, que, em 1937, foi o primeiro elemento a ser criado artificialmente em laboratórios terrestres. (A palavra "tecnécio", junto com outras que usam o prefixo "tec-", vem do grego *technetos*, que se traduz como "artificial".) Ainda temos de descobrir o tecnécio sobre a Terra, mas os astrônomos o encontraram nas atmosferas de uma pequena fração das estrelas gigantes vermelhas em nossa galáxia. Isso não nos surpreenderia, se não fosse o fato de que o tecnécio se desintegra para formar outros elementos, e assim age com uma meia-vida de uns meros dois milhões de anos, muito mais curta que a idade e a expectativa de vida das estrelas em que o observamos. Esse enigma tem produzido teorias exóticas que ainda não alcançaram consenso dentro da comunidade de astrofísicos.

As gigantes vermelhas com essas propriedades químicas peculiares são raras, mas suficientemente exasperantes para que um quadro de astrofísicos (principalmente espectroscopistas) especializados no assunto gerem e distribuam o *Newsletter of Chemically Peculiar Red Giant Stars* (Informativo das estrelas gigantes vermelhas quimicamente peculiares). Não encontrado na maioria das bancas de jornais, essa publicação contém tipicamente notícias de conferências e atualizações de pesquisas ainda em progresso. Para os cientistas interessados, esses mistérios químicos em andamento têm uma fascinação tão forte quanto as questões relacionadas aos buracos negros, quasares e ao universo primitivo. Mas quase nunca lemos a seu respeito. Por quê? Porque, muito tipicamente, a mídia predeterminou o que merece cobertura e o que não merece. Aparentemente as notícias sobre as origens cósmicas de todo elemento em nosso corpo e nosso planeta não vendem bem.

Eis a sua chance de emendar os erros que a sociedade contemporânea lhe inflige. Vamos fazer uma excursão pela tabela periódica, parando aqui e ali para notar os fatos mais intrigantes sobre os vários elementos, e admirar como o cosmos gerou todos eles a partir do hidrogênio e do hélio que emergiram do *big bang*.

CAPÍTULO 10

O zoo dos elementos

A tabela periódica dos elementos, criada amorosamente por químicos e físicos durante os últimos dois séculos, incorpora princípios organizadores que explicam o comportamento químico de todos os elementos que conhecemos no universo, ou que poderemos um dia descobrir. Por essa razão, devemos considerar a tabela periódica como um ícone cultural, um exemplar da capacidade de nossa sociedade para organizar seu conhecimento. A tabela atesta que o empreendimento da ciência é uma aventura humana internacional, conduzida não só em laboratórios, mas também em aceleradores de partículas, e nas fronteiras do espaço e tempo de todo o cosmos.

Em meio a esse bem merecido respeito, de vez em quando uma entrada na tabela periódica vai parecer, mesmo a um cientista adulto, um estranho animal num zoológico composto de um animal de cada espécie, concebido e executado pelo Dr. Seuss. De que outra maneira podemos acreditar que o sódio é um metal reativo e mortal que se pode cortar com uma faca para manteiga, e que o cloro puro é um gás fedorento e mortal – entretanto, quando combinamos sódio e cloro, criamos o cloreto de sódio, um composto inofensivo essencial para a vida, mais conhecido como sal de cozinha? E que dizer do hidrogênio e oxigênio, dois dos elementos mais abundantes sobre a Terra e no universo? Um deles é um gás explosivo, enquanto o outro promove uma violenta combustão, embora a soma dos dois produza a água líquida que apaga o fogo.

Entre todas as interações químicas na pequena loja de possibilidades da tabela periódica, encontramos os elementos mais significativos do cosmos. Eles oferecem a chance de ver a tabela pela lente de um astrofísico. Vamos agarrar a chance e percorrer dançando a tabela, saudando suas entradas mais ilustres e admirando suas pequenas bizarrices.

A tabela periódica enfatiza o fato de que cada um dos elementos da natureza se distingue de todos os outros por seu "número atômico", o número de prótons (cargas elétricas positivas) em cada núcleo desse elemento. Os átomos completos sempre têm um número de elétrons (cargas elétricas negativas) orbitando o núcleo, igual ao número atômico do elemento, de modo que o átomo total tem carga elétrica zero. Os isótopos diferentes de um determinado elemento têm o mesmo número de prótons e elétrons, mas números diferentes de nêutrons.

Hidrogênio, com apenas um próton em cada núcleo, é o elemento mais leve e mais simples, criado inteiramente durante os primeiros minutos depois do *big bang*. Dentre os noventa e nove elementos que ocorrem naturalmente, o hidrogênio reivindica mais de dois terços de todos os átomos nos corpos humanos e mais de 90% de todos os átomos no cosmos, incluindo o Sol e seus planetas gigantes. O hidrogênio dentro do núcleo do planeta mais massivo do Sol, Júpiter, sofre tanta pressão das camadas sobrejacentes que ele se comporta mais como um metal eletromagneticamente condutor que como um gás, e ajuda a criar o campo magnético mais forte entre os planetas do Sol. O químico inglês Henry Cavendish descobriu o hidrogênio em 1766, quando fazia experiências com H_2O (*hydro-genes* é a palavra grega para formação de água, cujo *gen* aparece em palavras como "genético"), embora sua fama entre os astrônomos resida no fato de ter sido a primeira pessoa a calcular a massa da Terra com precisão, medindo a *constante gravitacional* G que aparece na famosa equação de Newton para a gravidade. A cada segundo de cada dia e noite, 4,5 bilhões de toneladas de núcleos de hidrogênio velozes (prótons) colidem entre si para criar núcleos de hélio dentro do núcleo do Sol de 15 milhões de graus (Celsius). Cerca de 1% da massa envolvida nessa fusão se transforma em energia, deixando os outros 99% sob a forma de hélio.

Hélio, o segundo elemento mais abundante no universo, pode ser encontrado sobre a Terra apenas em algumas bolsas subterrâneas que capturam esse gás. A maioria de nós conhece apenas o lado extravagante do hélio, que se pode testar comprando amostras sem receita médica. Quando você inala hélio, a baixa densidade desse elemento em comparação com os gases atmosféricos aumenta a frequência vibratória dentro de sua traqueia, fazendo você soar como Mickey Mouse. O cosmos contém quatro vezes mais hélio que todos os outros elementos combinados (sem contar o hidrogênio). Um dos pilares da cosmologia do *big bang* é a predição de que por todo o cosmos não menos que aproximadamente 8% de todos os átomos são hélio, manufaturados pela bola de fogo bem misturada e primeva durante sua agonia imediata pós-nascimento. Como a fusão termonuclear do hidrogênio dentro das estrelas produz hélio adicional, algumas regiões do cosmos podem acumular mais do que sua cota inicial de 8% de hélio, mas – exatamente como prediz o modelo do *big bang* – ninguém jamais encontrou uma região de nossa galáxia ou de outra qualquer galáxia com menos.

Alguns trinta anos antes que descobrissem e isolassem o hélio sobre a Terra, os astrofísicos tinham detectado hélio no Sol pelas características reveladoras que viram no espectro de luz do Sol durante o eclipse total de 1868. Eles naturalmente deram a esse material antes desconhecido o nome de hélio em referência a Helios, o deus grego do Sol. Com 92% do poder de flutuação do hidrogênio no ar, mas sem as características explosivas do hidrogênio que destruíram o dirigível alemão *Hindenburg*, o hélio fornece o gás favorito para os bonecos de balão gigantes do desfile do Dia de Ação de Graças da Macy, colocando a célebre loja de departamentos apenas atrás dos militares americanos na lista dos maiores consumidores de hélio no mundo.

Lítio, o terceiro elemento mais simples do universo, tem três prótons em cada núcleo. Como o hidrogênio e o hélio, o lítio foi criado logo depois do *big bang*, mas ao contrário do hélio, que é frequentemente criado em reações nucleares subsequentes, o lítio será *destruído* por toda reação nuclear que ocorre nas estrelas. Por isso, não esperamos encontrar nenhum objeto ou região com o lítio presente em quantidades maiores do que a abundância relativa mais ou menos pequena – não mais que 0,0001% do total – produzida no universo primitivo. Conforme predito por nosso modelo de formação de elementos durante a primeira meia hora, ninguém ainda descobriu uma galáxia com mais lítio que esse limite superior. A combinação do limite superior para o hélio e o limite inferior para o lítio nos municia com uma restrição dual potente para aplicar no momento de testar a teoria da cosmologia do *big bang*. Um teste semelhante do modelo *big bang* do universo, que ele tem passado com grande facilidade, compara a abundância dos núcleos de deutério, cada um dos quais tem um próton e um nêutron, com a quantidade de hidrogênio comum. A fusão durante os primeiros minutos produziu esses dois núcleos, mas criou muito mais núcleos de hidrogênio simples (apenas um próton).

Como o lítio, os dois elementos seguintes na tabela periódica, o **berílio** e o **boro** (com quatro e cinco prótons, respectivamente, em cada núcleo) devem sua origem principalmente à fusão termonuclear no universo primitivo, e eles aparecem apenas em números relativamente modestos por todo o cosmos. A escassez sobre a Terra dos três elementos mais leves depois do hidrogênio e do hélio transforma-os em má notícia para aqueles que por acaso os ingerem, porque a evolução se processou essencialmente sem encontrá-los. É intrigante que doses controladas de lítio parecem aliviar certos tipos de doença mental.

Com o **carbono**, o elemento número seis, a tabela periódica salta para uma gloriosa florescência. Os átomos de carbono, com seis prótons em cada núcleo, aparecem em mais tipos de moléculas do que a soma de todas as moléculas que não contêm carbono combinadas. A abundância cósmica dos núcleos de carbono – forjados nos núcleos das estrelas, chacoalhados e enviados para suas superfícies e liberados em quantidades copiosas na galáxia da Via Láctea – junta-se à sua facilidade em formar combinações químicas para tornar o carbono o melhor elemento em que basear a química e a diversidade da vida. Superando o carbono em abundância apenas por uma pequena margem, o **oxigênio** (oito prótons por núcleo) também se mostra um elemento altamente reativo e abundante, forjado de forma semelhante dentro de estrelas envelhecidas e estrelas que explodem como supernovas, sendo por elas liberado. Tanto o oxigênio como o carbono constituem os principais ingredientes para a vida como a conhecemos. Os mesmos processos criaram e distribuíram o **nitrogênio**, o elemento número sete, que também aparece em grandes quantidades por todo o universo.

Mas, o que dizer da vida como não a conhecemos? Outros tipos de vida usariam um elemento diferente como o coração de suas formas complexas? Que tal a vida baseada no **silício,** o elemento número 14? O silício se acha diretamente abaixo do carbono, o que significa (vejam como a tabela pode ser útil para aqueles que conhecem seus segredos) que o silício pode criar os mesmos tipos de compostos químicos que o carbono cria, com o silício substituindo o carbono. No final, esperamos que o carbono se mostre superior ao silício, não só porque o carbono é dez vezes mais abundante que o silício no cosmos, mas também porque o silício forma ligações químicas que são substancialmente mais fortes ou perceptivelmente mais fracas que as realizadas pelo carbono. Em particular, a resistência das ligações entre o silício e o oxigênio cria rochas duras, enquanto as moléculas complexas baseadas em silício não possuem a resistência para sobreviver a estresses ecológicos que os átomos baseados em carbono exibem. Esses fatos não impedem que os escritores de ficção científica defendam o silício, mantendo, assim, motivada a especulação exobiológica e permitindo que continuemos a conjeturar como será a primeira forma de vida verdadeiramente alienígena.

Além de formar um ingrediente ativo no sal de cozinha, o **sódio** (onze prótons por núcleo) brilha por todo este nosso grande país (Estados Unidos) como vapor de sódio na maioria das lâmpadas de ruas municipais. Essas lâmpadas "queimam" com mais brilho, por mais tempo, e usam menos energia que as lâmpadas incandescentes convencionais. Elas existem em duas variedades: as lâmpadas de alta pressão comuns, que têm brilho amarelo-branco, e as lâmpadas de baixa pressão mais raras, que têm brilho laranja. Embora toda a poluição luminosa seja nociva à astronomia, está provado que as lâmpadas de vapor de sódio de baixa pressão infligem menos danos, porque sua contaminação, confinada numa faixa de cor muito mais estreita, pode ser facilmente reconhecida e removida dos dados do telescópio. Num modelo de cooperação cidade-telescópio, a cidade inteira de Tucson, Arizona, o grande município mais próximo do Observatório Nacional Kitt Peak, converteu todas as suas luzes de rua em lâmpadas de vapor de sódio de baixa pressão – que também vêm a ser mais eficientes e, com isso, poupam energia para a cidade.

O **alumínio** (treze prótons por núcleo) fornece quase 10% da crosta da Terra, mas permaneceu desconhecido para os antigos e pouco familiar a nossos avós, porque ele se combina muito eficazmente com outros elementos. Seu isolamento e identificação ocorreram apenas em 1827, e o alumínio só passou a ser empregado nas casas comuns no final da década de 1960, quando as latas de estanho e a lâmina de estanho deram lugar às latas de alumínio e à lâmina de alumínio. Como o alumínio polido produz um refletor quase perfeito da luz visível, os astrônomos hoje revestem quase todos os seus espelhos do telescópio com um fino filme de átomos de alumínio.

Embora tenha uma densidade 70% maior que a do alumínio, o **titânio** (vinte e dois prótons por núcleo) tem mais que o dobro da força do alumínio. Sua resistência e relativa leveza tornam o titânio – o nono elemento mais abundante na crosta da Terra – um favorito moderno para muitas aplicações, como componentes de aviões militares, que requerem um metal forte e leve.

Na maioria das localizações cósmicas, os átomos de oxigênio são mais numerosos que o carbono. Nas estrelas, assim que cada átomo de carbono se ligou a um dos átomos de oxigênio existentes para formar moléculas de monóxido de carbono ou dióxido de carbono, os átomos de oxigênio restantes se ligam com outros elementos, como o titânio. Os espectros da luz das estrelas gigantes vermelhas são crivados de características criadas pelo dióxido de titânio (moléculas de TiO_2), ele próprio não sendo estranho a estrelas existentes sobre a Terra: as safiras e os rubis estrelas devem seus asterismos radiantes às impurezas do dióxido de titânio dentro de suas treliças de cristal, com as impurezas do óxido de alumínio acrescentando uma cor extra. Além disso, a tinta branca usada nos domos de telescópio contém dióxido de titânio, que por sinal irradia infravermelho com alta eficiência, um fato que reduz enormemente o calor do dia acumulado dentro do domo. Ao cair da noite, com o domo aberto, a temperatura do ar perto do telescópio cai mais rapidamente para a temperatura do ar noturno, reduzindo a refração atmosférica e permitindo que a luz das estrelas e de outros objetos cósmicos chegue com mais nitidez e claridade. Embora não seja diretamente nomeado em referência a um objeto cósmico, o titânio deriva seu nome dos Titãs da mitologia grega, assim como acontece com Titã, a maior lua de Saturno.

O carbono pode ser o elemento mais significativo na vida, mas, de acordo com muitas medidas, o **ferro**, o elemento número 26, é considerado o mais importante de todos os elementos no universo. As estrelas massivas manufaturam elementos no seu centro, seguindo na tabela periódica a sequência que aumenta o número de prótons por núcleo, do hélio ao carbono ao oxigênio ao neônio, e assim por diante, percorrendo todo o caminho até o ferro. Com vinte e seis prótons e ao menos igual número de nêutrons em seu núcleo, o ferro tem uma qualidade distintiva, derivada das regras da mecânica quântica que regem o modo como os prótons e os nêutrons interagem: os núcleos do ferro têm a mais alta energia de ligação por partícula nuclear (próton ou nêutron). Isso significa algo muito simples. Se procuramos dividir os núcleos do ferro (no que os físicos chamam "fissão"), devemos abastecê-los com energia adicional. Por outro lado, se combinamos os átomos do ferro (um processo chamado "fusão"), eles também absorverão energia. É preciso energia para fundir os núcleos do ferro, é preciso energia para rompê-los. Para todos os outros elementos, aplica-se apenas uma ou outra das metades dessa descrição dual.

As estrelas, entretanto, estão envolvidas no negócio de usar $E = mc^2$ para transformar massa em energia, o que devem fazer para se opor à sua tendência de colapsar sob sua própria gravidade. Quando as estrelas fundem núcleos em seu interior, a natureza exige, e obtém, a fusão nuclear que libera energia. Quando funde a maioria dos núcleos em seu interior em ferro, uma estrela massiva esgotou todas as suas opções de usar a fusão termonuclear para gerar energia, porque qualquer outra fusão vai antes requerer que liberar energia. Privada da fonte de energia por meio da fusão termonuclear, o núcleo da estrela vai entrar em colapso sob seu próprio peso, depois ricocheteará instantaneamente numa explosão titânica conhecida como supernova, superando em brilho um bilhão de sóis por mais de uma semana. Essas supernovas ocorrem por causa da propriedade especial dos núcleos de ferro – sua recusa a se fundir ou a se dividir sem uma entrada de energia.

Ao descrever o hidrogênio, o hélio; o lítio, o berílio e o boro; o carbono, o nitrogênio e o oxigênio; e o alumínio, o titânio e o ferro, examinamos quase todos os elementos-chave que fazem girar o cosmos – e a vida sobre a Terra.

Simplesmente como um passatempo cósmico, vamos dar uma olhada rápida em algumas entradas muito mais obscuras na tabela periódica. Nunca teremos, com quase toda certeza, quantidades significativas desses elementos, mas os cientistas não os consideram apenas variações intrigantes na rica abundância da natureza, mas também altamente úteis em circunstâncias especiais. Consideremos, por exemplo, o metal mole **gálio** (trinta e um prótons por núcleo). O gálio tem um ponto de fusão tão baixo que o calor da mão humana fará com que se liquefaça. À parte essa oportunidade de fazer uma demonstração no salão, o gálio fornece aos astrofísicos o ingrediente ativo no cloreto de gálio, uma variante do sal de cozinha (cloreto de sódio) que se mostra valiosa em experimentos que detectam neutrinos a partir do núcleo do Sol. Para capturar esses neutrinos elusivos, os astrofísicos arrumam um tonel de 100 toneladas de cloreto de gálio líquido e colocam-no num subterrâneo bem profundo (para evitar efeitos de partículas menos penetrantes), depois observam-no cuidadosamente para detectar os resultados de quaisquer colisões entre os neutrinos e os núcleos de gálio, o que os transforma em núcleos de germânio, cada um dos quais tem trinta e dois prótons. Cada transformação do gálio em germânio produz fótons de raio X, que podem ser detectados e medidos sempre que um núcleo sofre uma colisão. Usando esses "telescópios de neutrinos" por meio do cloreto de gálio, os astrofísicos resolveram o que tinham chamado de "problema neutrino solar", o fato de tipos anteriores de detectores de neutrinos terem encontrado um número menor de neutrinos do que fora previsto pela teoria da fusão termonuclear no núcleo do Sol.

Cada núcleo do elemento **tecnécio** (número atômico 43) é radioativo, desintegrando-se depois de alguns momentos ou de alguns milhões de anos em outros tipos de núcleos. Não é surpreendente que não encontremos o tecnécio em nenhum lugar sobre a Terra a não ser nos aceleradores de partículas, onde o geramos por encomenda. Por razões ainda não plenamente compreendidas, o tecnécio vive nas atmosferas de um seleto subconjunto de estrelas gigantes vermelhas. Como observamos no capítulo anterior, isso não causaria alarme entre os astrofísicos – exceto que o tecnécio tem uma meia-vida de meros dois milhões de anos, muito, muito mais curta que as idades e as expectativas de vida das estrelas em que o encontramos. Isso prova que as estrelas não podem ter nascido com esse elemento, pois se assim tivesse sido, não restaria nenhum a essa altura. Falta também aos astrofísicos qualquer mecanismo conhecido para criar tecnécio no núcleo de uma estrela *e* fazer com que venha até a superfície onde possam observá-lo, um fato perturbador que tem gerado explicações exóticas, ainda carentes de consenso dentro da comunidade da astrofísica.

Junto com o ósmio e a platina, o **irídio** nos dá um dos três elementos mais densos na tabela periódica – dois pés cúbicos ($0,027 \text{ m}^3$) de irídio (número atômico 77) pesam tanto quanto um carro pesado, o que o torna um dos melhores pesos de papel do mundo, capaz de desafiar todos os famosos ventiladores de escritório e as brisas nas janelas. O irídio também fornece aos cientistas a mais famosa fumaça irrefutável, sinal de que houve fogo. Em todo o mundo, uma camada fina de material rico em irídio aparece como a camada geológica que marca a célebre fronteira K-T, estabelecida há 65 milhões de anos. Não coincidentemente, a maioria dos biólogos acredita que a fronteira também marca o tempo que toda espécie terrestre de tamanho considerável, inclusive o lendário dinossauro, foi extinta. O irídio é raro na superfície da Terra, mas dez vezes mais comum em asteroides metálicos. Qualquer que seja sua teoria favorita para a destruição dos dinossauros, um asteroide assassino de dezesseis quilômetros de largura vindo do espaço exterior, capaz de levantar um gigantesco cobertor de entulhos bloqueador da luz antes de cair lentamente em forma de chuva vários meses mais tarde, parece agora totalmente convincente.

Não está claro quais teriam sido os sentimentos de Albert a respeito, mas os físicos descobriram um elemento antes desconhecido nos destroços do primeiro teste da bomba de hidrogênio no Pacífico (novembro de 1952) e lhe deram o nome de **einstêinio** em sua homenagem. Armagedônio teria sido mais adequado.

Enquanto o hélio deriva seu nome do próprio Sol, dez outros elementos na tabela periódica tiram seus nomes de objetos que orbitam o Sol:

O **fósforo**, que significa "carregando a luz" em grego, era o nome antigo para o planeta Vênus, quando aparecia antes do nascer do Sol no céu do amanhecer.

O **selênio** vem de *selene*, a palavra grega para a Lua, assim chamado porque esse elemento foi sempre encontrado em associação com o elemento telúrio, que já fora nomeado em referência à Terra, a partir do latim *tellus*.

Em 1º de janeiro de 1801, o primeiro dia do século XIX, o astrônomo italiano Giuseppe Piazzi descobriu um novo planeta orbitando o Sol dentro da lacuna suspeitosamente grande entre Marte e Júpiter. Mantendo a tradição de nomear os planetas em homenagem aos deuses romanos, Piazzi chamou o objeto Ceres em homenagem à deusa da colheita, que também fornece a raiz para nossa palavra "cereal". A emoção na comunidade científica com a descoberta de Piazzi fez com que o próximo elemento a ser descoberto fosse chamado **cério** em sua honra. Dois anos mais tarde, outro planeta foi encontrado, orbitando o Sol dentro do mesmo espaço de Ceres. Esse objeto recebeu o nome de Palas, a deusa romana da sabedoria; como o cério antes dele, o próximo elemento descoberto na sequência foi chamado

paládio em sua honra. A festa dos nomes terminou algumas décadas mais tarde, depois que outras dúzias desses planetas foram descobertas mais ou menos na mesma localização, e que uma análise mais detalhada revelou que esses objetos eram muito, muito menores que os menores planetas conhecidos. Um novo jardim tornara-se visível dentro do sistema solar, consistindo em pequenos e enrugados nacos de rocha e metal. Revelou-se que Ceres e Palas não eram planetas, mas asteroides, objetos de apenas algumas centenas de quilômetros de extensão. Eles vivem no cinturão de asteroides, ora conhecido por conter milhões de objetos, dentre os quais os astrônomos já catalogaram e nomearam mais de quinze mil – bem mais que o número de elementos na tabela periódica.

O metal **mercúrio**, que assume a forma de um líquido viscoso à temperatura ambiente, deve seu nome ao veloz deus mensageiro romano. Assim também o planeta Mercúrio, o mais rápido de todos os planetas do sistema solar.

O nome de **tório** vem de Thor, o deus escandinavo sempre a brandir o martelo e o trovão, que corresponde a Júpiter brandindo os raios na mitologia romana. Por Júpiter, as imagens recentes das regiões polares de Júpiter, captadas pelo Telescópio Espacial Hubble, revelam extensas descargas elétricas bem dentro de suas turbulentas camadas de nuvens.

Saturno, o planeta favorito da maioria das pessoas, não tem nenhum elemento com seu nome, mas Urano, Netuno e Plutão estão ilustremente representados. O elemento **urânio**, descoberto em 1789, recebeu o nome em honra do planeta de William Herschel, descoberto por esse astrônomo apenas oito anos antes. Todos os isótopos do urânio são instáveis, desintegrando-se espontânea mas lentamente em elementos mais leves, um processo acompanhado por liberação de energia. Se for possível dar um jeito de acelerar o ritmo de desintegração com uma "reação em cadeia" entre os núcleos do urânio, obtém-se a liberação de energia explosiva requerida para uma bomba. Em 1945, os Estados Unidos explodiram a primeira bomba de urânio (familiarmente chamada de bomba atômica ou bomba A) a ser usada na guerra, incinerando a cidade japonesa de Hiroshima. Com noventa e dois prótons comprimidos em cada núcleo, o urânio ganha o prêmio de ser o maior e mais pesado elemento a ocorrer naturalmente, embora muitos vestígios de elementos ainda maiores e mais pesados apareçam em lugares onde o minério de urânio é explorado.

Se Urano merecia um elemento, Netuno também fazia jus a essa honra. Ao contrário do urânio, entretanto, que foi identificado logo depois de seu planeta, o **netúnio** foi descoberto em 1940 no acelerador de partículas chamado Berkeley Cyclotron, noventa e sete anos depois que o astrônomo alemão John Galle encontrou Netuno num lugar no céu previsto como sua localização mais provável pelo matemático francês Joseph Le Verrier, que estudou o comportamento orbital inexplicável de Urano e deduziu a existência de um planeta mais além. Assim como Netuno vem imediatamente depois de Urano no sistema solar, o netúnio aparece logo depois de urânio na tabela periódica dos elementos.

Os físicos de partículas que trabalhavam no cíclotron de Berkeley descobriram mais de meia dúzia de elementos não encontrados na natureza, inclusive o **plutônio**, que segue imediatamente o netúnio na tabela periódica e carrega o nome de Plutão, que o jovem astrônomo Clyde Tombaugh encontrou em 1930 em fotografias tiradas no Observatório Lowell do Arizona. Como aconteceu com a descoberta de Ceres 129 anos antes, as emoções foram às alturas. Plutão era o primeiro planeta descoberto por um americano e, na ausência de dados acurados de observação, acreditava-se amplamente que era um planeta de tamanho e massa proporcionais aos de Urano e Netuno. À medida que nossas medições do tamanho de Plutão melhoravam, Plutão se tornava cada vez menor. Nosso conhecimento das dimensões de Plutão só se estabilizou no final da década de 1970, durante as missões *Voyager* para fora do sistema solar. Sabemos agora que o frio e gelado Plutão é de longe o menor planeta do Sol[1], com a distinção constrangedora de ser menor que as seis maiores luas do sistema solar. Como acontece com os asteroides, os astrônomos encontraram mais tarde centenas de outros objetos em localizações similares, nesse caso fora do sistema solar com órbitas semelhantes à de Plutão. Esses objetos assinalaram a existência de um reservatório até então não documentado de pequenos objetos gelados, agora chamados de Cinturão Kuiper de cometas. Um purista poderia argumentar que, como Ceres e Palas, Plutão se introduziu na tabela periódica sob falsas alegações.

Como os núcleos de urânio, os núcleos de plutônio são radioativos. Esses núcleos formavam o ingrediente ativo na bomba atômica atirada sobre a cidade japonesa de Nagasaki, apenas três dias depois do bombardeio de urânio sobre Hiroshima, causando o fim rápido da Segunda Guerra Mundial. Os cientistas usam pequenas quantidades de plutônio, que produz energia num ritmo modesto e constante, como combustível dos geradores termoelétricos por radioisótopos (abreviados como RTGs) existentes em espaçonaves que viajam para fora do sistema solar, onde a intensidade da luz solar cai abaixo de um nível que possa ser utilizado pelos painéis solares. Uma libra (453,59 gramas) desse plutônio vai gerar 10 milhões de quilowatts-hora de energia térmica, suficiente para prover de energia uma lâmpada caseira por onze mil anos, ou um ser humano por mais ou menos o mesmo tempo. Ainda recorrendo à energia do plutônio para enviar mensagens à Terra, as duas espaçonaves *Voyager* lançadas em 1977 já passaram muito além da órbita de Plutão. Uma delas, a quase cem vezes a distância entre a Terra e o Sol, começou a entrar no verdadeiro

---

[1] Plutão é considerado atualmente um planeta anão, inclusive Neil deGrasse corrobora esta definição. (N. do E.)

espaço interestelar abandonando a bolha criada pelo derramamento de partículas eletricamente carregadas vindo do Sol.

E assim terminamos nossa viagem cósmica pela tabela periódica dos elementos químicos, bem na beirada do sistema solar. Por razões que ainda temos de determinar, muitas pessoas não gostam dos elementos químicos, o que pode explicar o perene movimento de tirá-los dos alimentos. Talvez os longuíssimos nomes químicos soem perigosos. Mas nesse caso deveríamos culpar os químicos, e não os elementos químicos. Pessoalmente, nós nos sentimos bem à vontade com os elementos químicos. Nossas estrelas favoritas, bem como nossos melhores amigos, são compostos por eles.

PARTE IV

A ORIGEM DOS PLANETAS

CAPÍTULO 11

Quando os mundos eram jovens

Em nossas tentativas de revelar a história do cosmos, temos sempre descoberto que os segmentos mais profundamente envoltos em mistério são aqueles que lidam com as *origens* – do próprio universo, de suas estruturas mais massivas (galáxias e aglomerados de galáxias), e das estrelas que fornecem a maior parte da luz no cosmos. Cada uma dessas histórias das origens desempenha um papel vital, não só explicando como um cosmos aparentemente sem forma produziu montagens complexas de diferentes tipos de objetos, mas também determinando como e por que, 14 bilhões de anos depois do *big bang*, estamos vivos sobre a Terra para perguntar: "Como é que tudo isso veio a acontecer?".

Esses mistérios surgem em grande parte porque, durante "a idade das trevas" cósmica, quando a matéria estava apenas começando a se organizar em unidades autônomas como as estrelas e as galáxias, a maior parte dessa matéria gerava pouca ou nenhuma radiação detectável. A idade das trevas nos deixou apenas com as mais ínfimas possibilidades, ainda imperfeitamente exploradas, de observar a matéria durante seus primeiros estágios de organização. Isso, por sua vez, implica que dependemos, numa medida constrangedoramente grande, de nossas teorias sobre o comportamento da matéria, com um número relativamente pequeno de pontos em que podemos checar essas teorias com os dados da observação.

Quando nos voltamos para a origem dos planetas, os mistérios se aprofundam. Faltam-nos não só *observações* dos estágios iniciais e cruciais da formação planetária, mas também *teorias* bem-sucedidas de como os planetas começaram a se formar. Para comemorar os aspectos positivos, notamos que a pergunta: O que formou os planetas? tem se tornado consideravelmente mais ampla nos últimos anos. Ao longo da maior parte do século XX, essa pergunta ficou centrada na família de planetas do Sol. Durante a última década, tendo descoberto mais de cem planetas "extrassolares" ao redor de estrelas relativamente próximas, os astrofísicos adquiriram significativamente mais dados a partir dos quais deduzir a história primitiva dos planetas, e em particular determinar como esses objetos astronomicamente pequenos, escuros e densos se formaram junto com as estrelas que lhes dão luz e vida.

Os astrofísicos podem ter agora mais dados, mas não possuem respostas melhores do que antes. Na verdade, a descoberta de planetas extrassolares, muitos dos quais se movem em órbitas muito diferentes daquelas apresentadas pelos planetas do Sol, tem confundido a questão de muitas maneiras, deixando a história da formação dos planetas ainda longe de seu encerramento. Num resumo simples, podemos afirmar que não existe nenhuma boa explicação para como os planetas *começaram* a se construir a partir de gás e poeira, embora possamos perceber facilmente como o processo de formação, uma vez em andamento, criou objetos maiores a partir de menores, e assim agiu dentro de um período bastante breve de tempo.

O início da construção de planetas propõe um problema extraordinariamente intratável, a ponto de um dos especialistas mundiais nesse assunto, Scott Tremaine da Universidade de Princeton, ter elucidado (em parte como pilhéria) as leis de Tremaine sobre a formação dos planetas. A primeira dessas leis afirma que "todas as previsões teóricas

WMAP

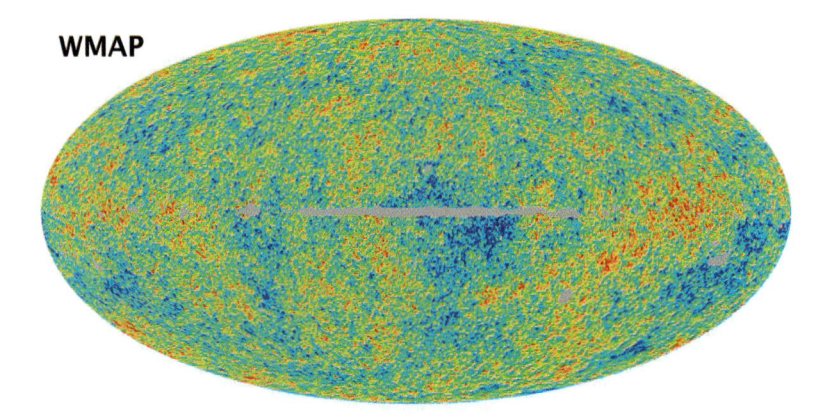

1. Este mapa mosqueado da radiação cósmica de fundo foi produzido pela Sonda de Anisotropia de Micro-onda Wilkinson (WMAP) da NASA. As regiões levemente mais quentes estão codificadas em vermelho na imagem, e as levemente mais frias em azul. Esses desvios de uma temperatura imutável por toda parte trazem variações na densidade da matéria durante os primeiros anos do universo. Os superaglomerados de galáxias devem sua origem às regiões levemente mais densas desta imagem do cosmos nascente.

2. O Campo Ultraprofundo do Telescópio Espacial Hubble, alcançado em 2004, revelou os objetos cósmicos mais tênues já registrados. Quase todo objeto na imagem, por menor que seja, é uma galáxia, situada a uma distância de 3 a 10 bilhões de anos-luz da Terra. Como sua luz viajou bilhões de anos antes de atingir o telescópio, as galáxias aparecem não como são hoje em dia, mas como eram outrora, desde suas origens passando pelos estágios subsequentes de sua evolução.

3. Este aglomerado gigante de galáxias, chamado de A2218 pelos astrônomos, está aproximadamente a 3 bilhões de anos-luz da Via Láctea. Atrás das galáxias neste aglomerado existem outras galáxias ainda mais distantes, cuja luz é curvada e distorcida principalmente pela gravidade da matéria escura e das galáxias mais massivas que se encontram escondidas dentro de A2218. Essa curvatura produz os longos e finos arcos de luz visíveis nesta imagem obtida pelo Telescópio Espacial Hubble.

4. Outro aglomerado gigante de galáxias, o A1689, a uma distância de cerca de 2 bilhões de anos-luz, também curva a luz de galáxias ainda mais distantes que por acaso existem atrás do aglomerado, produzindo arcos curtos e brilhantes de luz. Medindo os detalhes desses arcos, revelados nas imagens obtidas pelo Telescópio Espacial Hubble, os astrônomos determinaram que a maior parte da massa desse aglomerado não reside nas próprias galáxias, mas em forma de matéria escura.

5. O quasar catalogado como PKS 1127-145 está aproximadamente a 10 bilhões de anos-luz da Via Láctea. Na figura de cima, uma imagem do Telescópio Espacial Hubble em luz visível, o quasar se revela como o objeto brilhante no canto inferior à direita. O quasar real, que ocupa apenas a porção mais interior desse objeto, deve sua enorme produção de energia à matéria superaquecida que cai dentro de um buraco negro titânico. A figura de baixo mostra a mesma região do céu numa imagem de raio X obtida pelo observatório Chandra. Um jato de material emitindo raio X, com mais de um milhão de anos-luz de comprimento, jorra para fora do quasar.

6. Nesta imagem do aglomerado de galáxias Coma, quase todo objeto tênue é de fato uma galáxia composta de mais de 100 bilhões de estrelas. Localizado aproximadamente a 325 milhões de anos-luz da Via Láctea, este aglomerado abrange um diâmetro de vários milhões de anos-luz e contém muitos milhares de galáxias individuais, uma orbitando a outra numa espécie de balé coreografado pelas forças da gravidade.

7. Este par de galáxias em interação, denominado Arp 295 em referência à sua entrada em *Catalog of Peculiar Galaxies* de Halton Arp, provocou o aparecimento de longos filamentos extraídos de suas próprias estrelas e gás, estirando-se através de um quarto de milhão de anos-luz. As duas galáxias se encontram aproximadamente a 270.000.000 de anos-luz da Via Láctea.

8. Uma galáxia espiral gigante semelhante à nossa domina esta fotografia tirada pelo conjunto de Telescópio Muito Grande no Chile. Nossa visão frontal desta galáxia – aproximadamente a 100 milhões de anos-luz da Via Láctea e denominada NGC 1232 – permite que observemos a luz amarelada que emana de estrelas relativamente velhas perto do centro da galáxia, bem como as estrelas azuladas jovens, quentes e massivas que dominam a girândola circundante dos braços espirais. Os astrofísicos também detectam grande número de grãos de poeira interestelar dentro desses braços. Uma companheira menor de NGC 1232, conhecida como uma galáxia espiral barrada porque suas regiões centrais têm uma forma semelhante à de barra, aparece à esquerda da espiral gigante.

9. Esta galáxia espiral, denominada NGC 3370 e a uma distância aproximada de 100 milhões de anos-luz, assemelha-se bastante à nossa Via Láctea em tamanho, forma e massa. Esta imagem do Telescópio Espacial Hubble revela a espiral complexa traçada pelas estrelas jovens, quentes e altamente luminosas que delineiam os braços espirais. De orla a orla, a galáxia abrange cerca de 100.000 anos-luz.

10. Quando olhamos para esta galáxia espiral, NGC 4631, a uma distância aproximada de 25 milhões de anos-luz, nossa linha de visão atinge o perfil lateral do disco galáctico, por isso não podemos ver a estrutura de braço espiral da galáxia. Em vez disso, a poeira que existe dentro do disco obscurece grande parte da luz que emana das estrelas da galáxia. A mancha de vermelho à esquerda do centro marca um viveiro de estrelas. Acima de NGC 4631 está uma galáxia elíptica menor, uma companheira orbitadora da espiral gigante.

11. Nesta pequena galáxia irregular, chamada NGC 1569 e a uma distância de apenas 7 milhões de anos-luz, uma explosão de formação estelar começou há cerca de 25 milhões de anos-luz e ainda pode ser vista, explicando a maior parte da luz da galáxia. Dois grandes aglomerados de estrelas são visíveis no centro esquerdo desta imagem do Telescópio Espacial Hubble.

12. Relativamente perto da Via Láctea, quase à mesma distância em que se encontra a galáxia Andrômeda (24 milhões de anos-luz), está a galáxia espiral menor M33, cuja maior região de formação de estrelas aparece nesta imagem do Telescópio Espacial Hubble. As estrelas mais massivas a se formarem nesta região já explodiram como supernovas, enriquecendo seu ambiente com elementos pesados, enquanto outras estrelas massivas estão produzindo uma intensa radiação ultravioleta que explode os elétrons dos átomos que as circundam.

13. A Via Láctea tem duas grandes galáxias satélites irregulares, chamadas A Grande e a Pequena Nuvem de Magalhães. Esta imagem da Grande Nuvem de Magalhães mostra uma grande barra de estrelas à esquerda, com muitas outras estrelas e regiões de formação de estrelas à direita. A brilhante Nebulosa de Tarântula, denominada por sua forma e vista no centro superior da fotografia, é a maior região de formação de estrelas desta galáxia.

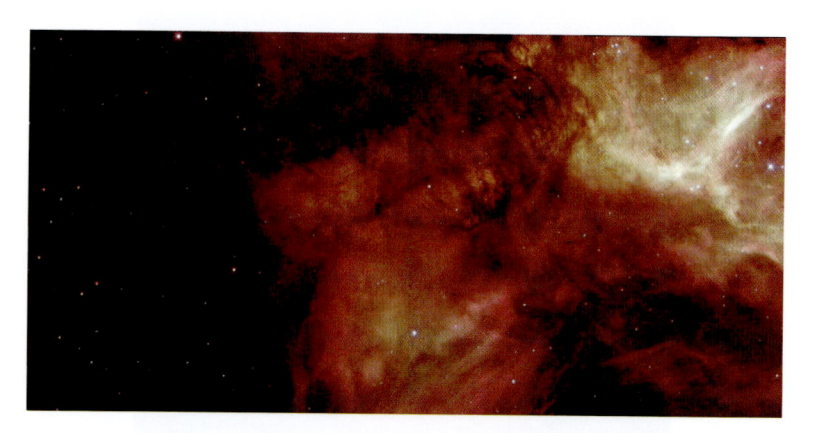

14. Esta região de formação de estrelas, chamada de Nebulosa Papillon por sua semelhança com uma borboleta, pertence à Grande Nuvem de Magalhães, a maior galáxia satélite da Via Láctea. Estrelas jovens iluminam a nebulosa a partir de seu interior e excitam átomos de hidrogênio para que emitam um característico tom de vermelho, captado nesta imagem pelo Telescópio Espacial Hubble.

15. Um levantamento do céu inteiro em radiação infravermelha revela que vivemos dentro do disco achatado de uma galáxia espiral, que se estende nesta imagem para a esquerda e para a direita da região central da Via Láctea. As partículas de poeira absorvem parte da luz que emana dessa região, assim como elas o fazem em galáxias espirais distantes. Abaixo do plano de nossa galáxia, podemos ver as duas galáxias satélites irregulares da Via Láctea, a Grande e a Pequena Nuvem de Magalhães.

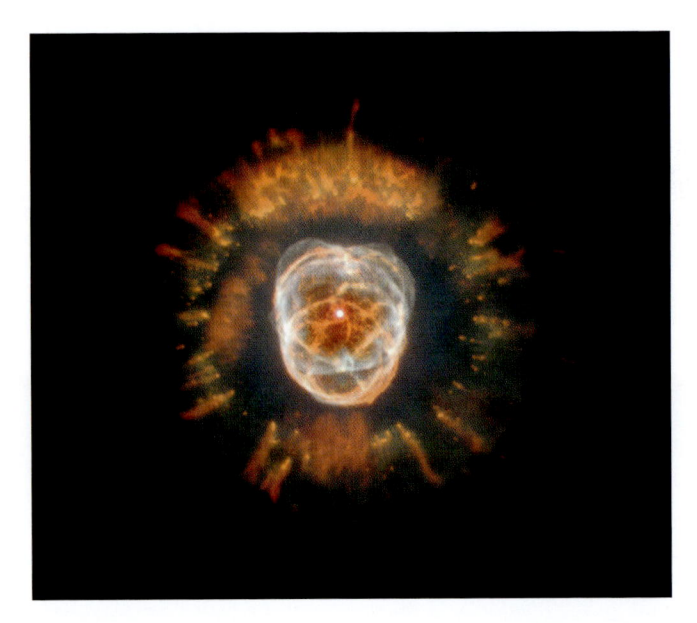

16. Este objeto espetacular, descoberto pelo famoso astrônomo William Herschel em 1787, tem o nome de Nebulosa do Esquimó por sua semelhança a uma face rodeada pelo capuz peludo de uma parca. A nebulosa, a uma distância aproximada de 3.000 anos-luz, consiste em gás expelido de uma estrela envelhecida e iluminado pela radiação ultravioleta dessa estrela, cuja superfície tornou-se tão quente que ela emite mais ultravioleta que luz visível. Como Herschel, os astrônomos chamam objetos como esses de "nebulosas planetárias", porque um telescópio pequeno os mostra apenas como discos sem características, semelhantes às imagens de planetas. Esta imagem do Telescópio Espacial Hubble elimina a confusão, revelando uma legião de detalhes nos gases que se expandem para fora da estrela central.

17. Saturno, o segundo maior planeta do Sol, tem um belo sistema de anéis, fotografados em toda a sua glória pelo Telescópio Espacial Hubble. Como os sistemas de anéis mais modestos ao redor de Júpiter, Urano e Netuno, os anéis de Saturno consistem em legiões de pequenas partículas que orbitam o planeta.

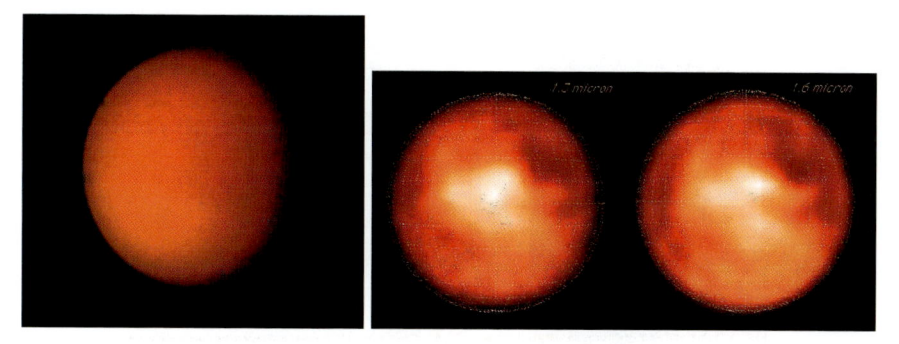

18. *a* e *b* Titã, a maior Lua de Saturno, tem uma atmosfera densa constituída principalmente de moléculas de nitrogênio, mas também rica em partículas semelhantes a fumaça e nevoeiro que bloqueiam permanentemente a visão de sua superfície em luz visível (imagem à esquerda fotografada pela espaçonave *Voyager 2* em 1981). Entretanto, observado em sua radiação infravermelha (imagem à direita, tirada com o Telescópio de Canadá-França-Havaí no Observatório Mauna Kea), Titã revela linhas de relevo na superfície, que podem muito bem ser lagos líquidos, áreas de rochas e até geleiras de hidrocarbonetos congelados.

19. Em dezembro de 2000, quando passou por Júpiter rumo a seu encontro com Saturno em 2004, a espaçonave *Cassini* fotografou as camadas exteriores do maior planeta do Sol. Júpiter consiste num núcleo sólido, rodeado por várias camadas gasosas com uma espessura de dezenas de milhares de quilômetros. Esses gases, que são principalmente compostos de hidrogênio com carbono, nitrogênio e oxigênio, rodopiam em padrões coloridos como resultado da rápida rotação de Júpiter. As menores características visíveis nesta fotografia têm cerca de sessenta e cinco quilômetros de extensão.

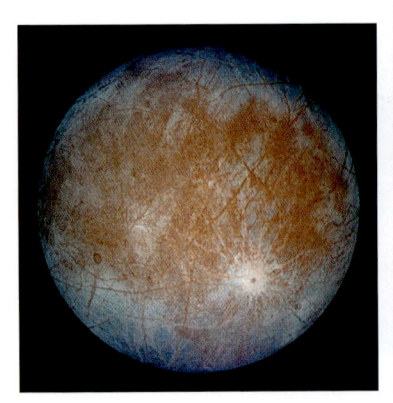

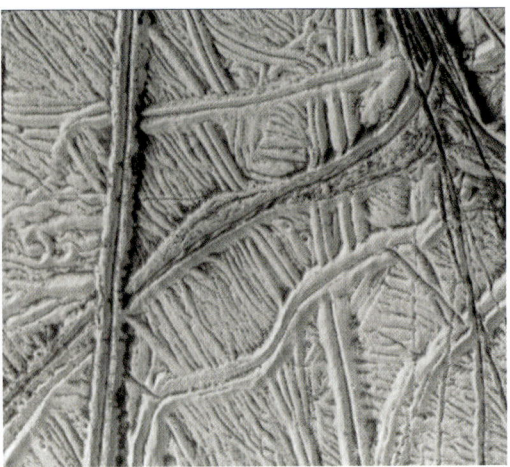

20. *a* e *b* Europa, uma das quatro grandes luas de Júpiter, tem mais ou menos o mesmo diâmetro de nossa Lua, mas sua superfície exibe longas linhas retas que podem representar fendas mundiais na superfície gelada (figura à esquerda). Tendo garantido essa visão global de Europa, a espaçonave *Galileo* passou a realizar uma inspeção mais minuciosa (figura à direita) a partir de uma distância de apenas 563 quilômetros. Esse close-up da superfície de Europa mostra morros gelados e riachos retos, com o que talvez sejam crateras de impacto mais escuras entre eles. A especulação vai longe, pressupondo que a camada de gelo na superfície de Europa, com uma espessura que talvez chegue a oitocentos metros, possa cobrir um oceano do tamanho da lua, capaz de manter formas primitivas de vida.

21. Durante o início da década de 1990, ondas de rádio da espaçonave *Magellan* em órbita ao redor de Vênus, capazes de penetrar a atmosfera oticamente opaca do planeta, permitiram que os astrônomos produzissem esta imagem de radar da superfície de Vênus. Inúmeras grandes crateras aparecem nessa imagem, enquanto a área larga de cor brilhante é a maior das terras altas de Vênus.

22. Em 1971, os astronautas da *Apollo 15* usaram o primeiro veículo em outro mundo para explorar as terras altas da Lua, à procura de pistas para a origem de nosso satélite.

23. Em outubro de 2003, dois grandes grupos de manchas solares, cada uma várias vezes maior que a Terra, apareceram sobre a face do Sol, captadas aqui pelo astrônomo amador Juan Carlos Casado. Rotando junto com nossa estrela, essas manchas solares levam quase um mês para cruzar a superfície do Sol e retornar ao ponto de partida, sendo comum desaparecerem aos poucos por volta desse espaço de tempo. As manchas solares devem seu relativo tom escuro a suas temperaturas mais frias (cerca de 8.000ºF [4.426,67ºC] em comparação com a temperatura média da superfície do Sol de 10.000ºF [5.537,78ºC]). As temperaturas mais baixas surgem da influência de campos magnéticos, que são também associados com violentas erupções solares, capazes de emitir correntes de partículas carregadas que afetam as comunicações de rádio sobre a Terra e a saúde dos astronautas.

24. Esta imagem de Marte, tirada pelo Telescópio Espacial Hubble quando o planeta se aproximou bastante da Terra em 2003, mostra a calota polar sul (composta principalmente de dióxido de carbono congelado) na parte de baixo. Embaixo à direita, a grande característica circular é chamada bacia de impacto Hellas. Muitas crateras menores pontilham as terras altas marcianas de cor mais clara, enquanto as grandes áreas mais escuras são as terras baixas de Marte.

25. Esta fotografia da superfície marciana, tirada pelo robô "andarilho" *Spirit* em janeiro de 2004, mostra morros no horizonte a uma distância de poucos quilômetros. A NASA nomeou sete desses morros em homenagem aos astronautas que morreram no desastre do ônibus espacial Columbia em 1º de fevereiro de 2003. Como os dois sítios onde a espaçonave *Viking* aterrissou em 1976, as localizações onde os robôs "andarilhos" *Spirit* e *Opportunity* pousaram em 2004 mostram planícies juncadas de pedras, sem nenhum sinal visível de vida.

26. Um close-up dos arredores imediatos do robô "andarilho" *Spirit* mostra o que talvez seja um antigo leito de rocha, bem como pedras mais jovens ricas em compostos que sobre a Terra se formam tipicamente embaixo d'água. O matiz avermelhado predominante provém de óxidos de ferro (ferrugem) nas pedras e solos da superfície.

sobre as propriedades dos planetas extrassolares estão erradas", e a segunda estipula que "a previsão mais segura sobre a formação dos planetas é que ela não pode acontecer". O humor de Tremaine sublinha o fato inelutável de que os planetas realmente existem, apesar de nossa incapacidade de explicar esse enigma astronômico.

Há mais de dois séculos, tentando explicar a formação do Sol e seus planetas, Immanuel Kant propôs uma "hipótese nebular", segundo a qual uma massa em torvelinho de gás e poeira ao redor de nossa estrela em formação se condensou em blocos que se transformaram em planetas. Em suas linhas gerais, a hipótese de Kant continua a ser a base para as abordagens astronômicas modernas da formação dos planetas, tendo triunfado sobre o conceito, muito em voga durante a primeira metade do século XX, de que os planetas do Sol surgiram de uma passagem próxima de outra estrela pelo Sol. Nesse roteiro, as forças gravitacionais entre as estrelas teriam atraído massas de gás de cada uma delas, e parte desse gás poderia então ter esfriado e condensado para formar os planetas. Essa hipótese, promovida pelo famoso astrofísico britânico James Jeans, tinha o defeito (ou o apelo, para aqueles inclinados nessa direção) de tornar os sistemas planetários extremamente raros, porque é provável que encontros bastante próximos entre estrelas ocorram apenas umas poucas vezes durante o período de vida de uma galáxia inteira. Quando calcularam que quase todo o gás tirado das estrelas evaporaria em vez de condensar, os astrônomos abandonaram a hipótese de Jeans e retornaram à de Kant, a qual implica que muitas, senão a maioria, das estrelas devem ter planetas em órbita ao seu redor.

Os astrofísicos têm agora boas evidências de que as estrelas se formam, não uma a uma, mas aos milhares e dezenas de milhares, dentro de nuvens gigantes de gás e poeira que podem acabar dando origem a cerca de um milhão de estrelas individuais. Um desses gigantescos berçários estelares produziu a nebulosa de Órion, a grande região de formação de estrelas mais próxima do sistema solar. Dentro de alguns milhões de anos, essa região terá produzido centenas de milhares de novas estrelas, que vão soprar para o espaço a maior parte do gás e poeira restantes da nebulosa, de modo que daqui a cem mil gerações os astrônomos vão observar as jovens estrelas limpas dos restos de seus casulos de nascimento.

Os astrofísicos usam agora telescópios de rádio para mapear a distribuição de gás e poeira frios nas vizinhanças imediatas das jovens estrelas. Seus mapas mostram tipicamente que as estrelas jovens não navegam pelo espaço desprovidas de toda matéria circundante; ao contrário, as estrelas têm, em geral, discos de matéria que as orbitam, semelhantes em tamanho ao sistema solar, mas feitos de gás hidrogênio (e de outros gases em menores quantidades) borrifado por toda parte com partículas de poeira. O termo "poeira" descreve grupos de partículas que contêm cada uma vários milhões de átomos e possuem tamanhos muito menores que o do ponto que termina essa frase. Muitos desses grãos de poeira consistem primariamente em átomos de carbono, ligados para formar grafita (o principal componente do "chumbo" num lápis). Outros são misturas de átomos de silício e oxigênio – em essência rochas diminutas, com revestimentos de gelo rodeando seus núcleos pedregosos.

A formação dessas partículas de poeira no espaço interestelar tem seus próprios mistérios e teorias detalhadas, que podemos pular com o pensamento alegre de que o cosmos *é* poeirento. Para fazer essa poeira, os átomos se uniram aos milhões; em vista das densidades extremamente baixas entre as estrelas, os sítios mais prováveis para esse processo parecem ser as atmosferas exteriores extensas das estrelas frias, que gentilmente sopram o material para o espaço.

A produção das partículas de poeira interestelar propicia um primeiro passo essencial na estrada para os planetas. Isso vale não só para os planetas sólidos como o nosso, mas também para os planetas gigantes gasosos, tipificados na família do Sol por Júpiter e Saturno. Embora esses planetas consistam principalmente em hidrogênio e hélio, os astrofísicos têm concluído a partir de seus cálculos da estrutura interna dos planetas, junto com suas medições das massas dos planetas, que os gigantes gasosos devem ter núcleos sólidos. Da massa total de Júpiter, igual a 318 vezes a da Terra, várias dúzias de massas da Terra residem num núcleo sólido. Saturno, com noventa e cinco vezes a massa da Terra, também possui um núcleo sólido com uma ou duas dúzias de vezes a massa da Terra. Os dois menores planetas gigantes gasosos do Sol, Urano e Netuno, têm proporcionalmente núcleos sólidos maiores. Nesses planetas, com quinze ou dezessete vezes a massa da Terra, respectivamente, o núcleo talvez contenha mais do que metade da massa do planeta.

Para todos esses quatro planetas, e presumivelmente para todos os planetas gigantes recentemente descobertos ao redor de outras estrelas, os núcleos planetários desempenharam um papel essencial no processo de formação. Primeiro veio o núcleo, e depois veio o gás, atraído pelo núcleo sólido. Assim, toda a formação de planetas requer que um grande torrão de matéria sólida se forme primeiro. Dos planetas do Sol, Júpiter tem o maior desses núcleos, Saturno o segundo maior, Netuno o terceiro, Urano o quarto, e a Terra está em quinto lugar, assim como no que se refere ao tamanho total. As histórias de formação de todos os planetas propõem uma pergunta fundamental: como é que a natureza faz a poeira coagular para formar torrões de matéria com muitos milhares de quilômetros de extensão?

A resposta tem duas partes, uma conhecida e uma desconhecida, e a parte desconhecida, como era de esperar, está mais próxima da origem. Quando se formam objetos com meia milha (800 metros) de extensão, que os astrônomos chamam de planetesimais, cada um deles terá uma gravidade suficientemente forte para atrair outros objetos com sucesso. As forças gravitacionais mútuas entre os planetesimais construirão primeiro núcleos planetários e depois planetas num ritmo enérgico, de modo que alguns milhões de anos transformarão uma legião de torrões, cada um do tamanho de uma pequena cidade, em mundos novos inteiros, maduros para adquirir uma capa fina de gases atmosféricos (no caso de Vênus, Terra e Marte) ou um revestimento imensamente grosso de hidrogênio e hélio (no caso dos quatro planetas gigantes gasosos, que orbitam o Sol a distâncias suficientemente grandes para que acumulem enormes quantidades desses dois gases mais leves). Para os astrofísicos, a transição de planetesimais com meia milha (800 metros) de largura para planetas se reduz a uma série de modelos de computador bem compreendidos que apresentam uma ampla variedade de detalhes planetários, mas quase sempre produzem planetas internos que são pequenos, rochosos e densos, bem como planetas externos que são grandes e (à exceção de seus núcleos) gasosos e rarefeitos. Durante esse processo, muitos dos planetesimais, bem como alguns dos objetos maiores que eles criam, veem-se arremessados inteiramente para fora do sistema solar por interações gravitacionais com objetos ainda maiores.

Tudo isso funciona bastante bem num computador, mas construir os planetesimais com meia milha (800 metros) de largura foge, antes de mais nada, à presente capacidade até de nossos melhores astrofísicos para integrar seu conhecimento de física com seus programas de computador. A gravidade não consegue fazer planetesimais, porque as modestas forças gravitacionais entre pequenos objetos não os manterão efetivamente unidos. Existem duas possibilidades teóricas para criar planetesimais a partir de poeira, mas nenhuma delas é altamente satisfatória. Um modelo propõe a formação de planetesimais por meio de acreção, o que ocorre quando partículas de poeira colidem e grudam umas nas outras. A acreção funciona bem em princípio, porque a maioria das partículas de poeira grudam *realmente* umas nas outras, quando se encontram. Isso explica a origem ds chumaços de poeira embaixo do sofá, e se imaginamos um cotão gigante crescendo ao redor do Sol, podemos – apenas com um mínimo de esforço mental – deixá-lo crescer para se tornar do tamanho da cadeira, do tamanho da casa, do tamanho do bloco, e, em pouco tempo, do tamanho de planetesimais, prontos para a ação gravitacional séria.

Infelizmente, ao contrário da produção do cotão real, o crescimento do cotão dos planetesimais parece requerer demasiado tempo. A datação radioativa de núcleos instáveis detectados nos meteoritos mais antigos sugere que a formação do sistema solar requereu não mais que algumas dezenas de milhões de anos, e muito possivelmente bem menos tempo que isso. Em comparação com a idade atual dos planetas, aproximadamente 4,55 bilhões de anos, isso significa um nada, apenas 1% (ou menos) de todo o período da existência do sistema solar. O processo de acreção requer um período significativamente mais longo que algumas dezenas de milhões de anos para formar os planetesimais a partir da poeira; assim, a menos que os astrofísicos tenham deixado de ver algo importante ao tentar compreender como a poeira se acumula para construir grandes estruturas, precisamos de outro mecanismo para vencer as barreiras de tempo na formação dos planetesimais.

Esse outro mecanismo talvez consista em vórtices gigantes que varrem as partículas de poeira aos trilhões, turbilhonando-os com celeridade para sua feliz aglomeração em objetos significativamente maiores. Como a nuvem em contração de gás e poeira que se tornou o Sol e seus planetas adquiriu aparentemente alguma rotação, ela logo mudou sua forma geral passando de esférica para laminada, deixando o Sol em formação como uma esfera contrativa relativamente densa no centro, circundado por um disco muito achatado de material em órbita ao redor daquela esfera. Até o presente, as órbitas dos planetas do Sol, que todas seguem a mesma direção e estão quase no mesmo plano, atestam uma distribuição discoidal da matéria que construiu os planetesimais e os planetas. Dentro desse disco em rotação, os astrofísicos imaginam a aparição de "instabilidades" ondulantes, alternando regiões de maior ou menor densidade. As partes mais densas dessas instabilidades coletam tanto o material gasoso como a poeira que flutua dentro do gás. No prazo de alguns mil anos, essas instabilidades se tornam vórtices rodopiantes que podem varrer grandes quantidades de poeira para volumes relativamente pequenos.

Esse modelo do vórtice para a formação dos planetesimais é promissor, embora ainda não tenha conquistado o coração daqueles que procuram explicações para como o sistema solar produziu aquilo de que os jovens planetas precisam. Sob um exame detalhado, o modelo fornece melhores explicações para os núcleos de Júpiter e Saturno do que para os de Urano e Netuno. Como os astrônomos não têm como provar que realmente ocorreram as instabilidades necessárias para o funcionamento do modelo, devemos nos abster de julgar a questão. A existência de numerosos pequenos asteroides e cometas, que se parecem com planetesimais pelos tamanhos e composições, sustenta o conceito de que há bilhões de anos milhões de planetesimais construíram os planetas. Portanto, vamos considerar a formação de planetesimais como um fenômeno estabelecido, ainda que pouco compreendido, que de algum modo preenche uma lacuna em nosso conhecimento, deixando-nos prontos para admirar o que acontece quando os planetesimais colidem.

Nesse roteiro, podemos facilmente imaginar que, depois de o gás e poeira ao redor do Sol ter formado alguns trilhões de planetesimais, essa armada de objetos colidiram, construíram objetos maiores e acabaram criando os quatro planetas internos do Sol e os núcleos de seus quatro planetas gigantes. Não devemos deixar de ver as luas dos planetas, objetos menores que orbitam todos os planetas do Sol exceto os mais internos, Mercúrio e Vênus. As maiores dessas luas, com diâmetros de algumas centenas a alguns milhares de quilômetros, parecem se ajustar perfeitamente ao modelo que criamos, porque elas presumivelmente também surgiram de colisões de planetesimais. A construção das luas cessou depois de as colisões terem construído os mundos satélites com seus tamanhos atuais, sem dúvida (podemos supor) porque a essa altura os planetas próximos, com sua gravidade mais forte, tinham se apoderado da maioria dos planetesimais ali perto. Devemos incluir nesse quadro as centenas de milhares de asteroides que orbitam entre Marte e Júpiter. Os maiores desses asteroides, com um diâmetro de algumas centenas de quilômetros, devem ter crescido igualmente por meio de colisões de planetesimais, e depois viram-se impedidos de continuar a crescer pela interferência do planeta gigante próximo, Júpiter. Os asteroides menores, com menos de um quilômetro de extensão, talvez representem planetesimais despidos, objetos que cresceram a partir da poeira, mas nunca colidiram entre si, mais uma vez graças à influência de Júpiter, depois de atingirem tamanhos adequados para a interação gravitacional.

Para as luas que orbitam os planetas gigantes, esse roteiro parece funcionar muito bem. Todos os quatro planetas gigantes têm famílias de satélites cujo tamanho vai do grande ou extremamente grande (até o tamanho de Mercúrio) ao pequeno ou mesmo minúsculo. As menores dessas luas, com menos de um quilômetro e meio de extensão, talvez sejam mais uma vez planetesimais despidos, privados de qualquer outro crescimento de colisão pela presença de objetos próximos que já tinham se tornado muito maiores. Em cada uma dessas quatro famílias de satélites, quase todas as maiores luas orbitam o planeta na mesma direção e quase no mesmo plano. Não podemos nos abster de explicar esse resultado com a mesma causa que fez os planetas orbitarem na mesma direção e quase no mesmo plano: ao redor de cada planeta, uma nuvem de gás e poeira em rotação produziu torrões de matéria, que cresceram até atingirem o tamanho de planetesimais e depois o tamanho de luas.

No sistema solar interno, apenas a nossa Terra tem uma lua de bom tamanho. Mercúrio e Vênus não têm satélites, enquanto as duas luas em forma de batata de Marte, Fobos e Deimos, têm cada uma apenas alguns quilômetros, e devem, portanto, representar os estágios mais primitivos da formação de objetos maiores a partir de planetesimais. Algumas teorias atribuem a origem dessas luas ao cinturão de asteroides, sendo suas órbitas atuais ao redor de Marte o resultado do sucesso gravitacional de Marte em capturar esses dois outrora asteroides.

E o que dizer de nossa Lua, com um diâmetro superior a duas mil milhas (3.218,69 quilômetros), ultrapassada em tamanho apenas por Titã, Ganimedes, Tritão e Calisto (e efetivamente empatada com Io e Europa) entre todas as luas do sistema solar? A Lua também se formou a partir de colisões planetesimais, como os quatro planetas internos?

Essa parecia uma suposição razoável até que os humanos trouxeram rochas lunares para a Terra a fim de serem detalhadamente examinadas. Há mais de três décadas, a composição química das amostras de rochas trazidas pelas missões *Apollo* impuseram duas conclusões, uma para cada lado das possibilidades para a origem da Lua. Por um lado, a composição dessas rochas da Lua se parece tanto com a das rochas sobre a Terra que a hipótese de que nosso satélite tenha se formado inteiramente separado de nosso planeta já não parece defensável. Por outro lado, a composição da Lua difere da apresentada pela Terra o suficiente para provar que a Lua não se formou inteiramente de material terrestre. Mas se a Lua não se formou separada da Terra, nem foi feita com material da Terra, como é que ela se formou?

A presente resposta a esse enigma, por mais que possa parecer surpreendente na sua superfície, é construída sobre uma hipótese outrora popular de que a Lua se formou como o resultado de um impacto gigantesco, bem no início da história do sistema solar, que escavou e retirou material da Bacia do Pacífico e arremessou-o ao espaço, onde ele coalesceu para formar nosso satélite. Sob a nova perspectiva, que já ganhou ampla aceitação como a melhor explicação existente, a Lua se formou *realmente* como resultado de um objeto gigantesco que colidiu com a Terra, mas o objeto que bateu na Terra era tão grande – mais ou menos do tamanho de Marte – que naturalmente acrescentou parte de seu material à matéria ejetada da Terra. Grande parte do material lançado ao espaço pela força do impacto talvez tenha desaparecido de nossa vizinhança imediata, mas restou o bastante para coagular e formar nossa Lua familiar, feita com pedaços da Terra acrescidos de matéria desconhecida. Tudo isso ocorreu há 4,5 bilhões de anos, durante os primeiros 100 milhões de anos depois do início da formação dos planetas.

Se um objeto do tamanho de Marte colidiu com a Terra nessa era passada, onde está hoje? O impacto não poderia ter estilhaçado o objeto em pedaços tão pequenos que não pudéssemos observá-los: nossos melhores telescópios são capazes de encontrar no sistema solar interno objetos tão pequenos quanto os planetesimais que construíram os planetas. A resposta a essa objeção nos leva a uma nova imagem do sistema solar primitivo, a que enfatiza sua natureza violenta e inclinada a colisões. O fato de que os planetesimais construíram um objeto do tamanho de Marte, por exemplo, não garantia que esse objeto durasse por muito tempo. Não só esse objeto colidiu com a Terra, mas os pedaços de bom tamanho produzidos por essa colisão teriam continuado igualmente a colidir com a Terra e os outros planetas internos, uns com os outros, e com a Lua (depois de formada). Em outras palavras, o terror das colisões reinou sobre o sistema solar interno durante suas primeiras várias centenas de milhões de anos, e os pedaços de objetos gigantes que bateram nos planetas em formação tornaram-se parte desses planetas. O impacto do objeto do tamanho de Marte sobre a Terra estava apenas entre os maiores numa chuva de bombardeamento, uma época de destruição que levou planetesimais e objetos muito maiores a se espatifarem sobre a Terra e seus vizinhos.

Visto de outra perspectiva, esse bombardeamento mortal simplesmente marcou os estágios finais do processo de formação. O processo culminou no sistema solar que vemos hoje em dia, pouco alterado durante 4 bilhões de anos e mais: uma estrela comum, orbitada por oito planetas (além do gelado Plutão, mais aparentado com um cometa gigante que com um planeta), centenas de milhares de asteroides, trilhões de meteoroides (fragmentos menores que batem na Terra aos milhares a cada dia) e trilhões de cometas – bolas de neve suja que se formaram a uma distância igual a dúzias de vezes a existente entre a Terra e o Sol. Não devemos nos esquecer dos satélites dos planetas, que têm se movido, com poucas exceções, em órbitas que exibem uma estabilidade de longo prazo, desde seu nascimento há 4,6 bilhões de anos. Vamos dar uma olhada mais de perto nos destroços que continuam a orbitar nosso Sol, capazes de produzir a vida e de destruir a vida em mundos como o nosso.

CAPÍTULO 12

Entre os planetas

Visto de certa distância, nosso sistema solar parece vazio. Se o encerrássemos dentro de uma esfera grande o suficiente para conter a órbita de Netuno, o Sol, junto com todos os seus planetas e suas luas, ocuparia pouco menos que um trilionésimo de todo o espaço naquela esfera. Esse resultado, entretanto, supõe que o espaço interplanetário seja essencialmente vazio. Vistos de perto, entretanto, os espaços entre os planetas revelam conter todo tipo de rochas em pedaços, seixos, bolas de gelo, poeira, correntes de partículas carregadas e distantes sondas feitas pelo homem. O espaço interplanetário é também permeado por alguns campos magnéticos e gravitacionais imensamente poderosos, invisíveis, mas ainda assim capazes de afetar os objetos em nossa vizinhança. Esses pequenos objetos e campos de força cósmica apresentam atualmente uma séria ameaça para qualquer um que tente viajar de um lugar a outro no sistema solar. Os maiores desses objetos representam igualmente uma ameaça à vida sobre a Terra, se por acaso vierem a colidir – como certamente fazem em raras ocasiões – com nosso planeta a velocidades de muitos quilômetros por segundo.

As regiões locais do espaço são tão não vazias que a Terra, durante sua viagem orbital de 30 quilômetros por segundo ao redor do Sol, singra através de centenas de toneladas de destroços interplanetários por dia – a maioria dos quais não é maior que um grão de areia. Quase toda essa matéria queima na atmosfera superior da Terra, batendo no ar com tanta energia que as partículas que caem se vaporizam. Nossa frágil espécie evoluiu embaixo desse cobertor de ar protetor. Os pedaços maiores dos destroços, do tamanho de uma bola de golfe, aquecem-se rápida mas irregularmente, e muitas vezes se estilhaçam em muitos pedaços menores antes de se vaporizar. Pedaços ainda maiores chamuscam suas superfícies, mas abrem caminho, ao menos em parte, até o chão. Poder-se-ia pensar que a essa altura, depois de 4,6 bilhões de viagens ao redor do Sol, a Terra teria "removido com aspirador de pó" todos os possíveis destroços em seu caminho orbital. Temos feito progressos nessa direção: as coisas eram muito piores em outros tempos. Durante o primeiro meio bilhão de anos depois da formação do Sol e seus planetas, choveu tanto lixo sobre a Terra que a energia dos impactos gerou uma atmosfera fortemente aquecida e uma superfície esterilizada.

Em particular, um naco de lixo espacial foi tão substancial que causou a formação da Lua. A inesperada escassez de ferro e outros elementos de massa elevada na Lua, deduzida das amostras lunares que os astronautas da *Apollo* trouxeram para a Terra, indica que a Lua é composta muito provavelmente de matéria expelida da crosta e do manto relativamente pobres em ferro da Terra, em virtude de uma colisão oblíqua com um protoplaneta descontrolado do tamanho de Marte. Alguns dos destroços em órbita dessa colisão coalesceram para formar nosso encantador satélite de baixa densidade. À parte esse evento digno de nota há mais ou menos 4,5 bilhões de anos, o período de bombardeio pesado que a Terra suportou durante seus primeiros tempos foi semelhante ao experimentado por todos os planetas e outros grandes objetos no sistema solar. Todos sofreram semelhantes danos, com a Lua e Mercúrio, sem ar e sem erosão, ainda preservando a maioria das crateras produzidas durante esse período.

Além dos destroços deixados por essa época de formação, o espaço interplanetário contém igualmente rochas de todos os tamanhos lançadas de Marte, da Lua e provavelmente da Terra, quando suas superfícies cambalearam com os impactos de alta energia. Os estudos de choques de meteoros feitos pelo computador demonstram conclusivamente que algumas rochas da superfície perto do marco zero da colisão serão arremessadas para o alto com velocidade suficiente para escapar do puxão gravitacional do objeto. A partir das descobertas de meteoritos marcianos sobre a Terra, podemos concluir que cerca de 1.000 toneladas de rochas de Marte caem sobre a Terra a cada ano. Talvez a mesma quantidade de destroços atinja a Terra vinda da Lua. Assim não precisamos ir até a Lua para buscar rochas lunares. Algumas dúzias dessas rochas vêm até nós sobre a Terra, embora não sejam por nós escolhidas, e ainda não tivéssemos ciência desse fato durante o programa *Apollo*.

Se Marte abrigou vida algum dia – muito provavelmente há bilhões de anos, quando a água líquida fluía livremente sobre a superfície marciana – então bactérias insuspeitas, acondicionadas nos cantos e rachaduras (especialmente nas rachaduras) da rocha ejetada de Marte, poderiam ter viajado de graça para a Terra. Já sabemos que algumas variedades de bactérias podem sobreviver a longos períodos de hibernação, bem como às doses elevadas de radiação solar ionizante a que estariam expostas durante o percurso até a Terra. A existência de bactérias no espaço não é uma ideia maluca, nem pura ficção científica. O conceito tem até um nome que soa importante: panspermia. Se Marte gerou vida antes que a Terra o fizesse, e se a vida simples saiu de Marte em rochas ejetadas e semeou a Terra, podemos ser todos descendentes de marcianos. Esse fato talvez pareça tornar desnecessárias as preocupações com os espirros dos astronautas sobre a superfície de Marte, espalhando seus germes sobre a paisagem alienígena. Na realidade, ainda que tivéssemos todos origem marciana, gostaríamos muito de traçar a trajetória da vida de Marte até a Terra, por isso essas preocupações continuam a ter uma importância vital.

A maioria dos asteroides do sistema solar vive e opera no "cinturão principal", uma região achatada ao redor do Sol entre as órbitas de Marte e Júpiter. É tradição que os descobridores de asteroides nomeiem seus objetos como quiserem. Frequentemente representados pelos artistas como uma região atravancada de rochas flutuando no plano do sistema solar, embora de fato espalhados por milhões de quilômetros em distâncias diferentes do Sol, os objetos no cinturão dos asteroides têm uma massa total menor que 5% da massa da Lua, que não tem ela própria mais que 1% da massa da Terra. Parece insignificante a princípio, mas os asteroides fazem sem alarde uma ameaça cósmica de longo prazo ao nosso planeta. Perturbações acumuladas de suas órbitas geram continuamente um subconjunto mortal de asteroides, composto talvez de alguns milhares, cujos caminhos alongados os levam tão perto do Sol que eles interceptam a órbita da Terra, criando a possibilidade de colisão. Um cálculo aproximado demonstra que a maioria desses asteroides que cruza com a Terra vai colidir com nosso planeta dentro de uns cem milhões de anos. Os objetos de tamanho maior que aproximadamente um quilômetro de extensão carregam energia suficiente para desestabilizar o ecossistema da Terra e expor a maioria das espécies terrestres da Terra ao risco de extinção. Isso seria ruim.

Enquanto isso, os asteroides não são os únicos objetos espaciais que põem em risco a vida sobre a Terra. O astrônomo holandês Jan Oort foi o primeiro a reconhecer que dentro das profundezas frias do espaço interestelar, muito mais distante do Sol que qualquer planeta, uma legião de restos congelados dos primeiros estágios da formação do sistema solar ainda orbitam nossa estrela. Essa "nuvem de Oort" de trilhões de cometas estende-se a distâncias que ficam a meio caminho das estrelas mais próximas, sendo milhares de vezes maior que o tamanho do sistema planetário do Sol.

Gerard Kuiper, o contemporâneo holandês-americano de Oort, propôs que alguns desses objetos congelados faziam parte do disco de material a partir do qual se formaram os planetas, e agora orbitam o Sol a distâncias consideravelmente maiores que a de Netuno, mas muito menores que as dos cometas na nuvem de Oort. Coletivamente, eles compõem o que os astrônomos chamam de Cinturão de Kuiper, uma faixa juncada de cometas de uma área circular que começa logo depois da órbita de Netuno, inclui Plutão e estende-se para mais além de Netuno num espaço igual a várias vezes a distância entre Netuno e o Sol. O objeto conhecido mais distante no Cinturão de Kuiper, chamado Sedna em referência a uma deusa inuíte, tem dois terços do diâmetro de Plutão. Sem um planeta massivo por perto para perturbá-los, a maioria dos cometas do Cinturão de Kuiper manterão suas órbitas por bilhões de anos. Como no cinturão dos asteroides, um subconjunto dos objetos do Cinturão de Kuiper se move em órbitas excêntricas que cruzam os caminhos de outros planetas. A órbita de Plutão, que podemos considerar um cometa extremamente grande, bem como as órbitas de um conjunto de irmãos pequenos de Plutão, chamado Plutinos, cruzam o caminho de Netuno ao redor do Sol. Outros objetos do Cinturão de Kuiper, afastados de suas grandes órbitas habituais, mergulham de vez em quando em todo o sistema solar interno, cruzando órbitas planetárias com entusiasmo. Esse subconjunto inclui Halley, o mais famoso de todos os cometas.

A nuvem de Oort é responsável pelos cometas de longos períodos, aqueles cujos períodos orbitais excedem em muito a duração de uma vida humana. Ao contrário dos cometas do Cinturão de Kuiper, os cometas da nuvem de Oort podem cair como uma chuva sobre o sistema solar interno a partir de qualquer ângulo e de qualquer direção. O cometa mais brilhante das últimas três décadas, o cometa Hyakutake (1996), veio da nuvem de Oort, bem acima do plano do sistema solar, e não retornará aos nossos arredores tão cedo.

Se tivéssemos olhos capazes de ver campos magnéticos, Júpiter pareceria dez vezes maior que a Lua cheia no céu. As espaçonaves que visitam Júpiter devem ser projetadas para não serem afetadas por esse poderoso magnetismo. Como o químico e físico inglês Michael Faraday descobriu em 1831, se passamos um fio através de um campo magnético, vamos gerar uma diferença de voltagem ao longo do comprimento do fio. Por essa razão, velozes sondas espaciais de metal podem ter correntes elétricas induzidas dentro delas. Essas correntes interagem com o campo magnético local de um modo que retarda o movimento da sonda espacial. Esse efeito poderia explicar a misteriosa desaceleração das duas espaçonaves *Pioneer* ao saírem do sistema solar. Tanto a *Pioneer 10* como a *Pioneer 11*, lançadas durante a década de 1970, não viajaram tão longe no espaço quanto nossos modelos dinâmicos de seus movimentos previam. Depois de levar em conta os efeitos da poeira espacial encontrada pelo caminho, junto com recuos da espaçonave causados por vazamentos dos tanques de combustível, esse conceito de interação magnética – nesse caso com o campo magnético do Sol – talvez forneça a melhor explicação para a diminuição de velocidade das *Pioneers*.

Melhores métodos de detecção e sondas espaciais de voo mais próximo têm aumentado o número de luas planetárias conhecidas com tanta rapidez que contar as luas tem se tornado quase obsoleto: elas parecem se multiplicar enquanto falamos. O que importa é descobrir se qualquer uma dessas luas é um lugar divertido para visitar ou estudar. Por alguns critérios, as luas do sistema solar são muito mais fascinantes que os planetas que elas orbitam. As duas luas de Marte, Fobos e Deimos, aparecem (não com esses nomes) no clássico *Viagens de Gulliver* de Jonathan Swift (1726). O problema é que essas duas pequenas luas só foram descobertas após mais de cem anos; a menos que fosse telepático, Swift estava presumivelmente fazendo uma interpolação entre a única lua da Terra e as quatro (então conhecidas) de Júpiter.

A Lua da Terra tem cerca de 1/400 do diâmetro do Sol, mas está também apenas aproximadamente 1/400 tão distante de nós quanto do Sol, dando ao Sol e à Lua o mesmo tamanho no céu – uma coincidência não partilhada por nenhuma outra combinação planeta-lua no sistema solar, algo que propicia aos terrestres eclipses solares totais singularmente fotogênicos. A Terra está também sincronizada com o período de rotação da Lua, deixando o período de rotação da Lua igual a seu período de revolução ao redor da Terra. O sincronismo surgiu da ação da gravidade da Terra, que exerce maior força sobre as partes mais densas do interior da Lua e faz com que elas sempre se voltem para a Terra. Quando e onde quer que isso aconteça, como no caso das quatro grandes luas de Júpiter, a lua sincronizada mostra apenas uma face para seu planeta hospedeiro.

O sistema de luas de Júpiter assombrou os astrônomos, quando eles conseguiram obter uma primeira boa visão da cena. Io, a grande lua mais próxima de Júpiter, está presa a forças de maré e sofre pressões estruturais por suas interações gravitacionais com Júpiter e com as outras grandes luas. Essas interações bombeiam energia suficiente para dentro de Io (que tem mais ou menos o tamanho de nossa Lua) para derreter seu interior rochoso, tornando Io o objeto mais vulcanicamente ativo do sistema solar. A segunda grande lua de Júpiter, Europa, tem bastante H_2O para que seu calor interno, proveniente das mesmas interações que afetam Io, derreta o gelo de sua subsuperfície, deixando um oceano líquido debaixo de uma cobertura gelada.

Imagens *close-up* da superfície de Miranda, uma das luas de Urano, revelam padrões muito mal combinados, como se a pobre lua tivesse sido espatifada, e suas peças coladas apressadamente de qualquer jeito. A origem dessas características exóticas continua um mistério, mas talvez seja decorrente de algo simples, como o afloramento desnivelado de lençóis de gelo.

A lua solitária de Plutão, Caronte[1], é tão grande e está tão próxima de seu planeta, que Plutão e Caronte se acham sincronizados um ao outro pelas forças de marés – os dois objetos têm períodos de rotação iguais a seus períodos de revolução ao redor de seu centro de massa comum. Por convenção, os astrônomos denominam as luas dos planetas em referência a importantes personalidades gregas na vida do deus que empresta seu nome ao planeta, embora eles usem o nome do equivalente romano para o próprio planeta (Júpiter em vez de Zeus, por exemplo). Como os deuses clássicos levavam vidas sociais complicadas, não há escassez de personagens para a escolha de nomes.

Sir William Herschel foi a primeira pessoa a descobrir um planeta além daqueles facilmente visíveis a olho nu, e ele estava disposto a nomear esse novo planeta em homenagem ao rei que poderia apoiar sua pesquisa. Se Sir William tivesse sido bem-sucedido, a lista de planetas seria: Mercúrio, Vênus, Terra, Marte, Júpiter, Saturno e George. Felizmente, cabeças mais esclarecidas prevaleceram, de modo que alguns anos mais tarde o planeta recebeu o nome clássico de Urano. Mas a sugestão original de Herschel de dar às luas do planeta os nomes de personagens das peças de William Shakespeare e do poema de Alexander Pope, *The Rape of the Lock* (O rapto da madeixa), continua tradição até os dias de hoje. Entre as vinte e sete luas de Urano, encontramos Ariel, Cordélia, Desdêmona, Julieta, Ofélia, Pórcia, Puck e Umbriel, com duas novas luas, Caliban e Sycorax, descobertas ainda recentemente em 1997.

O Sol perde material de sua superfície a uma taxa de 200 milhões de toneladas por segundo (o que por acaso corresponde de perto à taxa com que a água flui pela Bacia Amazônica). O Sol perde essa

---

[1] Desde a publicação do livro, mais quatro luas foram descobertas em Plutão, no total são cinco: Caronte (1978) Nix e Hydra (2005), Kerberos (2011) e Styx (2012). (N. do E.)

massa no "vento solar", que consiste em partículas carregadas de alta energia. Viajando a velocidades de até 1.600 quilômetros por segundo, essas partículas correm pelo espaço interplanetário, onde são frequentemente desviadas por campos magnéticos planetários. Em resposta, essas partículas descem em espiral em direção aos polos magnéticos norte e sul de um planeta, colidindo com moléculas de gases atmosféricos para produzir luzes aurorais coloridas. O Telescópio Espacial Hubble tem localizado auroras perto dos polos de Saturno e Júpiter. Sobre a Terra, as auroras boreal e austral servem como lembretes intermitentes de como é delicioso ter uma atmosfera protetora.

A atmosfera da Terra estende-se muito mais longe acima da superfície da Terra do que geralmente imaginamos. Os satélites na "órbita terrestre baixa" viajam tipicamente em altitudes de 100 a 400 milhas (160 a 600 quilômetros) e completam uma órbita em aproximadamente 90 minutos. Embora ninguém possa respirar nessas altitudes, algumas moléculas atmosféricas permanecem – o bastante para drenar lentamente a energia orbital de satélites que de nada suspeitam. Para combater essa resistência, os satélites na baixa órbita requerem empurrões intermitentes, para que não caiam de volta na Terra e se desintegrem na atmosfera. A maneira mais sensata de definir o limite de nossa atmosfera é perguntar onde a densidade de suas moléculas de gás cai para a densidade de moléculas de gás no espaço interplanetário. Com essa definição, a atmosfera da Terra se estende milhares de milhas (quilômetros) espaço adentro. Orbitando bem acima desse nível, 23.000 milhas (36.000 quilômetros) acima da superfície da Terra (um décimo da distância até a Lua), estão os satélites de comunicações que levam as notícias e as imagens ao redor da Terra. Nessa altitude especial, um satélite descobre não só que a atmosfera da Terra é irrelevante, mas também que sua velocidade em órbita, graças à atração diminuída da Terra nessa distância maior em relação a nosso planeta, cai a ponto dele levar vinte e quatro horas para completar cada revolução ao redor da Terra. Movendo-se em órbitas que correspondem precisamente à velocidade de rotação da Terra, esses satélites parecem "pairar" acima de um único ponto sobre o Equador, um fato que os torna ideais para transmitir sinais de uma parte da superfície da Terra para outra.

A lei da gravidade de Newton afirma que, embora a gravidade de um planeta se torne progressivamente mais fraca à medida que nos afastamos dele, nenhuma distância reduzirá a força da gravidade a zero, e que um objeto com uma enorme massa pode exercer forças gravitacionais significativas mesmo a grandes distâncias. O planeta Júpiter, com seu poderoso campo gravitacional, rebate para fora da área de perigo muitos cometas que do contrário causariam grandes estragos no sistema solar interior. Ao fazê-lo, Júpiter age como um escudo gravitacional para a Terra, permitindo longos períodos (50 a 100 milhões de anos) de relativa paz e tranquilidade sobre a Terra. Sem a proteção de Júpiter, a vida complexa teria muitas dificuldades em se tornar interessantemente complexa, sempre vivendo com o risco de extinção por um impacto devastador.

Temos explorado os campos gravitacionais dos planetas para quase toda sonda enviada ao espaço. A sonda *Cassini*, por exemplo, enviada a Saturno para um encontro no final de 2004, foi lançada da Terra em 15 de outubro de 1997, e recebeu auxílio gravitacional duas vezes de Vênus, uma vez da Terra (num sobrevoo de retorno), e uma vez de Júpiter. Como uma tacada que bate em muitas tabelas no bilhar, as trajetórias de um planeta para outro pelo emprego de estilingues gravitacionais são comuns. Caso contrário, as nossas pequenas sondas não teriam suficiente velocidade e energia para chegar a seus destinos.

Um de nós é agora responsável por um item dos destroços interplanetários do sistema solar. Em novembro de 2000, o asteroide 1994KA do cinturão principal, descoberto por David Levy e Caroline Shoemaker, foi denominado "13123 Tyson". Uma distinção divertida, mas não há nenhuma razão particular para ficar convencido por causa disso; como já foi observado, muitos asteroides têm nomes familiares como Jody, Harriet e Thomas. E muitos outros asteroides têm nomes como Merlin, James Bond e Papai Noel. Já passando dos 20.000, a contagem de asteroides com órbita estabelecida (o critério para lhes atribuir nomes e números) pode logo desafiar a nossa capacidade de nomeá-los. Quer esse dia chegue ou não, há um curioso alívio em saber que nosso naco de destroço cósmico não está sozinho, ao entulhar o espaço entre os planetas, junto com uma longa lista de outros nacos com nomes de pessoas reais ou fictícias.

Quando verificado pela última vez, o asteroide 13123 Tyson não estava avançando em nossa direção, e assim não pode ser acusado de terminar ou começar a vida sobre a Terra.

CAPÍTULO 13

Mundos inumeráveis: planetas além do sistema solar

> *Por mundos inumeráveis embora de Deus conhecidos,*
> *Cabe a nós sair em busca dele apenas no nosso.*
> *Ele, que a vasta imensidão é capaz de penetrar,*
> *Ver mundos sobre mundos comporem um universo,*
> *Observar como fluem sistemas por dentro de sistemas,*
> *Que planetas outros circulam outros sóis,*
> *Que diverso Ser povoa toda estrela,*
> *Ele pode dizer por que o Céu nos fez como somos.*
>
> ALEXANDER POPE, *An Essay on Man*
> (Um ensaio sobre o homem) (1733)

Há quase cinco séculos, Nicolau Copérnico ressuscitou uma hipótese que o antigo astrônomo grego Aristarco tinha sugerido em primeiro lugar. Longe de ocupar o centro do cosmos, disse Copérnico, a Terra pertence à família de planetas que orbitam o Sol.

Mesmo que uma maioria de humanos ainda tenha de aceitar esse fato, acreditando em seus corações que a Terra permanece imóvel enquanto os céus giram ao seu redor, os astrônomos têm apresentado há muito tempo argumentos convincentes de que Copérnico escreveu a verdade sobre a natureza de nosso lar cósmico. A conclusão de que a Terra é apenas um dos planetas do Sol sugere sem demora que outros planetas se parecem fundamentalmente com o nosso, e que eles podem muito bem possuir seus próprios habitantes, dotados como nós de planos e sonhos, trabalho, divertimento e fantasia.

Por muitos séculos, os astrônomos que usavam telescópios para observar centenas de milhares de estrelas individuais não tinham a capacidade de discernir se qualquer uma dessas estrelas tinha ou não planetas próprios. Suas observações revelaram realmente que nosso Sol é uma estrela inteiramente representativa, com um grande número de irmãs quase gêmeas por toda a nossa galáxia da Via Láctea. Se o Sol tem uma família planetária, isso também poderia acontecer em outras estrelas, com seus planetas igualmente capazes de dar vida a criaturas de todas as formas possíveis. Expressar essa opinião de um modo que afrontou a autoridade papal levou Giordano Bruno à morte na fogueira em 1600. Nos dias de hoje, um turista pode abrir caminho entre as multidões nos cafés ao ar livre do Campo di Fiori em Roma para chegar até a estátua de Bruno no centro da praça, e depois parar um momento para refletir sobre o poder das ideias (ainda que não o poder daqueles que as sustentam) para triunfar sobre os que as desejam suprimir.

Como o destino de Bruno ajuda a ilustrar, imaginar vida em outros mundos está entre as ideias mais poderosas que já entraram em mentes humanas. Se não fosse assim, Bruno teria vivido até uma idade mais madura, e a NASA teria se visto mais carente de financiamentos. Assim a especulação sobre a vida em outros mundos tem focado ao longo de toda a história, assim como a atenção da NASA ainda faz, os planetas que orbitam o Sol. Em nossa busca de vida além da Terra, entretanto, surgiu um grande fiasco: nenhum dos outros mundos em nosso sistema solar parece particularmente adequado para a vida.

Embora essa conclusão não faça justiça às miríades de caminhos possíveis pelos quais a vida poderia surgir e se manter, resta o fato de que nossas explorações iniciais de Marte e Vênus, bem como de Júpiter e suas grandes luas, não conseguiram revelar nenhum sinal convincente de vida. Pelo contrário, temos encontrado muitas evidências de condições extremamente hostis à vida como a conhecemos. Muito mais pesquisa ainda falta ser feita, e felizmente (para aqueles que empenham suas mentes nesse esforço) continua em andamento, sobretudo na busca de vida em Marte. Ainda assim, o veredicto sobre vida extraterrestre no sistema solar tem uma probabilidade tão grande de ser negativo que as mentes férteis agora tendem a fixar o olhar para além de nossa vizinhança cósmica, para o vasto arranjo de mundos possíveis que orbitam outras estrelas que não o nosso Sol.

Até 1995, a especulação sobre planetas ao redor de outras estrelas podia prosseguir quase inteiramente sem restrições impostas pelos fatos. Com exceção de alguns destroços do tamanho da Terra em órbita ao redor dos restos de estrelas explodidas, que quase certamente se formaram depois da explosão da supernova e não se qualificavam como planetas, os astrofísicos nunca tinham encontrado um único "planeta extrassolar", um mundo orbitando outra estrela que não o Sol. No final daquele ano veio o anúncio dramático da primeira dessas descobertas; e, alguns meses mais tarde, vieram mais quatro; depois, com as comportas abertas, a descoberta de novos mundos prosseguiu cada vez mais rapidamente. Hoje, sabemos de muitos mais planetas extrassolares ao redor de outras estrelas do que dos mundos ora familiares que orbitam o Sol – um cálculo que vai além de 100, sendo quase certo que continue a crescer em anos futuros.

Para descrever esses mundos recém-descobertos, e analisar as implicações de sua existência na busca pela vida extraterrestre, devemos nos confrontar com um fato difícil de acreditar: embora os astrofísicos afirmem que não só sabem da existência desses planetas, mas também que deduziram suas massas, suas distâncias das estrelas progenitoras, o tempo que os planetas levam para completar suas órbitas, e até a forma dessas órbitas, ninguém jamais viu ou fotografou um único desses planetas extrassolares.

Como podem deduzir tanta coisa sobre planetas que nunca viram? A resposta está no trabalho de detetive familiar àqueles que estudam a luz estelar. Separando essa luz em seu espectro de cores, e comparando esses espectros entre milhares de estrelas, os especialistas em observar a luz estelar são capazes de reconhecer tipos diferentes de estrelas simplesmente pelas relações das intensidades das diferentes cores que aparecem nos espectros estelares. No passado, esses astrofísicos fotografavam os espectros das estrelas, mas hoje eles usam mecanismos sensíveis que registram digitalmente quanta luz estelar de cada cor particular chega até nós sobre a Terra. Embora as estrelas estejam a muitos trilhões de quilômetros de nós, suas naturezas fundamentais se tornaram um livro aberto. Os astrofísicos agora podem determinar facilmente – apenas medindo o espectro das cores da luz estelar – quais estrelas se parecem mais com o Sol, quais são um pouco mais quentes e luminosas, e quais são mais frias e intrinsecamente mais pálidas que nossa estrela.

Mas eles também podem fazer mais. Tendo se tornado familiarizados com a distribuição de cores nos espectros de vários tipos de estrelas, os astrofísicos podem rapidamente identificar um padrão conhecido no espectro da estrela, que mostra tipicamente a ausência parcial ou total da luz em cores particulares. Reconhecem frequentemente esse padrão, mas acham que todas as cores que o formam foram um pouquinho deslocadas para a extremidade vermelha ou violeta do espectro, de modo que todos os indicadores familiares são agora mais vermelhos ou mais violetas que o padrão.

Os cientistas caracterizam essas cores pelos seus comprimentos de onda, que medem a separação entre as sucessivas cristas nas ondas de luz. Como eles correspondem às cores que nossos olhos e cérebros percebem, especificar comprimentos de onda exatos nomeia as cores com mais precisão do que o fazemos na fala normal. Quando detectam um padrão familiar na intensidade da luz medida para milhares de cores diferentes, mas descobrem que todos os comprimentos de onda no padrão são (por exemplo) 1% maiores que o habitual, os astrofísicos concluem que as cores da estrela mudaram como resultado do efeito Doppler, que descreve o que acontece quando observamos um objeto aproximando-se ou afastando-se de nós. Se, por exemplo, um objeto se move na nossa direção, ou se nos movemos para perto dele, descobrimos que todos os comprimentos de onda da luz que detectamos são *mais curtos* do que aqueles que medimos num objeto idêntico em repouso com respeito a nós. Se o objeto se afasta de nós, ou se nos afastamos dele, descobrimos que todos os comprimentos de onda são *mais longos* que aqueles de um objeto em repouso. O desvio da situação em repouso depende da velocidade relativa entre a fonte de luz e aqueles que a observam. Para velocidades muito menores que a velocidade da luz (300.000 quilômetros por segundo), a mudança fracionária em todos os comprimentos de onda da luz, chamada de efeito Doppler, é igual à razão entre a velocidade de aproximação ou recessão e a velocidade da luz.

Durante a década de 1990, duas equipes de astrônomos, uma nos Estados Unidos e a outra centrada na Suíça, dedicaram-se a aumentar a precisão com que podiam medir os efeitos Doppler da luz estelar. Empenharam-se nesse projeto, não só porque os cientistas sempre preferem fazer medições mais precisas, mas porque tinham uma meta determinada: detectar a existência de *planetas* pelo estudo da luz vinda das *estrelas*.

Por que essa volta toda para falar da detecção de planetas extrassolares? Porque por ora esse método oferece a única maneira efetiva de descobri-los. Se nosso sistema solar fornece algum guia para as distâncias em que os planetas orbitam as estrelas, devemos concluir que essas distâncias chegam apenas a uma diminuta fração das distâncias entre as estrelas. As estrelas vizinhas mais próximas do Sol estão cerca de meio milhão de vezes mais longe de nós que a distância entre o Sol e seu planeta mais interno, Mercúrio. Até a distância entre Plutão e o Sol é menor que um cinco mil avos da distância até a Alpha Centauri, nosso sistema estelar mais próximo. Essas separações astronomicamente minúsculas entre as estrelas e seus planetas, combinadas com a tenuidade com que um planeta reflete a luz vinda de sua estrela, tornam quase impossível que vejamos realmente quaisquer planetas além do sistema solar. Imagine, por exemplo, um astrofísico num planeta ao redor de uma das estrelas da Alpha Centauri que vira seu telescópio para o Sol e tenta detectar Júpiter, o maior planeta do Sol. A distância Sol-Júpiter chega a apenas um cinquenta mil avos da distância para o Sol, e Júpiter brilha com apenas um bilionésimo da intensidade do Sol. Os astrofísicos gostam de comparar essa situação ao problema de ver um vaga-lume perto do clarão de um holofote. Podemos conseguir algum dia, mas por ora a busca para observar diretamente os planetas extrassolares está além de nossas capacidades tecnológicas.[1]

O efeito Doppler oferece outra abordagem. Se estudamos a estrela com atenção, podemos medir cuidadosamente quaisquer mudanças que apareçam no efeito Doppler da luz que nos chega da estrela. Essas alterações devem surgir de mudanças na velocidade com que a estrela está se aproximando ou se afastando de nós. Se as mudanças se revelam cíclicas – isto é, se suas quantidades se elevam a um máximo, caem a um mínimo, elevam-se ao mesmo máximo de novo, e repetem esse ciclo nos mesmos intervalos de tempo – segue-se a conclusão

---

[1] Quando o livro foi lançado nos EUA, não era possível observar diretamente os planetas extrassolares. Atualmente, porém, já existem imagens desse tipo.

inteiramente razoável de que a estrela deve estar se movendo numa órbita que a leva várias vezes ao redor de algum ponto no espaço.

O que poderia fazer uma estrela dançar dessa maneira? Apenas a força gravitacional de outro objeto, pelo que sabemos. Sem dúvida que os planetas, por definição, têm massas muito menores que a massa de uma estrela, por isso exercem apenas quantidades modestas de força gravitacional. Quando puxam para si uma estrela próxima que possui muito mais massa que eles, esses planetas produzem apenas pequenas mudanças na velocidade da estrela. Júpiter, por exemplo, muda a velocidade do Sol em cerca de 40 pés (12,2 metros) por segundo, um pouquinho mais que o desempenho de um velocista de classe mundial. Quando Júpiter percorre sua órbita de 12 anos ao redor do Sol, um observador localizado ao longo do plano dessa órbita mediria efeitos Doppler na luz do Sol. Esses efeitos Doppler demonstrariam que num determinado tempo a velocidade do Sol com respeito ao observador aumentaria 40 pés (12,19 metros) por segundo acima de seu valor médio. Seis anos mais tarde, o mesmo observador constataria que a velocidade do Sol é 40 pés (12,19 metros) por segundo menor que a média. Durante o ínterim, essa velocidade relativa mudaria suavemente entre seus dois valores extremos. Depois de algumas décadas de observação desse ciclo repetitivo, o observador concluiria justificadamente que o Sol tem um planeta movendo-se numa órbita de 12 anos que faz com que o Sol execute sua própria órbita, produzindo as mudanças de velocidade que se originam naturalmente desse movimento. O tamanho da órbita do Sol, em comparação com o tamanho da percorrida por Júpiter, é exatamente igual ao *inverso* da razão das massas dos dois objetos. Como o Sol tem mil vezes a massa de Júpiter, a órbita de Júpiter ao redor do mútuo centro de gravidade é mil vezes *maior* que a do Sol – testemunho do fato de que o Sol é mil vezes mais difícil de se mover que Júpiter.

Claro, o Sol tem muitos planetas, cada um dos quais atrai simultaneamente o Sol com sua própria força gravitacional. O movimento real do Sol equivale, portanto, a uma superposição de danças orbitais, cada uma com um diferente período cíclico de repetição. Como Júpiter, o maior e mais massivo planeta do Sol, exerce a maior quantidade de força gravitacional sobre o Sol, a dança imposta por Júpiter domina esse padrão complexo.

Quando procuraram detectar planetas extrassolares observando a dança dos astros, os astrofísicos sabiam que, para encontrar um planeta mais ou menos semelhante a Júpiter, orbitando sua estrela a uma distância comparável à distância entre Júpiter e o Sol, eles teriam de medir efeitos Doppler com precisão suficiente para revelar mudanças de velocidade de aproximadamente 40 pés (12,19 metros) por segundo. Sobre a Terra, isso parece uma velocidade significativa (cerca de 27 milhas [43 quilômetros] por hora), mas em termos astronômicos, estamos falando de menos de um milionésimo da velocidade da luz, e de cerca de um milésimo da velocidade típica com que as estrelas estão se aproximando ou afastando de nós. Assim, para detectar o efeito Doppler produzido por uma mudança na velocidade igual a um milionésimo da velocidade da luz, os astrofísicos devem medir mudanças no comprimento de onda – isto é, nas cores da estrela – de uma parte em um milhão.

Essas medições precisas produziram mais que a detecção de planetas. Em primeiro lugar, como o plano de detecção consiste em descobrir uma repetição cíclica nas mudanças de velocidade de uma estrela, a extensão de cada um desses ciclos mede diretamente o período orbital do planeta por ele responsável. Se a estrela dança com um determinado ciclo de repetição, o planeta deve estar dançando com um período idêntico de movimento, embora numa órbita muito maior. Esse período orbital, por sua vez, revela a distância entre o planeta e a estrela. Há muito tempo Isaac Newton provou que um objeto orbitando uma estrela completará cada órbita mais rapidamente quando mais próximo da estrela, mais lentamente quando mais longe dela: cada período orbital corresponde a um valor particular da distância média entre a estrela e o objeto orbitante. No sistema solar, por exemplo, o período orbital de um ano indica uma distância igual à da Terra-Sol, ao passo que um período de doze anos indica uma distância 5,2 vezes maior, o tamanho da órbita de Júpiter. Assim a equipe de pesquisadores seria capaz de anunciar não só que tinham descoberto um planeta, mas também que sabiam o período orbital do planeta e a distância média entre ele e sua estrela.

Eles ainda poderiam deduzir muito mais sobre o planeta. Movendo-se a uma determinada distância de sua estrela, a gravidade de um planeta vai puxar a estrela para si com uma força que depende da massa do planeta. Planetas mais massivos exercem força maior, e essas forças fazem a estrela dançar com mais rapidez. Uma vez conhecidas as distâncias planeta-estrela, a equipe poderia incluir as *massas* dos planetas na lista de características planetárias que eles tinham determinado por meio de observação e dedução cuidadosas.

Essa dedução da massa de um planeta pela observação da dança da estrela vem com um aviso. Os astrônomos não têm como saber se estão estudando uma estrela dançante a partir de uma direção que coincide exatamente com o plano da órbita do planeta, ou a partir de uma direção diretamente acima do plano da órbita (nesse caso, eles vão medir uma velocidade zero para a estrela), ou (em quase todos os casos) a partir de uma direção nem exatamente ao longo do plano, nem diretamente perpendicular a ele. O plano da órbita do planeta ao redor da estrela coincide com o plano do movimento da estrela em resposta à gravidade do planeta. Observamos, portanto, as velocidades orbitais plenas apenas se nossa linha de visão para a estrela estiver no mesmo plano da órbita do planeta ao redor da estrela. Para imaginar uma situação vagamente análoga, coloque-se numa partida de beisebol, podendo medir a velocidade da bola arremessada que vem na sua direção ou se afasta, mas não a velocidade com que a bola cruza seu campo de visão. Se você é um observador talentoso, o melhor lugar para você se posicionar é atrás da base do batedor, em linha direta com o movimento da bola. Mas se você observar o jogo a partir da primeira ou terceira linhas entre as bases, a bola arremessada pelo lançador não se aproximará nem se afastará de você na maior parte de seu percurso, de modo que a medição da velocidade da bola ao longo da sua linha de visão será quase zero.

Como o efeito Doppler revela apenas a velocidade com que uma estrela se aproxima ou se afasta de nós, mas não a rapidez com que a estrela cruza nossa linha de visão, não podemos dizer geralmente quão próxima do plano da órbita da estrela está nossa linha de visão para a estrela. Esse fato implica que as massas que deduzimos para os planetas extrassolares são todas massas *mínimas*; elas provarão ser as massas reais dos planetas apenas naqueles casos em que observamos a estrela ao longo de seu plano orbital. Em média, a massa real de um planeta extrassolar é igual a duas vezes a massa mínima deduzida a partir da observação dos movimentos da estrela, mas não temos como saber quais massas de planeta extrassolar estão acima dessa razão média, e quais estão abaixo.

Além de deduzir o período orbital do planeta e o tamanho orbital, bem como a massa mínima do planeta, os astrofísicos que estudam as danças estelares por meio do efeito Doppler têm mais um sucesso: eles podem determinar a forma da órbita do planeta. Algumas dessas órbitas, como as de Vênus e Netuno ao redor do Sol, têm uma circularidade quase perfeita; mas outras, como as órbitas de Mercúrio, Marte e Plutão, têm um prolongamento significativo, com o planeta movendo-se muito mais perto do Sol em alguns pontos ao longo de sua órbita do que em outros. Como um planeta se move mais rapidamente quando está mais perto de sua estrela, a estrela muda sua velocidade mais rapidamente nessas ocasiões. Se os astrônomos observam uma estrela que muda sua velocidade num ritmo constante durante todo seu período cíclico, eles concluem que essas mudanças surgem de um planeta que se move numa órbita circular. Por outro lado, se descobrem que as mudanças ocorrem ora mais rapidamente e ora mais lentamente, eles deduzem que o planeta tem uma órbita não circular e conseguem encontrar a quantidade do prolongamento orbital – o quanto a órbita se desvia da circularidade – medindo as diferentes taxas com que a estrela muda sua velocidade durante todo o ciclo orbital.

Assim, num triunfo de observações acuradas junto com seus poderes de dedução, os astrofísicos que estudam os planetas extrassolares podem estabelecer quatro propriedades-chave de qualquer planeta que descobrem: o período orbital do planeta; sua distância média de sua estrela; sua massa mínima, e seu alongamento orbital. Os astrofísicos realizam tudo isso captando as cores da luz vinda de estrelas que estão a centenas de trilhões de quilômetros do sistema solar, e medindo essas mudanças com uma precisão melhor do que uma parte em um milhão – um ponto alto em nossas tentativas de sondar os céus em busca de primos da Terra.

Resta apenas um problema. Muitos dos planetas extrassolares descobertos durante a última década orbitam suas estrelas a distâncias muito menores que quaisquer das distâncias entre o Sol e seus planetas. Essa questão intriga ainda mais porque todos os planetas extrassolares até agora detectados têm massas comparáveis à de Júpiter, um planeta que orbita o Sol a mais de cinco vezes a distância Terra-Sol. Vamos nos deter um momento para examinar os fatos, antes de admirarmos as explicações dos astrofísicos sobre como esses planetas chegaram a ocupar órbitas tão menores que aquelas que nos são familiares em nosso sistema planetário.

Sempre que usamos o método da dança das estrelas para buscar planetas ao redor de outras estrelas, devemos estar conscientes dos vieses embutidos nesse método. Primeiro, os planetas próximos a suas estrelas levam muito menos tempo para orbitá-las do que os planetas distantes de suas estrelas. Como têm períodos limitados de tempo para observar o universo, é natural que os astrofísicos vão descobrir planetas que se movem, por exemplo, em períodos de seis meses, com muito mais rapidez do que conseguem detectar planetas que levam doze anos para cada órbita. Em ambos os casos, os astrofísicos devem esperar ao menos duas órbitas para se assegurarem de que detectaram um padrão repetível das mudanças nas velocidades da estrela. Encontrar planetas com períodos orbitais comparáveis aos doze anos de Júpiter poderia consumir, portanto, grande parte da carreira profissional de um indivíduo.

Segundo, um planeta exercerá mais força gravitacional sobre sua estrela hospedeira quando perto, e não quando longe. Essas forças maiores fazem a estrela dançar mais rapidamente, produzindo efeitos Doppler maiores em seus espectros. Como podemos detectar os efeitos Doppler maiores com mais facilidade do que os menores, os planetas mais próximos atraem mais atenção, e o fazem com mais rapidez, do que os planetas mais distantes. Em todas as distâncias, entretanto, um planeta extrassolar deve ter uma massa aproximadamente comparável à de Júpiter (318 vezes a da Terra) para ser detectado pelo método do efeito Doppler. Os planetas com massa significativamente menor fazem suas estrelas dançarem com uma velocidade que se eleva acima do limiar de detectabilidade pela tecnologia atual.

Em retrospectiva, portanto, não deveria ter causado surpresa a notícia de que os primeiros planetas extrassolares a serem descobertos têm todos massas comparáveis à de Júpiter, e todos orbitam perto de suas estrelas. A surpresa estava na constatação de quão perto esses planetas poderiam estar – tão perto que não levam vários meses ou anos para completar cada órbita, como fazem os planetas do Sol, mas apenas alguns dias. Os astrofísicos descobriram então mais de uma dúzia de planetas que completam cada órbita em menos de uma semana, com o recorde atribuído a um planeta que percorre impetuosamente cada órbita em pouco mais de dois dias e meio. Esse planeta orbita a uma distância média de sua estrela equivalente a apenas 3,7% da distância Terra-Sol. Em outras palavras, esse planeta gigante possui mais de 600 vezes a massa da Terra a uma distância de sua estrela menor que um décimo da distância de Mercúrio.

Mercúrio consiste em rocha e metal, cozidos a temperaturas de muitas centenas de graus no lado que esteja de frente para o Sol. Em contraste, Júpiter e os outros planetas gigantes do Sol (Saturno, Urano e Netuno) são enormes bolas de gás rodeando núcleos sólidos que incluem apenas uma pequena porcentagem da massa de cada planeta. Todas as teorias de formação de planetas indicam que um planeta com uma massa comparável à de Júpiter não pode ser sólido, como Mercúrio, Vênus e a Terra, porque a nuvem primordial que formou os planetas continha muito pouco material que pudesse solidificar para criar um planeta com mais de umas doze vezes a massa da Terra. Como mais um passo na grande história de detetive que tem nos dado os planetas extrassolares, segue-se a conclusão de que todos os planetas extrassolares até agora descobertos (como têm massas comparáveis à de Júpiter) devem ser igualmente bolas de gás.

Surgem imediatamente duas perguntas a respeito dessa conclusão surpreendente. Como é que esses planetas semelhantes a Júpiter chegam a orbitar tão perto de suas estrelas, e por que o seu gás não evapora rapidamente sob o intenso calor? A segunda pergunta tem uma resposta relativamente fácil: as enormes massas dos planetas podem reter até gases leves aquecidos a temperaturas de centenas de graus, simplesmente porque as forças gravitacionais dos planetas podem superar a tendência dos átomos e moléculas no gás de escapar para o espaço. Nos casos mais extremos, entretanto, essa disputa se inclina apenas um pouquinho a favor da gravidade, e os planetas se posicionam logo além da distância em que o calor de suas estrelas evaporaria realmente seus gases.

A primeira pergunta, sobre como os planetas gigantes chegaram a orbitar tão perto de estrelas semelhantes ao Sol, leva-nos à questão fundamental de como os planetas se formaram. Como vimos no Capítulo 11, os teóricos têm trabalhado duro para alcançar alguma compreensão do processo de formação de planetas em nosso sistema solar. Eles concluem que os planetas do Sol se acumularam para existir, crescendo a partir de torrões menores de matéria que se transformam em maiores dentro de uma nuvem de gás e poeira em forma de panqueca. Dentro dessa massa achatada e rotativa de matéria que circundava o Sol, formaram-se concentrações separadas de matéria, primeiro ao acaso, mas depois, como tinham uma densidade maior que a média, ganhando o cabo de guerra gravitacional entre as partículas. Nos estágios finais desse processo, a Terra e os outros planetas sólidos sobreviveram a um intenso bombardeio dos últimos nacos gigantes de material.

Enquanto esse processo aglutinador se desenrolava, o Sol começou a brilhar, evaporando os elementos mais leves, como o hidrogênio e o hélio, de sua vizinhança imediata, e deixando seus quatro planetas internos (Mercúrio, Vênus, Terra e Marte) compostos quase inteiramente de elementos mais pesados como o carbono, o oxigênio, o silício, o alumínio e o ferro. Em contraste, cada um dos torrões de matéria que se formaram num ponto situado a uma distância de cinco a trinta vezes maior que a existente entre a Terra e o Sol continuou suficientemente frio para reter grande parte do hidrogênio e hélio nos seus arredores. Como esses dois elementos mais leves são também os mais abundantes, essa capacidade retentora produziu quatro planetas gigantes, cada um com uma massa igual a muitas vezes a da Terra.

Plutão não pertence nem à classe dos planetas internos rochosos, nem ao grupo dos planetas gigantes gasosos externos. Em vez disso, Plutão, que ainda não foi inspecionado por uma espaçonave da Terra, parece um cometa gigante, feito de uma mistura de rocha e gelo. Os cometas, que tipicamente têm diâmetros de 5 a 50 milhas (8 a 80 quilômetros) em vez das 2.000 milhas (3.218 quilômetros) de Plutão, estão entre os primeiros pedaços de matéria bastante grandes a se formarem dentro do sistema solar primitivo; seus rivais em idade são os meteoritos mais antigos, fragmentos de rocha, metal ou misturas de rocha e metal que por acaso atingiram a superfície da Terra, e foram reconhecidos por aqueles que conhecem a diferença entre um meteorito e uma variedade qualquer de pedra de jardim.

Assim, os planetas se construíram com matéria muito semelhante à que existe em cometas e meteoritos, com os planetas gigantes usando seus núcleos sólidos para atrair e reter uma quantidade muito maior de gás. A datação radioativa dos minerais em meteoritos tem mostrado que os mais antigos deles têm idades de 4,55 bilhões de anos, significativamente mais velhos que as rochas mais antigas encontradas sobre a Lua (4,2 bilhões de anos) ou sobre a Terra (pouco menos que 4 bilhões de anos). O nascimento do sistema solar, que ocorreu, portanto, em cerca de 4,55 bilhões a.C., causou muito naturalmente a segregação dos mundos planetários em dois grupos: os planetas internos sólidos e relativamente pequenos, e os planetas gigantes sobretudo gasosos, muito maiores e mais massivos. Os quatro planetas internos orbitam o Sol a distâncias de 0,37 a 1,52 vezes a da Terra-Sol, enquanto os quatro gigantes permanecem em distâncias muito maiores, que vão de 5,2 a 30 vezes a distância Terra-Sol, o que lhes permitiu ser gigantes.

Essa descrição de como os planetas do Sol se formaram faz tanto sentido que parece quase uma vergonha termos encontrado tantos exemplos de objetos com massas semelhantes à de Júpiter, movendo-se em órbita ao redor de suas estrelas a distâncias muito menores que a distância entre Mercúrio e o Sol. Na realidade, como todos os primeiros planetas extrassolares a serem descobertos tinham essas distâncias tão pequenas de suas estrelas, por algum tempo prevaleceu a impressão de que nosso sistema solar poderia ser a exceção, em vez de o modelo dos sistemas planetários, como os teóricos tinham implicitamente suposto nos dias em que não possuíam nada mais em que basear suas conclusões. Compreender o viés imposto pela relativa facilidade de descobrir planetas perto de suas estrelas lhes deu nova confiança, e em pouco tempo tinham feito observações por períodos suficientemente longos, e com suficiente acuidade, para detectar planetas gigantes gasosos a distâncias muito maiores de suas estrelas.

Hoje em dia, a lista de planetas extrassolares, ordenados pela distância entre a estrela e o planeta, começa com a entrada, descrita acima, de um planeta que leva apenas 8,5 horas para percorrer cada órbita, e estende-se, passando por bem mais de quatro mil entradas, até a estrela Formalhaut b, onde um planeta com massa ainda não calculada deve levar 870 anos para cada órbita. A partir do período orbital, os astrofísicos podem calcular que o planeta 55 Cancri d tem massa mínima de 3,5 vezes a massa de Júpiter e tem uma distância de sua estrela igual a 5,5 vezes a distância Terra-Sol, ou 1,003 vezes a distância entre Sol e Júpiter. O planeta é o primeiro a ser encontrado orbitando sua estrela a uma distância maior que a de Sol-Júpiter, e parece apresentar, portanto, um sistema planetário aproximadamente comparável ao nosso sistema solar, ao menos no que diz respeito à estrela e ao seu maior planeta.

Entretanto, não é bem assim. O planeta que orbita 55 Cancri a uma distância 5,5 vezes maior que a de Terra-Sol não representa o primeiro, mas o *terceiro* a ser descoberto em órbita ao redor dessa estrela. A essa altura os astrônomos acumularam dados suficientes, e tornaram-se tão habilidosos em interpretar suas observações do efeito Doppler, que já sabem interpretar a complexa dança estelar produzida por dois ou mais planetas. Cada um desses planetas tenta impor uma dança em seu próprio ritmo, com um período repetitivo igual à duração da órbita do planeta ao redor da estrela. Ao observar por um tempo suficientemente longo, e empregar programas de computador que não temem nenhum cálculo, os caçadores de planetas podem separar da combinação de danças os passos básicos que cada mundo orbitante provoca. No caso da 55 Cancri, uma estrela modesta visível na constelação chamada Caranguejo, eles já tinham encontrado dois planetas mais próximos, com períodos orbitais de 15 dias e 45 dias e massas mínimas de 0,8 e 0,16 massas de Júpiter, respectivamente. O planeta com uma massa mínima igual a "apenas" 0,16 massas de Júpiter (52 massas da Terra) está entre os menos massivos já detectados; mas o recorde de massa baixa para um planeta extrassolar caiu agora para 3,6 massas da Terra – ainda tantas vezes maior que a da Terra que é melhor esperar sentados que os astrônomos logo encontrem os gêmeos da Terra.

Por mais que examinemos a questão de vários ângulos, não podemos evitar o problema, evidente nas órbitas dos planetas ao redor de 55 Cancri, de explicar por que e como vários planetas extrassolares, com massas muito semelhantes à de Júpiter, orbitam suas estrelas a distâncias espantosamente pequenas. Nenhum planeta com uma massa semelhante à de Júpiter pode se formar – é o que afirmarão os especialistas – mais perto de uma estrela semelhante ao Sol do que três ou quatro vezes a distância Terra-Sol. Se supomos que os planetas extrassolares obedecem a essa máxima, eles devem ter dado um jeito de se mover para distâncias muito menores depois de terem se formado. Essa conclusão, se válida, propõe ao menos três perguntas incendiárias:

1. O que fez esses planetas entrarem em órbitas menores depois de terem se formado?
2. O que os impediu de percorrer todo o caminho até suas estrelas e morrer?

3. Por que isso ocorreu em muitos outros sistemas planetários, mas não em nosso sistema solar?

Essas perguntas têm respostas, supridas por mentes férteis depois de terem sido apropriadamente estimuladas pela descoberta de planetas extrassolares. Podemos resumir o roteiro ora preferido pelos especialistas da seguinte maneira:

1. A "migração planetária" ocorreu porque quantidades significativas do material restante do processo de formação continuaram a orbitar a estrela dentro das órbitas dos recém-formados planetas gigantes. Esse material é sistematicamente arremessado pela gravidade do planeta grande para órbitas mais externas, o que, por sua vez, força o planeta grande a se arrastar para o interior.

2. Quando os planetas chegaram mais perto de suas estrelas do que seus pontos de origem, as forças de maré vindas da estrela prenderam o planeta nesse lugar. Essas forças, comparáveis às forças de maré vindas do Sol e da Lua que criam marés nos oceanos da Terra, forçaram os períodos rotacionais dos planetas a se tornar iguais a seus períodos orbitais, como aconteceu com a Lua em virtude das forças de maré provenientes da Terra. Elas também impediram qualquer outra aproximação do planeta em direção à estrela, por razões que requerem bastante conhecimento da mecânica celeste e que, por isso, podemos ignorar aqui.

3. É presumível ter sido uma questão de sorte o que determinou que alguns sistemas planetários se formassem com grandes quantidades de destroços, capazes de induzir a migração planetária, e que outros, como o nosso, tiveram relativamente poucos destroços, de modo que os planetas permaneceram nas distâncias em que se formaram. No caso dos planetas ao redor de 55 Cancri, é possível que todos os três migraram significativamente para o interior, com o planeta mais externo tendo se formado a

uma distância igual a várias vezes sua distância atual em relação à estrela. Ou é possível que os detalhes de todos os destroços existentes dentro da órbita do planeta, e de todos os destroços fora dessa órbita, tenham causado uma migração significativa dos dois planetas internos, enquanto o terceiro permaneceu no seu caminho original.

Resta algum trabalho a ser feito, para usar palavras amenas, antes que os astrofísicos possam proclamar que já têm a explicação de como os sistemas planetários se formam ao redor das estrelas. Enquanto isso, aqueles que procuram planetas extrassolares continuam a perseguir seu sonho de encontrar a gêmea da Terra, um planeta semelhante à Terra em tamanho, massa e distância orbital de sua estrela progenitora. Quando e se encontrarem esse planeta, eles esperam examiná-lo – mesmo a partir de uma distância de dúzias de anos-luz – com precisão suficiente para determinar se o planeta possui uma atmosfera e oceanos semelhantes aos da Terra, e, talvez, se existe vida sobre esse planeta assim como sobre o nosso.

Na busca desse sonho, os astrofísicos sabem que precisam de instrumentos orbitando acima de nossa atmosfera, cujos efeitos degradadores nos impedem de fazer medições extremamente precisas. Um desses experimentos, a missão *Kepler* da NASA, visa a observar centenas de milhares de estrelas próximas, procurando a diminuição diminuta na luz estelar (cerca de um centésimo de 1%) causada pelo movimento de um planeta do tamanho da Terra ao cruzar nossa linha de visão para uma estrela. Essa abordagem só tem sucesso para a pequena fração de situações em que nossa visão está quase exatamente ao longo do plano orbital do planeta, pois apenas nesses casos o intervalo entre os trânsitos planetários é igual ao período orbital do planeta, que, por sua vez, especifica a distância estrela-planeta, e a quantidade de diminuição da luz estelar revela o tamanho do planeta.

Entretanto, se esperamos descobrir mais do que as simples características físicas do planeta, devemos estudar o planeta pela projeção e análise diretas do espectro da luz que o planeta reflete no espaço. A NASA e a ESA, a Agência Espacial Europeia, têm programas em andamento para alcançar esse objetivo dentro de duas décadas. Ver outro planeta semelhante à Terra, mesmo como um pálido ponto azul perto de uma estrela muito mais brilhante, poderia inspirar outra geração de poetas, físicos e políticos. Analisar a luz refletida do planeta, e assim determinar se a atmosfera do planeta contém ou não oxigênio (uma provável indicação de vida), ou oxigênio e metano (um sinal quase completamente definitivo de vida), marcaria o tipo de realização que os bardos outrora cantavam, elevando meros mortais a heróis de todas as eras, deixando-nos face a face (como F. Scott Fitzgerald escreveu em *O grande Gatsby*) com algo que seja compatível com a capacidade humana de se maravilhar. Àqueles que sonham encontrar vida em outro lugar no universo, nossa seção final os aguarda.

PARTE V

A ORIGEM DA VIDA

CAPÍTULO 14

A vida no universo

Nosso levantamento das origens nos traz, como sabíamos que aconteceria, ao mais íntimo e defensavelmente maior de todos os mistérios: a origem da vida e, em particular, das formas de vida com as quais talvez um dia possamos nos comunicar. Por séculos, os humanos têm se perguntado como poderíamos encontrar outros seres inteligentes no cosmos, e com quem poderíamos ter ao menos uma modesta conversa antes de entrarmos para a história. As pistas cruciais para resolver esse quebra-cabeça talvez estejam no projeto cósmico de nossos primórdios, que inclui a origem da Terra dentro da família de planetas do Sol, a origem das estrelas que fornecem energia para a vida, a origem da estrutura no universo e a origem e evolução do próprio universo.

Se pudéssemos ao menos ler esse projeto em todos os seus detalhes, ele poderia nos conduzir das maiores às menores situações astronômicas, do cosmos ilimitado a localizações individuais onde tipos diferentes de vida florescem e evoluem. Se pudéssemos comparar as diversas formas de vida que surgiram em várias circunstâncias, poderíamos perceber as regras do início da vida, tanto em termos gerais como em situações cósmicas particulares. Hoje em dia, conhecemos apenas uma forma de vida: a vida sobre a Terra, que em sua totalidade partilha uma origem comum e usa moléculas de DNA como o meio fundamental para se reproduzir. Esse fato nos priva de diversos exemplos de vida, relegando ao futuro um levantamento geral da vida no cosmos, irrealizável até o dia em que começarmos a descobrir formas de vida mais além de nosso planeta.

Poderia ser pior. Sabemos realmente muito sobre a história da vida na Terra, e devemos elaborar esse conhecimento para obter princípios básicos sobre a vida em todo o universo. Na medida em que pudermos confiar nesses princípios, eles nos dirão quando e onde o universo fornece, ou forneceu, os requisitos básicos para a vida. Em todas as nossas tentativas de imaginar a vida em outros lugares, devemos resistir a cair na armadilha do pensamento antropomórfico, a nossa tendência natural a imaginar que as formas extraterrestres de vida devem ser muito semelhantes à nossa. Essa atitude inteiramente humana, que nasce de nossas experiências pessoais e evolutivas aqui na Terra, restringe nossa imaginação quando tentamos conceber o quanto a vida em outros mundos pode ser diferente. Apenas os biólogos familiarizados com a surpreendente variedade e aparência das diferentes formas de vida sobre a Terra conseguem extrapolar com segurança qual seria o aspecto visual das criaturas extraterrestres. Sua estranheza está quase certamente além dos poderes imaginativos dos humanos comuns.

Um dia – talvez no próximo ano, talvez durante o próximo século, talvez muito tempo depois disso – vamos descobrir vida mais além da Terra ou adquirir dados suficientes para concluir, como alguns cientistas ora sugerem, que a vida em nosso planeta representa um fenômeno único dentro da nossa galáxia da Via Láctea. Por ora, nossa falta de informações sobre esse assunto nos permite considerar uma gama enormemente ampla de possibilidades. Podemos encontrar vida em vários objetos no sistema solar, o que indicaria que a vida existe provavelmente dentro de bilhões de sistemas planetários semelhantes em nossa galáxia. Ou podemos descobrir que apenas a Terra tem vida dentro de nosso sistema solar, deixando a questão da vida ao redor de outras estrelas por enquanto em aberto. Ou podemos finalmente descobrir que não existe vida em nenhum lugar ao redor de outras estrelas, por mais abrangente que for o alcance de nosso olhar. Na busca pela vida no universo, assim como em outras esferas de atividade, o otimismo se alimenta dos bons resultados, enquanto as visões pessimistas se tornam mais fortes com desfechos negativos. As informações mais recentes que dizem respeito às chances de vida além da Terra – a descoberta de que planetas estão se movendo em órbita ao redor de muitas das estrelas vizinhas do Sol – apontam para a conclusão otimista de que a vida pode se mostrar relativamente abundante na Via Láctea. Ainda assim, é preciso resolver grandes questões antes que essa conclusão ganhe uma base mais firme. Se, por exemplo, os planetas são realmente abundantes, mas quase nenhum deles oferece as condições apropriadas para a vida, parece provável que a visão pessimista da vida extraterrestre se revele correta.

Os cientistas que consideram as possibilidades da vida extraterrestre invocam frequentemente a equação de Drake, em alusão a Frank Drake, o astrônomo americano que a criou durante o início da década de 1960. A equação de Drake fornece antes um conceito útil que uma afirmação rigorosa sobre como o universo físico funciona. A equação organiza com proveito o nosso conhecimento e ignorância, separando o número que procuramos intensamente estimar – o número de lugares onde existe vida inteligente atualmente em nossa galáxia – num conjunto de termos, cada um dos quais descreve uma condição necessária para a vida inteligente. Esses termos incluem (1) o número de estrelas na Via Láctea que sobrevivem um tempo suficientemente longo para que a vida evolua em planetas ao seu redor; (2) o número médio de planetas ao redor de cada uma dessas estrelas; (3) a fração desses planetas que tem condições adequadas para a vida; (4) a probabilidade de que a vida surja realmente nesses planetas adequados; (5) a chance de que a vida num planeta desse tipo evolua para produzir uma civilização inteligente, expressão com que os astrônomos se referem tipicamente a uma forma de vida capaz de se comunicar conosco. Quando multiplicamos esses cinco termos, obtemos o número de planetas na Via Láctea que possuem uma civilização inteligente em algum ponto na sua história. Para fazer com que a equação de Drake produza o número que procuramos – o número de civilizações inteligentes que existem em qualquer tempo representativo, como o presente – devemos multiplicar esse produto por um sexto termo final, a razão entre o período de vida médio de uma civilização inteligente e o período de vida total da galáxia da Via Láctea (cerca de 10 bilhões de anos).

Cada um dos seis termos da equação de Drake requer conhecimento astronômico, biológico ou sociológico. Temos agora boas estimativas dos dois primeiros termos da equação, e parece provável que se obtenha em breve uma estimativa útil do terceiro. Por outro lado, os termos quatro e cinco – a probabilidade de que a vida surja num planeta adequado, e a probabilidade de que essa vida evolua para produzir uma civilização inteligente – requerem que sejam descobertas e examinadas várias formas de vida por toda a galáxia. Por enquanto, qualquer um pode argumentar, quase tão bem quanto os especialistas, sobre o valor desses termos. Qual é a probabilidade, por exemplo, de que, tendo um planeta condições adequadas para a vida, então a vida vai realmente começar sobre o planeta? Uma abordagem científica dessa questão clama pelo estudo de vários planetas adequados para a vida durante alguns bilhões de anos, para verificar quantos realmente produzem vida. Qualquer tentativa de determinar o período de vida médio de uma civilização na Via Láctea requer igualmente vários bilhões de anos de observação, depois de se ter localizado um número suficientemente grande de civilizações que sirva de amostra representativa.

Não é uma tarefa irrealizável? Uma solução plena da equação de Drake ainda está muitíssimo distante no futuro – a menos que encontremos outras civilizações que já a resolveram, usando-nos talvez como um ponto de dados. Mas a equação propicia, ainda assim, uma base que nos ajuda a compreender tudo o que é preciso para estimar quantas civilizações existem em nossa galáxia. Matematicamente, todos os seis termos na equação Drake se parecem uns com os outros no que diz respeito ao seu efeito sobre o resultado total: cada um deles exerce um efeito direto e multiplicador sobre a resposta da equação. Se supomos, por exemplo, que um em três planetas adequados para a vida produz realmente vida, mas explorações posteriores revelem que essa relação é na verdade igual a 1 em 30, teremos superestimado o número de civilizações por um fator de 10, admitindo-se que as estimativas para os outros termos se mostrem corretas.

Julgando pelo que ora sabemos, os primeiros três termos na equação de Drake indicam que existem bilhões de sítios potenciais para a vida na Via Láctea. (Nós nos restringimos à Via Láctea por modéstia, e também por nos darmos conta de que as civilizações em outras galáxias terão muito mais dificuldades em estabelecer contato conosco, ou nós com elas.) Se quiserem, vocês podem trocar argumentos introspectivos profundos com seus amigos, família e colegas sobre o valor dos três termos restantes, e decidir sobre os números que vão entrar na sua estimativa do número total de civilizações com proficiência tecnológica em nossa galáxia. Se acreditarem, por exemplo, que a maioria dos planetas adequados para a vida produzem realmente vida, e que a maioria dos planetas com vida evoluem para formar civilizações inteligentes, vocês vão concluir que bilhões de planetas na Via Láctea produzem uma civilização inteligente em algum ponto na sua linha de tempo. Se concluírem, por outro lado, que apenas um único planeta adequado para a vida em mil produz realmente vida, e que apenas um único planeta com vida em mil evolui para uma vida inteligente, vocês terão apenas milhares, e não bilhões, de planetas com uma civilização inteligente. Essa enorme gama de respostas – potencialmente até mais ampla que os exemplos mostrados aqui – sugere que a equação de Drake apresenta, em vez de ciência, uma especulação louca e desenfreada? De jeito nenhum. Esse resultado simplesmente atesta o trabalho hercúleo que os cientistas, junto com todos os demais, enfrentam ao tentar encontrar uma resposta para uma questão extremamente complexa com base num conhecimento muito limitado.

A dificuldade com que nos defrontamos ao estimar os valores dos três últimos termos da equação de Drake sublinha o passo traiçoeiro que tomamos, sempre que fazemos uma extensa generalização a partir de um único exemplo – ou de nenhum exemplo. Somos pressionados, por exemplo, a estimar o período de vida médio de uma civilização na Via Láctea, quando nem sequer sabemos quanto tempo vai durar a nossa própria. Devemos abandonar toda a fé em nossas estimativas desses números? Isso enfatizaria nossa ignorância privando-nos da alegria da especulação. Se, na ausência de dados ou dogmas, procuramos especular conservadoramente, o caminho mais seguro (embora pudesse acabar se mostrando errôneo) baseia-se na noção de que não somos especiais. Os astrofísicos chamam essa pressuposição de "princípio copernicano" em alusão a Nicolau Copérnico, que, em meados do século XVI, colocou o Sol no meio de nosso sistema solar, onde se veio a saber que era realmente seu lugar. Até então, apesar de uma proposta do terceiro século a.C. sobre um universo centrado no Sol apresentada pelo filósofo grego Aristarco, o cosmos centrado na Terra tinha dominado a opinião popular durante a maior parte dos dois últimos milênios. Codificado pelos ensinamentos de Aristóteles e Ptolomeu, e pelas pregações da Igreja Católica Romana, esse dogma levou a maioria dos europeus a aceitar a Terra como o centro de toda a criação. Isso deve ter parecido autoevidente tanto pela visão dos céus como pelo resultado natural do plano de Deus para o planeta. Ainda hoje enormes segmentos da população humana da Terra – muito provavelmente uma maioria significativa – continuam a tirar essa conclusão do fato de que a Terra permanece aparentemente imóvel, enquanto o céu gira ao nosso redor.

Embora não tenhamos nenhuma garantia de que o princípio copernicano pode nos guiar corretamente em todas as investigações científicas, ele proporciona um contrapeso útil à nossa tendência natural de pensar em nós mesmos como especiais. Ainda mais importante é que o princípio tem uma excelente taxa de sucesso até agora, deixando-nos mais humildes a cada vez: a Terra não ocupa o centro de nosso sistema solar, nem o sistema solar ocupa o centro da galáxia da Via Láctea, nem a galáxia da Via Láctea o centro do universo. E caso você acredite que a beirada é um lugar especial, não estamos tampouco na beirada de nada. Portanto, uma atitude contemporânea sábia pressupõe que a vida sobre a Terra segue igualmente o princípio copernicano. Nesse caso, como pode a vida sobre a Terra, suas origens, seus componentes e estrutura, fornecer pistas sobre a vida em outro lugar no universo?

Ao tentar responder a essa questão, devemos digerir um enorme arranjo de informações biológicas. Para cada ponto dos dados do cosmos, recolhido por longas observações de objetos a enormes distâncias de nós, conhecemos milhares de fatos biológicos. A diversidade da vida nos deixa a todos, mas especialmente os biólogos, assombrados todos os dias. Neste único planeta Terra, coexistem (entre incontáveis outras formas de vida) algas, besouros, esponjas, águas-vivas, serpentes, condores e sequoias gigantes. Imaginem esses sete organismos vivos alinhados um ao lado do outro por ordem de tamanho. Se não tivesse mais conhecimentos, você teria dificuldade em acreditar que todos vieram do mesmo universo, muito menos do mesmo planeta. Tente descrever uma serpente para alguém que nunca viu uma na vida: "Você tem que me acreditar. Acabei de ver esse animal no planeta

Terra que (1) paralisa sua presa com detectores infravermelhos, (2) engole animais vivos inteiros até cinco vezes maiores que sua cabeça, (3) não tem braços, nem pernas, nem outros apêndices, mas (4) pode deslizar pelo chão plano tão rapidamente quanto você caminha!".

Em contraste com a espantosa variedade de vida sobre a Terra, a visão e criatividade acanhadas dos escritores de Hollywood que imaginam outras formas de vida são vergonhosas. Claro, os escritores provavelmente põem a culpa num público que prefere assombrações e invasores familiares a alienígenas verdadeiros. Mas com poucas notáveis exceções, como as formas de vida em *The Blob* (1958) (*A bolha assassina*) e no filme de Stanley Kubrick *2001:A Space Odyssey* (1968) (*2001: Uma odisseia no espaço*), todos os alienígenas de Hollywood parecem extraordinariamente humanoides. Não importa quão feios (ou bonitinhos) possam ser, quase todos têm dois olhos, um nariz, uma boca, duas orelhas, uma cabeça, um pescoço, ombros, braços, mãos, dedos, um torso, duas pernas, dois pés – e caminham. De um ponto de vista anatômico, essas criaturas são praticamente indistinguíveis dos humanos, mas vivem supostamente em outros planetas, os produtos de linhas independentes de evolução. Difícil encontrar uma violação mais clara do princípio copernicano.

A astrobiologia – o estudo das possibilidades para a vida extraterrestre – está entre as mais especulativas das ciências, mas os astrobiólogos já podem afirmar com segurança que a vida em outro lugar no universo, inteligente ou de outra forma, vai certamente parecer ao menos tão exótica quanto algumas das formas de vida na Terra, e muito provavelmente ainda mais exótica. Quando avaliamos as chances de vida em outro lugar no universo, devemos tentar tirar de nossos cérebros as noções implantadas por Hollywood. Não é tarefa fácil, mas essencial se esperamos chegar a uma estimativa antes científica que emocional de nossas chances de encontrar criaturas com quem entabular, talvez algum dia, uma conversação tranquila.

CAPÍTULO 15

A origem da vida sobre a Terra

A procura da vida no universo começa com uma pergunta profunda: o que é vida? Os astrobiólogos nos dirão com honestidade que essa questão não tem uma resposta simples ou aceita de modo geral. Não adianta dizer que a reconhecemos quando a vemos. Seja qual for a característica que especificamos para separar a matéria viva da matéria não viva sobre a Terra, sempre podemos encontrar um exemplo que embaça ou apaga essa distinção. Algumas ou todas as criaturas vivas crescem, movem-se ou deterioram-se, mas isso também acontece com objetos que nunca chamaríamos de vivos. A vida se reproduz? O fogo também. A vida evolui para produzir novas formas? Isso também se observa em certos cristais que crescem em soluções aquosas. Podemos certamente dizer que é possível reconhecer algumas formas de vida quando as vemos – quem deixaria de ver vida num salmão ou numa águia? – mas qualquer um familiarizado com a vida em suas diversas formas sobre a Terra admitirá que muitas criaturas permanecerão inteiramente despercebidas, até que o acaso e a habilidade de um conhecedor revele sua natureza viva.

Como a vida é curta, devemos seguir adiante com um critério improvisado, geralmente apropriado para a vida. Aqui está: a vida consiste em conjuntos de objetos que podem se reproduzir e evoluir. Não diremos que um grupo de objetos é vivo, simplesmente porque eles criam mais espécimes de si mesmos. Para serem qualificados como vida, eles também devem evoluir para novas formas com o passar do tempo. Essa definição elimina, portanto, a possibilidade de que qualquer objeto singular possa ser julgado vivo. Em vez disso, devemos examinar uma série de objetos no espaço e segui-los através do tempo. Essa definição da vida pode ainda se mostrar demasiado restritiva, mas por ora vamos empregá-la.

Quando examinaram os diferentes tipos de vida em nosso planeta, os biólogos descobriram uma propriedade geral da vida terrestre. A matéria dentro de cada criatura viva da Terra consiste principalmente em apenas quatro elementos químicos: hidrogênio, oxigênio, carbono e nitrogênio. Todos os outros elementos juntos contribuem menos de um por cento da massa de qualquer organismo vivo. Além dos quatro grandes, os elementos incluem pequenas quantidades de fósforo, que é o mais importante, sendo essencial para a maioria das formas de vida, junto com quantidades menores de enxofre, sódio, magnésio, cloro, potássio, cálcio e ferro.

Mas podemos concluir que essa propriedade elementar da vida sobre a Terra descreve igualmente outras formas de vida no cosmos? Aqui podemos aplicar o princípio copernicano com todo o vigor. Todos os quatro elementos que formam a maior parte da vida sobre a Terra aparecem na lista curta dos seis elementos mais abundantes no universo. Como os outros dois elementos nessa lista, o hélio e o neônio, quase nunca combinam com alguma outra coisa, a vida sobre a Terra consiste nos ingredientes mais abundantes e quimicamente ativos do cosmos. De todas as predições que podemos fazer sobre a vida em outros mundos, a mais segura parece ser que essa vida será feita de elementos quase iguais aos usados pela vida sobre a Terra. Se a vida em nosso planeta consistisse basicamente em quatro elementos muitíssimo raros no cosmos, como o nióbio, o bismuto, o gálio e o plutônio, teríamos uma excelente razão para suspeitar que representamos algo especial no universo. Em vez disso, a composição química da vida em nosso planeta nos inclina para uma visão otimista das possibilidades de vida além da Terra.

A composição da vida sobre a Terra convém ao princípio copernicano ainda mais do que se poderia inicialmente suspeitar. Se vivêssemos num planeta composto basicamente de hidrogênio, oxigênio, carbono e nitrogênio, o fato de que a vida consiste basicamente nesses quatro elementos não nos surpreenderia. Mas a Terra é composta principalmente de oxigênio, ferro, silício e magnésio, e suas camadas mais externas são na maior parte oxigênio, silício, alumínio e ferro. Apenas um desses elementos, o oxigênio, aparece na lista dos elementos mais abundantes da vida. Quando examinamos os oceanos da Terra, que são quase inteiramente hidrogênio e oxigênio, é surpreendente que a vida liste o carbono e o nitrogênio entre seus elementos mais abundantes, em vez do cloro, sódio, enxofre, cálcio ou potássio, que são os elementos mais comuns dissolvidos na água marítima. A distribuição dos elementos na vida sobre a Terra lembra muito mais a composição das estrelas que a da própria Terra. Como resultado, os elementos da vida são mais cosmicamente abundantes que os da Terra – um bom ponto de partida para aqueles que esperam encontrar vida numa legião de situações.

Uma vez estabelecido que as matérias-primas para a vida são abundantes em todo o cosmos, podemos prosseguir e perguntar: com que frequência essas matérias-primas, junto com um lugar no qual esses materiais podem se acumular, e uma fonte conveniente de energia como uma estrela próxima, levam à existência da própria vida? Um dia, quando tivermos feito um bom levantamento de possíveis sítios para a vida na vizinhança de nosso Sol, teremos uma resposta estatisticamente precisa para essa questão. Na ausência desses dados, devemos tomar um atalho para a resposta e perguntar: como é que a vida começou sobre a Terra?

A origem da vida sobre a Terra permanece presa em incertezas obscuras. Nossa ignorância sobre os primórdios da vida provém em grande parte do fato de que, quaisquer que tenham sido os eventos que fizeram a matéria inanimada adquirir vida, eles ocorreram há bilhões de anos e não deixaram vestígios definitivos. Para tempos mais remotos do que 4 bilhões de anos, não existe o registro fóssil e geológico da história da Terra. Mas o intervalo na história do sistema solar entre 4,6 e 4 bilhões de anos atrás – os primeiros 600 milhões de anos depois que o Sol e seus planetas se formaram – inclui a era em que a maioria dos paleobiólogos, especialistas em reconstruir a vida que existia durante épocas há muito desaparecidas, acredita que a vida apareceu pela primeira vez em nosso planeta.

A ausência de qualquer evidência geológica de épocas com mais de 4 bilhões de anos provém de movimentos da crosta da Terra, chamados familiarmente de deriva continental, mas conhecidos cientificamente como movimentos das placas tectônicas. Esses movimentos, impelidos pelo calor que irrompe do interior da Terra, exercem uma pressão contínua para que pedaços da crosta de nosso planeta deslizem, colidam e passem ao lado ou por cima uns dos outros. Os movimentos das placas tectônicas têm enterrado lentamente tudo que outrora estava na superfície da Terra. Como resultado, possuímos poucas rochas mais antigas que 2 bilhões de anos, e nenhuma com mais de 3,8 bilhões de anos. Esse fato, junto com a conclusão razoável de que as formas mais primitivas de vida tinham pouca chance de deixar evidências fósseis, privou nosso planeta de qualquer registro confiável de vida durante os primeiros 1 ou 2 bilhões de anos da Terra. A evidência definida mais antiga que temos para a vida sobre a Terra nos faz retroceder "apenas" 2,7 bilhões de anos, passado adentro, com indicações indiretas de que a vida existia mais de 1 bilhão de anos antes disso.

A maioria dos paleobiólogos acredita que a vida deve ter aparecido sobre a Terra há pelo menos 3 bilhões de anos, e muito possivelmente há mais de 4 bilhões de anos, dentro dos primeiros 600 milhões de anos depois que a Terra se formou. Sua conclusão se baseia numa suposição razoável sobre os organismos primitivos. Um pouco antes de 3 bilhões de anos atrás, quantidades significativas de oxigênio começaram a aparecer na atmosfera da Terra. Sabemos disso pelo registro geológico da Terra independentemente de quaisquer restos fósseis: o oxigênio promove o lento enferrujamento de rochas ricas em ferro, o que produz tons encantadores de vermelho como aqueles das rochas do Grand Canyon do Arizona. As rochas da era pré-oxigênio não exibem nenhuma dessas cores, nem outros sinais evidentes da presença do elemento.

O surgimento do oxigênio atmosférico foi a maior poluição que já ocorreu na Terra. O oxigênio atmosférico faz mais do que combinar com o ferro; também tira alimento das bocas (metafóricas) dos organismos primitivos combinando com todas as moléculas simples que do contrário poderiam ter providenciado nutrientes para as formas primitivas de vida. Como resultado, o surgimento do oxigênio na atmosfera da Terra significou que todas as formas de vida tinham de se adaptar ou morrer – e que se a vida ainda não tivesse surgido àquela altura, não poderia mais aparecer dali em diante, porque os futuros organismos não teriam nada para comer, uma vez que seus alimentos potenciais teriam enferrujado e desaparecido. A adaptação evolutiva a essa poluição funcionou bem em muitos casos, como todos os animais que respiram oxigênio podem atestar. Esconder-se do oxigênio também foi uma estratégia bem-sucedida. Até hoje o estômago de todo animal, inclusive o nosso, abriga bilhões de organismos que florescem no ambiente anóxico que proporcionamos, mas morreriam se expostos ao ar.

O que tornou a atmosfera da Terra relativamente rica em oxigênio? Grande parte do oxigênio veio de organismos diminutos flutuando nos mares, que liberavam oxigênio como parte de sua fotossíntese. Parte do oxigênio teria aparecido até na ausência de vida, quando o UV (ultravioleta) da luz solar rompeu algumas das moléculas H_2O nas superfícies dos oceanos, liberando átomos de hidrogênio e oxigênio no ar. Sempre que um planeta expõe quantidades significativas de água líquida à luz estelar, a atmosfera desse planeta deve ganhar oxigênio, lenta mas seguramente, ao longo de centenas de milhões ou bilhões de anos. Também nesse caso o oxigênio atmosférico impediria o surgimento da vida ao combinar com todos os possíveis nutrientes que poderiam sustentar a vida. O oxigênio mata! Não é o que estamos acostumados a dizer sobre esse oitavo elemento na tabela periódica, mas para a vida por todo o cosmos esse veredicto parece acurado: a vida deve começar cedo na história de um planeta, senão o surgimento de oxigênio na sua atmosfera dará cabo da vida para sempre.

Por uma estranha coincidência, a época ausente no registro geológico que inclui a origem da vida também abrange a assim chamada era de bombardeamento, que cobre aquelas primeiras centenas de milhões de anos críticos depois da formação da Terra. Todas as porções da superfície da Terra devem ter sofrido então uma contínua chuva de objetos. Durante aquelas várias centenas de milhares de milênios, objetos cadentes tão grandes como o que gerou a Cratera do Meteoro no Arizona devem ter atingido nosso planeta várias vezes em cada século, com objetos muito maiores, cada um com vários quilômetros de diâmetro, colidindo com a Terra a cada período de alguns milhares de anos. Cada um dos grandes impactos teria causado uma remodelagem local da superfície, de modo que cem mil impactos teriam produzido mudanças globais na topografia de nosso planeta.

Como é que esses impactos afetaram a origem da vida? Os biólogos nos dizem que eles talvez tenham desencadeado tanto o surgimento como a extinção da vida sobre a Terra, não apenas uma vez, mas muitas vezes. Grande parte do material cadente durante a era de bombardeamento consistia em cometas, que são essencialmente grandes bolas de neve carregadas de rochas diminutas e poeira. Sua "neve" cometária consiste em água congelada e dióxido de carbono congelado, chamado familiarmente de gelo seco. Além de sua neve, brita e rochas ricas em minerais e metais, os cometas que bombardearam a Terra durante suas primeiras centenas de milhões de anos continham muitos tipos diferentes de pequenas moléculas, como metano, amônia, álcool metílico, cianeto de hidrogênio e formaldeído. Essas moléculas, junto com a água, o monóxido de carbono e o dióxido de carbono, fornecem as matérias-primas para a vida. Todas consistem em hidrogênio, carbono, nitrogênio e oxigênio, e todas representam os primeiros passos na construção de moléculas complexas.

O bombardeamento cometário, portanto, parece ter fornecido para a Terra parte da água de seus oceanos e o material com que a vida podia começar. A própria vida poderia ter vindo nesses cometas, embora suas baixas temperaturas, tipicamente centenas de graus abaixo de zero Celsius, argumentem contra a formação de moléculas verdadeiramente complexas. Mas quer a vida tenha chegado com os cometas quer não, os maiores objetos a atingir a Terra durante a era do bombardeamento poderiam ter destruído a vida que surgira em nosso planeta. A vida talvez tenha começado, ao menos em suas formas mais primitivas, aos trancos e barrancos repetidas vezes, com todo novo conjunto de organismos sobrevivendo por centenas de milhares ou até milhões de anos, até que uma colisão com um objeto particularmente grande provocasse um estrago tal na Terra que toda a vida perecia, apenas para aparecer de novo, e ser destruída mais uma vez, depois da passagem de um período semelhante de tempo.

Podemos adquirir alguma confiança na origem aos trancos e barrancos da vida com base em dois fatos bem estabelecidos. Primeiro, a vida apareceu em nosso planeta antes mais cedo que mais tarde, durante a primeira terça parte do período de vida da Terra. Se a vida foi capaz de surgir e efetivamente surgiu num período de bilhões de anos, talvez pudesse ter aparecido em muito menos tempo. A origem da vida talvez não exigisse mais do que alguns milhões, ou algumas dezenas de milhões, de anos. Segundo, sabemos que as colisões entre grandes objetos e a Terra destruíram, a intervalos de tempo medidos em dezenas de milhões de anos, a maioria das espécies vivas em nosso planeta. A mais famosa dessas catástrofes, a extinção do Cretáceo--Terciário há 65 milhões de anos, matou todos os dinossauros não aviários, junto com enormes números de outras espécies. Até essa extinção em massa não chegou à altura da mais extensa, a extinção em massa do Permiano-Triássico, que destruiu quase 90% de todas as espécies de vida marinha e 70% de todas as espécies vertebradas terrestres há 252 milhões de anos, deixando os fungos como as formas dominantes de vida sobre a Terra.

As extinções em massa do Cretáceo-Terciário e do Permiano-Triássico surgiram das colisões da Terra com objetos de uma ou algumas dúzias de quilômetros de extensão. Os geólogos descobriram uma enorme cratera de impacto de 65 milhões de anos, coincidente no tempo com a extinção do Cretáceo-Terciário, que se estende pelo norte da Península do Yucatán e o fundo do mar adjacente. Existe uma grande cratera com a mesma idade da extinção do Permiano-Triássico, descoberta perto da costa noroeste da Austrália, mas essa morte em massa talvez tenha se originado de outro evento além de uma colisão, talvez de continuadas erupções vulcânicas. Até o exemplo singular da extinção dos dinossauros no Cretáceo-Terciário nos lembra do imenso dano à vida que o impacto de um cometa ou asteroide pode produzir. Durante a era de bombardeamento, a Terra deve ter cambaleado não só por esse tipo de impacto, mas também pelos efeitos muito mais sérios de colisões com objetos com diâmetros de 80, 160 ou até 400 quilômetros. Cada uma dessas colisões deve ter preparado o terreno para a vida, de forma completa ou tão minuciosamente que apenas uma diminuta porcentagem de organismos vivos conseguia sobreviver, e elas devem ter ocorrido com muito mais frequência que as colisões atuais com objetos de dezesseis quilômetros de extensão. Nosso presente conhecimento de astronomia, biologia, química e geologia aponta para uma Terra primitiva prestes a produzir vida, e para um ambiente cósmico prestes a eliminá-la. E onde quer que uma estrela e seus planetas recentemente se formaram, um intenso bombardeamento de destroços deixados pelo processo de formação pode estar eliminando, mesmo agora, todas as formas de vida nesses planetas.

Há mais de 4 bilhões de anos, a maioria dos destroços da formação do sistema solar colidiu com um planeta ou passou a se mover em órbitas nas quais as colisões não podiam ocorrer. Como resultado, nossa vizinhança cósmica mudou gradativamente, passando de uma região de contínuo bombardeamento para a calma global que desfrutamos hoje em dia, interrompida apenas em intervalos de vários milhões de anos por algumas colisões com objetos suficientemente grandes para ameaçar a vida sobre a Terra. Você pode comparar a ameaça dos impactos, a antiga ameaça e a que ainda está em andamento, sempre que olhar para a Lua cheia. As gigantescas planícies de lava que criam a face do "homem na Lua" são o resultado de tremendos impactos ocorridos há uns 4 bilhões de anos, quando terminou a era de bombardeamento, ao passo que a cratera chamada Tycho, com uma extensão de 88 quilômetros, surgiu de um impacto menor, mas ainda altamente significativo, que ocorreu pouco depois que os dinossauros desapareceram da Terra.

Não sabemos se a vida já existia há 4 bilhões de anos, tendo sobrevivido à tempestade primitiva dos impactos, ou se a vida surgiu sobre a Terra apenas depois que a relativa tranquilidade teve início. Essas duas alternativas incluem a possibilidade de que os novos objetos tenham semeado a vida em nosso planeta, durante a era do bombardeamento ou logo depois. Se a vida começou e morreu repetidas vezes enquanto o caos se precipitava dos céus, os processos pelos quais a vida se originava parecem robustos, de modo que podemos razoavelmente esperar que tenham ocorrido várias vezes em outros mundos semelhantes ao nosso. Por outro lado, se a vida surgiu sobre a Terra apenas uma vez, como vida desenvolvida na Terra ou como resultado de semeadura cósmica, sua origem talvez tenha ocorrido por sorte em nosso planeta.

Em qualquer um dos casos, a pergunta crucial de como a vida realmente começou sobre a Terra, apenas uma vez ou repetidas vezes, não tem boa resposta, embora a especulação sobre o assunto tenha adquirido uma longa e intrigante história. Grandes recompensas aguardam aqueles que conseguirem resolver esse mistério. Da costela de Adão ao monstro do Dr. Frankenstein, os humanos têm respondido à pergunta invocando um *elã vital* misterioso que de algum outro modo impregna a matéria inanimada de vida.

Os cientistas procuram sondar a questão mais profundamente, com experimentos e exames laboratoriais do registro fóssil que tentam estabelecer a altura da barreira entre a matéria inanimada e animada, e descobrir como a natureza rompeu esse obstáculo. As primeiras discussões científicas sobre a origem da vida imaginavam a interação de simples moléculas, concentradas em poças ou lagunas de maré, para criar outras mais complexas. Em 1871, uma dúzia de anos depois da publicação do maravilhoso livro de Charles Darwin A *origem das espécies*, em que ele especulava que "provavelmente todos os seres orgânicos que já viveram sobre esta Terra descendem de alguma forma primordial", Darwin escreveu a seu amigo Joseph Hooker que

> Diz-se frequentemente que todas as condições para a primeira produção de um organismo vivo estão agora presentes, que talvez sempre tivessem estado presentes. Mas se (e oh! que grande *se*!)

pudéssemos conceber, em alguma pequena lagoa quente, com todos os tipos de sais amoníacos e fosfóricos, luz, calor, eletricidade etc. presentes, que um composto de proteína [sic] fosse quimicamente formado, prestes a passar por mudanças ainda mais complexas, na época presente tal matéria seria instantaneamente absorvida, o que não teria sido o caso antes de criaturas vivas serem encontradas.

Em outras palavras, quando a Terra estava madura para a vida, os compostos básicos necessários para o metabolismo poderiam ter existido em demasia, sem que houvesse nada para comê-los (e, como temos discutido, nenhum oxigênio para combinar com eles e estragar suas chances de servirem de comida).

De uma perspectiva científica, nada tem mais sucesso do que experimentos que podem ser comparados com a realidade. Em 1953, procurando testar a concepção darwiniana da origem da vida em poças ou lagunas de maré, Stanley Miller, que era então um estudante americano de pós-graduação que trabalhava na Universidade de Chicago ao lado de Harold Urey, cientista laureado com o Nobel, executou um famoso experimento que reproduzia as condições dentro de uma poça de água altamente simplificada e hipotética na Terra primitiva. Miller e Urey encheram parcialmente um frasco de laboratório com água, e colocaram em cima da água uma mistura de vapor de água, hidrogênio, amônia e metano. Aqueceram o frasco por baixo, vaporizando parte dos conteúdos e impelindo-os ao longo de um tubo de vidro para dentro de outro frasco, onde uma descarga elétrica simulava o efeito de um raio. Dali a mistura retornava ao frasco original, completando um ciclo que seria repetido várias vezes durante alguns dias, em vez de alguns milhares de anos. Depois desse intervalo de tempo inteiramente modesto, Miller e Urey descobriram no frasco inferior uma água rica em "esterco orgânico", um composto de numerosas moléculas complexas, inclusive diferentes tipos de açúcar, bem como dois dos aminoácidos mais simples, alanina e guanina.

Como as moléculas da proteína consistem em vinte tipos de aminoácidos arranjados em diferentes formas estruturais, o experimento Miller-Urey nos leva, num tempo extraordinariamente breve, por uma significativa parte do caminho que vai das moléculas mais simples às moléculas dos aminoácidos, que formam os tijolos dos organismos vivos. O experimento Miller-Urey gerou também algumas das moléculas modestamente complexas chamadas de nucleotídeos, que provêm o elemento estrutural-chave para o DNA, a molécula gigante que carrega instruções para formar novas cópias de um organismo. Mesmo assim, ainda resta um longo caminho a percorrer antes que a vida surja de laboratórios experimentais. Uma lacuna enormemente significativa, até agora intransponível pelo experimento ou invenção humanos, separa a formação de aminoácidos – mesmo se os nossos experimentos produzirem todos os vinte aminoácidos, o que eles não fazem – e a criação da vida. As moléculas dos aminoácidos foram também encontradas em alguns dos meteoritos mais antigos e menos alterados, que se acredita terem permanecido intocados durante quase toda a história de 4,6 bilhões de anos do sistema solar. Isso sustenta a conclusão geral de que processos naturais podem fazer aminoácidos em muitas situações diferentes. Uma visão equilibrada dos resultados experimentais não encontra nada inteiramente surpreendente: as moléculas mais simples encontradas em organismos vivos se formam rapidamente em muitas situações, mas a vida não. Ainda permanece a questão-chave: como é que uma coleção de moléculas, mesmo preparadas para que a vida apareça, chega a gerar a própria vida?

Como a Terra primitiva não tinha semanas, mas muitos milhões de anos em que gerar a vida, os resultados experimentais de Miller-Urey pareciam sustentar o modelo "laguna das marés" para o início da vida. Hoje, entretanto, a maioria dos cientistas que procura explicar a origem da vida considera que o experimento foi muito limitado pelas suas técnicas. Sua mudança de atitude não aconteceu por duvidarem dos resultados do teste, mas antes por reconhecerem uma falha potencial nas hipóteses subjacentes ao experimento. Para compreender essa falha, devemos considerar o que a biologia moderna tem demonstrado sobre as formas mais antigas de vida.

A biologia evolutiva conta agora com o estudo cuidadoso das semelhanças e diferenças entre criaturas vivas nas suas moléculas DNA e RNA, portadoras das informações que dizem a um organismo como funcionar e como se reproduzir. Uma comparação cuidadosa dessas moléculas relativamente enormes e complexas tem permitido aos biólogos, dentre os quais o grande pioneiro é Carl Woese, criar uma árvore evolutiva da vida que registra as "distâncias evolutivas" entre várias formas de vida, conforme determinado pelos estágios em que essas formas de vida têm DNA e RNA não idênticos.

A árvore da vida consiste em três grandes ramos, Archaea, Bacteria e Eucarya, que substituem os "reinos" biológicos que outrora se acreditava serem fundamentais. A Eucarya inclui todo organismo cujas células individuais têm um centro ou núcleo bem definido contendo o material genético que rege a reprodução das células. Essa característica torna Eucarya mais complexa que os outros dois tipos, e na verdade toda forma de vida familiar ao não especialista pertence a esse ramo. Podemos razoavelmente concluir que Eucarya surgiu mais tarde que Archaea ou Bacteria. E como Bacteria está mais longe da origem da árvore da vida do que Archaea – pela simples razão de que seus DNA e RNA mudaram mais – Archaea, como seu nome sugere, representa quase certamente as formas mais antigas de vida. Agora vem algo chocante: ao contrário de Bacteria e Eucarya, Archaea consiste principalmente em "extremófilos", organismos que sentem prazer em viver, e vivem por sentir prazer, no que agora chamamos de condições extremas: temperaturas perto ou acima do ponto de ebulição da água, alta acidez, ou outras situações que matariam outras formas de vida. (Claro, se tivessem seus próprios biólogos, os extremófilos se classificariam como normais e qualquer vida que prospera à temperatura ambiente como um extremófilo.) A pesquisa moderna sobre a árvore da vida tende a sugerir que a vida começou com os extremófilos, e apenas mais tarde evoluiu para formas de vida que se beneficiam do que denominamos condições normais.

Nesse caso, a "pequena lagoa quente" de Darwin, bem como as poças das marés reproduzidas no experimento Miller-Urey, evaporar-se-iam na névoa das hipóteses rejeitadas. Desapareceriam os ciclos relativamente amenos de secagem e umedecimento. Em vez disso, aqueles que procuram encontrar os lugares onde a vida pode ter se iniciado teriam de examinar locais onde uma água extremamente quente, possivelmente carregada de ácidos, brota da terra.

As últimas décadas têm permitido que os oceanógrafos descubram exatamente esses lugares, junto com as formas estranhas de vida que eles sustentam. Em 1977, dois oceanógrafos pilotando um veículo submersível no mar profundo descobriram os primeiros respiradouros das profundezas do mar, dois quilômetros e quatrocentos metros abaixo da superfície calma do oceano Pacífico perto das ilhas Galápagos. Nesses respiradouros, a crosta da Terra se comporta no local como um fogão caseiro, gerando alta pressão como em uma panela de pressão, e aquecendo a água além de sua temperatura normal de ebulição sem deixá-la atingir uma fervura real. Quando a tampa se levanta parcialmente, a água pressurizada e superaquecida jorra de um ponto abaixo da crosta da Terra para dentro das bacias oceânicas frias.

A água marinha superaquecida que emerge desses respiradouros traz minerais dissolvidos que se agrupam e solidificam rapidamente para esculpir os respiradouros com chaminés gigantes de rocha porosa, mais quentes nos seus centros e mais frias nas beiradas que têm contato direto com a água marinha. Nesse gradiente de temperatura, vivem incontáveis formas de vida que nunca viram o Sol e não se interessam pelo calor solar, embora precisem do oxigênio dissolvido na água marinha, o qual, por sua vez, provém da existência de vida movida a luz solar perto da superfície. Esses micróbios resistentes vivem de energia geotérmica, que combina o calor que restou da formação da Terra com o calor continuamente produzido pela desintegração radioativa de isótopos instáveis como o alumínio-26, que dura milhões de anos, e o potássio-40, que dura bilhões de anos.

Perto desses respiradouros, muito abaixo das profundezas onde nenhuma luz solar penetra, os oceanógrafos encontraram vermes tubulares tão compridos quanto um homem, prosperando entre grandes colônias de bactérias e outras pequenas criaturas. Em vez de extrair sua energia da luz solar, como as plantas fazem com a fotossíntese, a vida perto dos respiradouros do mar profundo depende da "quimiossíntese", a produção de energia por reações químicas, que, por sua vez, dependem do calor geotérmico.

Como é que a quimiossíntese acontece? A água quente que esguicha dos respiradouros do mar profundo emerge carregada de compostos hidrogênio-enxofre e hidrogênio-ferro. As bactérias perto dos respiradouros combinam essas moléculas com os átomos de hidrogênio e oxigênio das moléculas de dióxido de carbono dissolvidas na água do mar. Essas reações formam moléculas maiores – carboidratos – a partir de átomos de carbono, oxigênio e hidrogênio. Assim as bactérias perto dos respiradouros do mar profundo imitam as atividades de suas primas lá do alto, que fazem igualmente carboidratos a partir do carbono, oxigênio e hidrogênio. Um dos grupos de microrganismos extrai da luz solar a energia para fazer os carboidratos, e o outro, das reações químicas nos leitos do oceano. Perto dos respiradouros do fundo do mar, outros organismos consomem as bactérias que fazem os carboidratos, tirando proveito da sua energia assim como os animais comem plantas, ou comem animais que comem plantas.

Nas reações químicas perto dos respiradouros do fundo do mar, entretanto, acontecem mais coisas além da produção de moléculas de carboidratos. Os átomos de ferro e enxofre, que não são incluídos na molécula de carboidrato, combinam para criar compostos próprios, em especial cristais de pirita de ferro, chamados familiarmente de "ouro dos tolos", conhecidos dos antigos gregos como "pedra de fogo", porque um bom golpe de outra pedra arrancará centelhas dela. A pirita de ferro, o mais abundante dos minerais que contêm enxofre encontrados sobre a Terra, talvez tenha desempenhado um papel crucial na origem da vida ao encorajar a formação de moléculas de carboidratos. Essa hipótese proveio da mente de um alemão, advogado de patentes e biólogo amador, Günter Wächtershäuser, cuja profissão não o exclui da especulação biológica, assim como o trabalho de Einstein como advogado de patentes não lhe barrou a compreensão da física. (Sem dúvida, Einstein tinha um grau acadêmico avançado em física, enquanto Wächtershäuser é sobretudo autodidata em biologia e química.)

Em 1994, Wächtershäuser propôs que as superfícies de cristais de pirita de ferro, formados naturalmente pela combinação do ferro e enxofre que brotavam dos respiradouros do mar profundo no início da história da Terra, teriam oferecido sítios naturais onde moléculas ricas em carbono podiam se acumular, adquirindo novos átomos de carbono do material ejetado pelos respiradouros próximos. Como aqueles que propuseram que a vida começou em poças ou lagunas das marés, Wächtershäuser não tem nenhum caminho claro pelo qual se passe dos tijolos para as criaturas vivas. Ainda assim, com sua ênfase na origem da vida em altas temperaturas, ele pode vir a estar na pista correta, como firmemente acredita. Referindo-se à estrutura altamente ordenada dos cristais de pirita de ferro, em cujas superfícies as primeiras moléculas complexas para a vida poderiam ter se formado, Wächtershäuser tem confrontado seus críticos em conferências científicas com a afirmação extraordinária de que "Alguns dizem que a origem da vida cria ordem a partir do caos – mas eu digo, 'ordem a partir da ordem a partir da ordem!'". Pronunciada com brio alemão, essa declaração adquire uma certa ressonância, embora só o tempo possa dizer qual seria seu possível grau de acerto.

Assim, que modelo básico para a origem da vida tem mais probabilidade de se mostrar correto – as lagunas das marés na beira do oceano, ou os respiradouros superaquecidos nos leitos do oceano? Por ora, as apostas estão empatadas. Alguns especialistas em origem da vida têm questionado a afirmação de que as formas mais antigas da vida viveram em altas temperaturas, porque os presentes métodos para colocar os organismos em diferentes pontos ao longo dos ramos da árvore da vida continuam tema para debate. Além disso, os programas de computador que delineiam quantos compostos de tipos diferentes existiam em antigas moléculas RNA, as primas próximas do DNA que aparentemente precederam o DNA na história da vida, sugerem que os compostos beneficiados pelas altas temperaturas só apareceram depois de a vida ter passado por uma história de temperatura relativamente baixa.

Assim o resultado de nossas melhores pesquisas, como acontece frequentemente em ciência, se mostra perturbador para aqueles que buscam certezas. Embora possamos afirmar aproximadamente quando a vida começou sobre a Terra, não sabemos onde ou como ocorreu esse evento maravilhoso. Recentemente, os paleobiólogos deram ao ancestral elusivo de toda a vida terrestre o nome de LUCA, a sigla em inglês para o último ancestral comum universal. (Vejam com que firmeza as mentes desses cientistas continuaram fixadas em nosso planeta: deveriam chamar o progenitor da vida LECA, a sigla em inglês para o último ancestral comum terrestre.) Por ora, nomear esse ancestral – um conjunto de organismos primitivos que partilhavam os mesmos genes – sublinha principalmente a distância que ainda temos de percorrer antes de podermos abrir o véu que se interpõe entre a origem da vida e nossa compreensão.

Bem mais do que uma curiosidade natural quanto a nossos primórdios depende da resolução dessa questão. Diferentes origens para a vida implicam possibilidades diferentes para sua origem, evolução e sobrevivência, tanto aqui como em qualquer outro lugar no cosmos. Por exemplo, os leitos dos oceanos da Terra talvez propiciem o ecossistema mais estável de nosso planeta. Se um asteroide colossal batesse na Terra e extinguisse toda a vida da superfície, os extremófilos oceânicos continuariam quase certamente destemidos na sua maneira alegre de ser. Talvez até evoluíssem para repovoar a Terra depois de cada episódio de extinção. E se o Sol fosse misteriosamente arrancado do centro do sistema solar e a Terra ficasse à deriva através do espaço, esse evento não mereceria atenção na imprensa dos extremófilos, pois a vida perto dos respiradouros do mar profundo poderia continuar relativamente sem perturbação. Mas em 5 bilhões de anos, o Sol se tornará uma gigante vermelha ao se expandir para preencher o sistema solar interno. Enquanto isso, os oceanos da Terra vão entrar em ebulição e desaparecer, e a própria Terra vai se tornar parcialmente vapor. Ora, isso sim seria manchete para qualquer forma de vida da Terra.

A ubiquidade dos extremófilos sobre a Terra nos leva a uma profunda questão: poderia existir vida dentro de muitos dos planetas ou planetesimais vagabundos que foram ejetados do sistema solar durante sua formação? Seus reservatórios "geo"térmicos poderiam durar por bilhões de anos. E que dizer dos incontáveis planetas que foram forçosamente ejetados por qualquer outro sistema solar que já se formou? O espaço interestelar poderia estar fervilhando de vida –

formada e evoluída bem dentro desses planetas sem estrela? Antes que reconhecessem a importância dos extremófilos, os astrofísicos presumiam uma "zona habitável" ao redor de cada estrela, dentro da qual a água ou alguma outra substância pudesse se manter como líquido, permitindo que as moléculas flutuassem, interagissem e produzissem moléculas mais complexas. Hoje em dia, devemos modificar esse conceito, de modo que longe de ser uma região organizada ao redor de uma estrela que recebe apenas a quantidade exata de luz solar, uma zona habitável pode estar em todo e qualquer lugar, mantida não pelo calor da luz estelar, mas por fontes de calor localizadas, frequentemente geradas por rochas radioativas. A cabana dos Três Ursos não era, talvez, um lugar especial entre os contos de fada. A residência de qualquer pessoa, até mesmo a casa de um dos Três Porquinhos, talvez contenha uma tigela de comida a uma temperatura que é exatamente a correta.

Que conto de fadas promissor, até previdente, esta história pode vir a ser. Longe de ser rara e preciosa, a vida talvez seja tão comum quanto os próprios planetas. Só nos resta sair à sua procura.

CAPÍTULO 16

Procurando por vida no sistema solar

A possibilidade de vida mais além da Terra tem criado novos nomes de ofícios, aplicáveis apenas a alguns indivíduos, mas potencialmente capazes de crescimento repentino. Os "astrobiólogos" ou "bioastrônomos" lidam com as questões apresentadas pela vida mais além da Terra, quaisquer que sejam as formas que essa vida possa assumir. Por ora, os astrobiólogos só podem especular sobre a vida extraterrestre ou simular condições extraterrestres, às quais eles expõem as formas de vida terrestre, testando como poderiam sobreviver a situações duras e desconhecidas, ou submetem misturas de moléculas inanimadas, criando uma variante do experimento clássico de Miller-Urey ou um comentário sobre a pesquisa de Wächtershäuser. Essa combinação de especulação e experimento os tem levado a várias conclusões geralmente aceitas, que – na medida em que descrevem o universo real – possuem implicações altamente significativas. Os astrobiólogos agora acreditam que a existência da vida por todo o universo requer:

1. uma fonte de energia;
2. um tipo de átomo que permita a existência de estruturas complexas;
3. um solvente líquido em que as moléculas possam flutuar e interagir; e
4. tempo suficiente para que a vida nasça e evolua.

Nessa lista curta, os requisitos (1) e (4) apresentam apenas barreiras baixas à origem da vida. Toda estrela no cosmos fornece uma fonte de energia, e à exceção das mais massivas que constituem 1% do número total, as estrelas duram centenas de milhões ou bilhões de anos. O nosso Sol, por exemplo, tem fornecido à Terra um suprimento constante de calor e luz durante os últimos 5 bilhões de anos, e vai continuar a fazê-lo por mais 5 bilhões de anos. Além disso, percebemos agora que a vida pode existir sem luz solar, tirando sua energia do aquecimento geotérmico e de reações químicas. A energia geotérmica provém em parte da radioatividade de isótopos de elementos como o potássio, o tório e o urânio, cuja desintegração ocorre ao longo de escalas de tempo medidas em bilhões de anos – uma escala de tempo comparável ao período de vida de todas as estrelas semelhantes ao Sol.

Sobre a Terra, a vida satisfaz o ponto (2), o requisito de um átomo construtor de estruturas, com o elemento carbono. Cada átomo de carbono pode se ligar com um, dois, três ou quatro outros átomos, o que o torna o elemento crucial na estrutura de toda a vida que conhecemos. Em contraste, cada átomo de hidrogênio pode se ligar a somente um outro átomo, e o oxigênio a somente um ou dois. Como os átomos de carbono podem se ligar com até quatro outros átomos, eles formam a "espinha dorsal" para todas as – menos as mais simples – moléculas dentro de organismos vivos, tais como proteínas e açúcares.

A capacidade do carbono de criar moléculas complexas o transformou num dos quatro elementos mais abundantes, junto com o hidrogênio, o oxigênio e o nitrogênio, em todas as formas de vida sobre a Terra. Vimos que, embora os quatro elementos mais abundantes na crosta da Terra tenham apenas uma correspondência com esses quatro acima citados, os seis elementos mais abundantes no universo incluem todos os quatro presentes na vida da Terra, junto com os gases inertes hélio e neônio. Esse fato poderia sustentar a hipótese de que a vida sobre a Terra começou nas estrelas, ou em objetos cuja composição se parece com a das estrelas. Em todo caso, o fato de que o carbono forma uma fração relativamente pequena da superfície da Terra, mas uma grande parte de qualquer criatura viva, atesta o papel essencial do carbono em dar estrutura à vida.

O carbono é essencial para a vida em todo o cosmos? E que dizer do elemento silício, que aparece frequentemente em romances de ficção científica como o átomo estrutural básico para formas exóticas de vida? Como o carbono, os átomos de silício se ligam com até quatro outros átomos, mas a natureza dessas ligações deixa o silício muito menos propenso que o carbono a fornecer a base estrutural para moléculas complexas. O carbono se liga com outros átomos de forma bastante fraca, de modo que as ligações carbono-oxigênio, carbono-hidrogênio e carbono-carbono, por exemplo, rompem-se com relativa facilidade. Isso permite que moléculas baseadas em carbono formem novos tipos quando colidem e interagem, uma parte essencial da atividade metabólica de qualquer forma de vida. Em contraste, o silício se liga fortemente com muitos outros tipos de átomos, e em particular com o oxigênio. A crosta da Terra é composta em grande parte de rochas de silicato feitas basicamente de átomos de silício e oxigênio, ligados com resistência suficiente para durar por milhões de anos, e, portanto, indisponíveis para participar na formação de novos tipos de moléculas.

A diferença entre a maneira como os átomos de silício e carbono se ligam a outros átomos é um indício forte de que podemos esperar encontrar a maioria, senão a totalidade, das formas de vida extraterrestre, construída como somos, com espinhas dorsais de carbono, e não de silício, por causa de suas moléculas. Afora o carbono e o silício, apenas tipos relativamente exóticos de átomos, com abundâncias cósmicas muito inferiores às do carbono e silício, podem se ligar com até quatro outros átomos. Por motivos puramente numéricos, parece altamente remota a possibilidade de que a vida use átomos como o germânio, assim como a vida na Terra usa o carbono.

O requisito número (3) especifica que todas as formas de vida precisam de um solvente líquido em que as moléculas possam flutuar e interagir. A palavra "solvente" enfatiza que um líquido permite essa situação de flutuação e interação, no que os químicos chamam de uma "solução". Os líquidos permitem concentrações relativamente elevadas de moléculas, mas não impõem restrições severas a seus movimentos. Em contraste, os sólidos trancam os átomos e as moléculas no lugar. Eles realmente podem colidir e interagir, mas o fazem muito mais lentamente que em líquidos. Em gases, as moléculas vão se movimentar ainda mais livremente que em líquidos, e podem colidir com ainda menos impedimentos, mas suas colisões e interações ocorrem com muito menos frequência que em líquidos, porque a densidade dentro de um líquido tipicamente excede a existente dentro de um gás por um fator de 1.000 ou mais. "Se tivéssemos apenas bastante mundo e tempo", escreveu Andrew Marvell, poderíamos encontrar a vida originando-se em gases em vez de em líquidos. No cosmos real, com apenas 14 bilhões de anos, os astrobiólogos não esperam encontrar vida que se iniciou no gás. Em vez disso, esperam que toda a vida extraterrestre, como toda a vida sobre a Terra, consista em bolsas de líquido, dentro das quais processos químicos complexos ocorrem quando diferentes tipos de moléculas colidem e formam novos tipos.

Esse líquido tem de ser água? Vivemos num planeta aquoso cujos oceanos cobrem quase três quartos da superfície. Isso nos torna únicos em nosso sistema solar, e possivelmente um planeta muito inusitado em qualquer lugar de nossa galáxia da Via Láctea. A água, que consiste em moléculas feitas com dois dos elementos mais abundantes no cosmos, aparece pelo menos em quantidades modestas em cometas, meteoroides e na maioria dos planetas do Sol e suas luas. Por outro lado, a água líquida no sistema solar existe apenas sobre a Terra e abaixo da superfície gelada da grande lua de Júpiter, Europa, cujo oceano global coberto continua a ser apenas uma probabilidade, e não uma realidade verificada. Outros compostos poderiam oferecer melhores chances para mares ou lagoas líquidos, dentro dos quais as moléculas pudessem encontrar o caminho para a vida? Os três compostos mais abundantes que podem continuar líquidos dentro de uma gama significativa de temperaturas são a amônia, o etano e o álcool metílico. Cada molécula de amônia consiste em três átomos de hidrogênio e um átomo de nitrogênio, o etano em dois átomos de hidrogênio e seis átomos de carbono, e o álcool metílico em quatro átomos de hidrogênio, um átomo de carbono e um átomo de oxigênio. Quando consideramos as possibilidades para a vida extraterrestre, podemos razoavelmente pensar em criaturas que usam amônia, etano ou álcool metílico, assim como a vida da Terra emprega água – como o líquido fundamental dentro do qual a vida presumivelmente se originou, e que fornece o meio dentro do qual as moléculas podem flutuar em seu trajeto para a glória. Os quatro planetas gigantes do Sol possuem enormes quantidades de amônia, junto com quantidades menores de álcool metílico e etano; e a grande lua de Saturno, Titã, pode muito bem ter lagos de etano líquido na sua frígida superfície.

A escolha de um tipo particular de molécula como o líquido básico vital indica imediatamente outro requisito para a vida: a substância deve permanecer líquida. Não esperaríamos que a vida se originasse na calota polar da Antártica, ou em nuvens ricas em vapor de água, porque precisamos de líquidos que permitam interações moleculares abundantes. Sob pressões atmosféricas como as que existem na superfície da Terra, a água permanece líquida entre 0 e 100 graus Celsius (32 a 212 graus Fahrenheit). Todos os três tipos alternativos de solventes permanecem líquidos dentro de gamas de temperatura que se estendem muito abaixo da que vale para a água. A amônia, por exemplo, congela a -78 graus Celsius e evapora a -33 graus. Isso impede que a amônia forneça um solvente líquido para a vida sobre a Terra, mas num mundo com uma temperatura 75 graus mais fria que a nossa, onde a água nunca serviria como um solvente para a vida, a amônia bem que poderia ser o talismã.

A característica distintiva mais importante da água não consiste em sua merecida insígnia de "solvente universal", sobre a qual aprendemos na aula de química, nem na ampla gama de temperaturas em que a água permanece líquida. O atributo mais extraordinário da água reside no fato de que, enquanto a maioria das coisas – a água inclusive – se encolhe e se torna mais densa ao esfriar, a água que esfria abaixo de 4 graus Celsius se expande, tornando-se progressivamente menos densa enquanto a temperatura segue caindo para zero. E então, quando congela a 0 grau Celsius, a água se transforma numa substância ainda menos densa que a água líquida. O gelo flutua, o que é uma notícia muito boa para os peixes. Durante o inverno, quando a temperatura do ar exterior cai abaixo do ponto de congelamento, a água a 4 graus vai para o fundo e ali permanece, porque é mais densa que a água mais fria acima, enquanto uma camada flutuante de gelo se forma muito lentamente sobre a superfície, isolando a água mais quente embaixo.

Sem essa inversão de densidade abaixo de 4 graus, as lagoas e os lagos congelariam de baixo para cima, e não de cima para baixo. Sempre que a temperatura do ar exterior caísse abaixo do ponto de congelamento, a superfície superior de uma lagoa esfriaria e iria para o fundo, enquanto a água mais quente subiria lá de baixo. Essa convecção forçada faria a temperatura da água cair rapidamente para zero grau, quando a superfície então começava a congelar. Já mais denso, o gelo sólido iria para o fundo. Se todo o corpo de água não congelasse de baixo para cima numa única estação, a acumulação de gelo no fundo permitiria que o congelamento total acontecesse no decorrer de muitos anos. Num tal mundo, o esporte da pesca no gelo produziria ainda menos resultados do que rende hoje em dia, porque todos os peixes estariam mortos – frescos, congelados. Os pescadores de caniço se veriam numa camada de gelo que estaria ou submersa abaixo de toda a água líquida restante, ou em cima de um corpo de água completamente congelado. Ninguém precisaria mais de quebra-gelos para atravessar o Ártico congelado – ou todo o oceano Ártico estaria sólido e congelado, ou as partes congeladas teriam se acumulado no fundo e os navios poderiam navegar sem incidentes. Você poderia escorregar e deslizar em lagos e lagoas sem medo de romper o gelo e cair dentro da água. Nesse mundo alterado, os cubos de gelo e os *icebergs* afundariam, de modo que em abril de 1912, o *Titanic* teria entrado com segurança no porto da cidade de Nova York, não afundável (e não afundado) conforme assegurava a propaganda.

Por outro lado, nosso preconceito de quem vive em latitudes medianas talvez esteja se manifestando aqui. A maioria dos oceanos da Terra não corre o risco de congelar, nem de cima para baixo, nem de baixo para cima. Se o gelo afundasse, o oceano Ártico poderia se tornar sólido, e o mesmo poderia acontecer com os Grandes Lagos e o mar Báltico. Esse efeito poderia ter tornado o Brasil e a Índia potências mundiais maiores, à custa da Europa e dos Estados Unidos, mas a vida sobre a Terra teria persistido e florescido da mesma maneira.

Por enquanto, vamos adotar a hipótese de que a água tem vantagens tão significativas em relação a seus principais rivais, a amônia e o álcool metílico, que a maior parte, senão a totalidade, das formas de vida extraterrestre deve contar com o mesmo solvente usado pela vida sobre a Terra. Armados com essa suposição, junto com a abundância geral das matérias-primas para a vida, a prevalência dos átomos de carbono e os longos períodos de tempo disponíveis para o surgimento e evolução da vida, vamos fazer um circuito pelos nossos vizinhos, remodelando a pergunta antiga – Onde está a vida? – para uma mais moderna – Onde está a água?

Se fosse julgar a questão pela aparência de alguns lugares secos e inóspitos em nosso sistema solar, você poderia concluir que a água, embora abundante sobre a Terra, é considerada uma mercadoria rara em outros lugares na nossa galáxia. Mas de todas as moléculas que podem ser formadas com três átomos, a água é de longe a mais abundante, em grande parte porque os dois componentes da água, o hidrogênio e o oxigênio, ocupam as posições um e três na lista de abundâncias. Isso sugere que, em vez de perguntar por que alguns objetos têm água, deveríamos perguntar por que eles não possuem grandes quantidades dessa simples molécula.

Como é que a Terra adquiriu seus oceanos de água? O registro quase primitivo de crateras na Lua nos diz que objetos impactantes têm atingido o nosso satélite durante toda a sua história. Podemos razoavelmente esperar que a Terra tenha passado igualmente por muitas colisões. Na verdade, o tamanho maior e a gravidade mais forte da Terra indicam que devemos ter sido atingidos muito mais vezes do que a Lua, e por objetos maiores. Foi o que aconteceu, desde seu nascimento até o presente. Afinal, a Terra não eclodiu de um vazio interestelar, passando a existir como uma bolha esférica pré-formada. Em vez disso, nosso planeta cresceu dentro da nuvem de gás em contração que formou o Sol e seus outros planetas. Nesse processo, a Terra cresceu agregando uma quantidade enorme de pequenas partículas sólidas, e finalmente por meio de incessantes impactos de asteroides ricos em minerais e de cometas ricos em água. Quão incessantes? A taxa primitiva de impacto dos cometas pode ter sido suficientemente grande para nos trazer a água de todos os oceanos. Incertezas (e controvérsias) continuam a circundar essa hipótese. A água que observamos no cometa Halley tem quantidades muito maiores de deutério que a da Terra, um isótopo de hidrogênio que carrega um nêutron extra dentro de seu núcleo. Se os oceanos da Terra chegaram em cometas, aqueles que atingiram a Terra logo depois da formação do sistema solar deviam ter uma composição química notavelmente diferente dos cometas atuais, ou ao menos diferente da classe de cometa a que pertence o Halley.

Em todo caso, quando acrescentamos a contribuição dos cometas ao vapor de água cuspido na atmosfera por erupções vulcânicas, não temos escassez de caminhos pelos quais a Terra poderia ter adquirido seu suprimento de água na superfície.

Se você procura um lugar sem água e sem ar para visitar, não precisa ir mais longe do que até a Lua da Terra. A pressão atmosférica quase zero da Lua, combinada com seus dias de duas semanas quando a temperatura se eleva a 200 graus Fahrenheit (93° Celsius), faz com que qualquer água se evapore rapidamente. Durante a noite lunar de duas semanas, a temperatura pode cair a 250 graus abaixo de zero (-156° Celsius), o suficiente para congelar praticamente qualquer coisa. Portanto, os astronautas da *Apollo*, que visitaram a Lua, levaram toda a água e ar (e ar condicionado) de que precisavam para sua viagem de ida e volta.

Seria bizarro, entretanto, que a Terra tivesse adquirido uma grande quantidade de água, enquanto a Lua vizinha não ganhou quase nada. Uma possibilidade, certamente verdadeira ao menos em parte, é que a água se evaporou da superfície da Lua com muito mais facilidade por causa da menor gravidade da Lua. Outra possibilidade sugere que as missões lunares podem acabar não precisando importar água, nem o sortimento de produtos dela derivados. As observações feitas pelo orbitador lunar *Clementine*, que carregava um instrumento para detectar os nêutrons produzidos quando partículas interestelares velozes colidem com átomos de hidrogênio, confirmam a declaração há muito discutida de que depósitos de gelo profundo podem se manter ocultos embaixo das crateras perto dos polos norte e sul da Lua. Se a Lua recebe um número médio de impactos dos destroços interplanetários por ano, a mistura desses objetos impactantes deve incluir, de tempos em tempos, cometas bem grandes ricos em água, como aqueles que atingem a Terra. Qual o tamanho possível desses cometas? O sistema solar contém muitos cometas que poderiam se derreter num lamaçal do tamanho do estado de Alagoas, por exemplo.

Embora não possamos esperar que um lago recém-formado sobreviva a muitos dias lunares torrados pelo Sol a temperaturas de 200 graus (93º Celsius), qualquer cometa que por acaso se espatifasse no fundo de uma cratera profunda perto de um dos polos da Lua (ou que por acaso abrisse ele próprio uma profunda cratera polar) permaneceria imerso na escuridão, porque as crateras profundas perto dos polos lunares são os únicos lugares sobre a Lua onde o "Sol não brilha". (Se você achava que a Lua tem um lado escuro perpétuo, foi enganado por muitas fontes, inclusive provavelmente pelo álbum de Pink Floyd de 1973, *O lado escuro da Lua*.) Como sabem os habitantes famintos de luz do Ártico e da Antártida, o Sol nessas regiões nunca se eleva bem alto no céu em qualquer hora do dia ou em qualquer estação do ano. Agora imagine viver no fundo de uma cratera cuja borda se eleva mais alto do que a maior altitude que o Sol já alcançou. Sem o ar para espalhar a luz solar nas sombras, você viveria numa eterna escuridão.

Entretanto, mesmo na fria escuridão, o gelo se evaporaria lentamente. Basta olhar para os cubos de gelo na bandeja do congelador depois de seu retorno de umas férias longas: os tamanhos dos cubos serão nitidamente menores do que quando você partiu. Entretanto, se o gelo foi bem misturado com partículas sólidas (como ocorre num cometa), ele pode sobreviver por milhares e milhões de anos na base das profundas crateras polares da Lua. Qualquer posto avançado que poderíamos estabelecer sobre a Lua se beneficiaria muito de estar localizado perto desse lago. À parte as vantagens óbvias de ter gelo para derreter, filtrar e depois beber, poderíamos também lucrar dissociando o hidrogênio de seus átomos de oxigênio. O hidrogênio, e mais um pouco do oxigênio, poderiam ser usados como ingredientes ativos para combustível de foguete, e ainda daria para guardar o resto do oxigênio para respirar. E em nosso tempo livre entre missões espaciais, talvez preferíssemos patinar um pouco.

Embora Vênus tenha quase o mesmo tamanho e massa da Terra, vários atributos distinguem nosso planeta irmão de todos os outros planetas no sistema solar, especialmente sua atmosfera de dióxido de carbono, densa, grossa e altamente reflexiva, que exerce uma pressão sobre a superfície cem vezes igual à da atmosfera da Terra. Exceto as criaturas marinhas habitantes das profundezas, que vivem sob pressões semelhantes, todas as formas de vida terrestre seriam esmagadas até a morte em Vênus. Mas a característica mais peculiar de Vênus reside nas crateras relativamente jovens espalhadas de maneira uniforme sobre sua superfície. Essa descrição aparentemente inócua indica que uma catástrofe recente em todo o planeta zerou o relógio das crateras – e com isso nossa capacidade de datar a superfície de um planeta pela formação de crateras – apagando as evidências de todos os impactos anteriores. Um fenômeno climático erosivo de monta, como uma inundação em todo o planeta, também poderia ter provocado esse efeito. Mas o mesmo poderia ter acontecido em virtude de uma atividade geológica (deveríamos dizer venuslógica?) em todo o planeta, como fluxos de lava que poderiam ter transformado a superfície inteira de Vênus no sonho automotivo americano – um planeta totalmente pavimentado. Quaisquer que tenham sido os eventos que zeraram o relógio da formação de crateras, eles devem ter cessado abruptamente.

Mas permanecem perguntas importantes, em particular sobre a água de Vênus. Se uma inundação global ocorreu realmente em Vênus, para onde foi toda a água? Afundou abaixo da superfície? Evaporou na atmosfera? Ou a inundação consistiu em uma substância comum que não a água? Ainda que não tenha ocorrido nenhuma inundação, Vênus presumivelmente adquiriu quase tanta água quanto seu planeta irmão, a Terra. O que aconteceu com a água?

A resposta parece ser que Vênus perdeu sua água ao tornar-se demasiado quente, um resultado que se pode atribuir à atmosfera de Vênus. Embora as moléculas de dióxido de carbono deixem a luz visível passar, elas capturam a radiação infravermelha com grande eficiência. Assim a luz solar pode penetrar na atmosfera de Vênus, mesmo que a reflexão atmosférica reduza a quantidade de luz solar que atinge a superfície. Essa luz solar aquece a superfície do planeta, que irradia infravermelho, o qual não consegue escapar. Em vez disso, as moléculas de dióxido de carbono o capturam, enquanto a radiação infravermelha aquece a atmosfera inferior e a superfície abaixo. Os cientistas chamam essa captura da radiação infravermelha de "efeito estufa" por uma analogia vaga com as janelas de vidro da estufa, que admitem a luz visível, mas bloqueiam parte da infravermelha. Como Vênus e sua atmosfera, a Terra produz um efeito estufa, essencial para muitas formas de vida, que aumenta a temperatura de nosso planeta em cerca de 25 graus Fahrenheit (14º Celsius) além do que encontraríamos na ausência de uma atmosfera. A maior parte de nosso efeito estufa surge dos efeitos combinados da água e das moléculas de dióxido de carbono. Como a atmosfera da Terra tem apenas um décimo milésimo de moléculas de dióxido de carbono em relação ao total existente na atmosfera de Vênus, o nosso efeito estufa empalidece em comparação. Ainda assim, continuamos a acrescentar mais dióxido de carbono ao queimar combustíveis fósseis, de modo que aumentamos constantemente o efeito estufa, executando um experimento global involuntário para ver exatamente que efeitos deletérios são provocados pela captura adicional de calor. Em Vênus, o efeito estufa atmosférico, produzido inteiramente por moléculas de dióxido de carbono, aumenta a temperatura em centenas de graus, dando à superfície de Vênus temperaturas de fornalha perto de 500° Celsius (900° Fahrenheit) – o planeta mais quente no sistema solar.

Como é que Vênus chegou a esse triste estado? Os cientistas aplicam o termo perspicaz de "efeito estufa descontrolado" para descrever o que aconteceu quando a radiação infravermelha capturada pela atmosfera de Vênus aumentou as temperaturas e estimulou a água líquida a evaporar. A água adicional na atmosfera capturou o infravermelho ainda com mais eficiência, aumentando o efeito estufa; esse, por sua vez, fez com que ainda mais água entrasse na atmosfera, intensificando ainda mais o efeito estufa. Perto do topo da atmosfera de Vênus, a radiação solar UV romperia as moléculas de água em átomos de hidrogênio e oxigênio. Por causa das altas temperaturas, os átomos de hidrogênio escapavam, enquanto o oxigênio mais pesado combinava com outros átomos para nunca mais formar água. Com a passagem do tempo, toda a água que Vênus outrora teve em cima ou perto de sua superfície foi essencialmente abrasada para fora da atmosfera e desapareceu do planeta para sempre.

Processos similares ocorrem sobre a Terra, mas numa taxa bem mais baixa, porque temos temperaturas atmosféricas muito mais baixas. Nossos poderosos oceanos compreendem a maior parte da área da superfície da Terra, embora sua modesta profundidade lhes dê apenas cerca de cinco milésimos da massa total da Terra. Mesmo essa pequena fração do total permite que os oceanos pesem impressionantes 1,5 quintilhão de toneladas, 2% das quais estão congelados em qualquer época. Se a Terra fosse algum dia passar por um efeito estufa descontrolado como o que ocorreu em Vênus, a nossa atmosfera capturaria quantidades maiores de energia solar, aumentando a temperatura do ar e fazendo os oceanos evaporarem rapidamente para a atmosfera, quando sofressem uma ebulição contínua. Seria má notícia. À parte a maneira óbvia como a flora e a fauna da Terra morreriam, uma causa muito urgente de morte resultaria da atmosfera da Terra tornar-se trezentas vezes mais massiva ao engrossar com o vapor de água. Seríamos esmagados e assados pelo ar que respiramos.

Nosso fascínio (e ignorância) planetário não se limita a Vênus. Com seus longos e secos leitos de rio sinuosos ainda preservados, planícies de inundação, deltas de rio, redes de afluentes e cânions formados pela erosão de rios, Marte deve ter sido outrora um Éden primevo de água em movimento. Se algum lugar no sistema solar que não a Terra já se vangloriou de ter um suprimento de água florescente, esse lugar foi Marte. Por razões desconhecidas, entretanto, Marte tem hoje uma superfície muito seca. Um exame minucioso de Vênus e Marte, nossos planetas irmãos, força-nos a olhar para a Terra mais uma vez e perguntar a nós mesmos quão frágil pode vir a se revelar nosso suprimento de água líquida na superfície.

No início do século XX, as observações fantasiosas de Marte feitas pelo famoso astrônomo americano Percival Lowell levaram-no a supor que colônias de marcianos engenhosos tinham construído uma elaborada rede de canais para redistribuir a água das calotas polares de Marte para as latitudes medianas mais povoadas. Para explicar o que ele pensava ter visto, Lowell imaginou uma civilização moribunda que estava exaurindo seu suprimento de água, assim como a cidade de Phoenix descobrindo que o rio Colorado tem seus limites. Em seu tratado abrangente, mas curiosamente errado, intitulado *Mars as the Abode of Life* (Marte como o domicílio da vida) e publicado em 1909, Lowell lamentava o fim iminente da civilização marciana que ele imaginava ter visto.

Na realidade, parece certo que Marte é seco a ponto de sua superfície não sustentar de modo algum a vida. Devagar, mas com firmeza, o tempo vai eliminar a vida, se é que já não o fez. Quando a última brasa viva morrer, o planeta continuará a rolar pelo espaço como um mundo morto, sua carreira evolutiva finda para sempre.

Lowell acertou por acaso a respeito de um ponto. Se Marte já teve uma civilização (ou qualquer tipo de vida) que precisasse de água na superfície, o planeta deve ter se defrontado com uma catástrofe, porque em algum tempo desconhecido na história marciana, e por alguma razão desconhecida, toda a água da superfície secou, causando exatamente o destino para a vida – embora no passado, não no presente – que Lowell descreveu. O que aconteceu à água que fluía abundantemente sobre a superfície de Marte há bilhões de anos continua um mistério a ser resolvido pelos geólogos planetários. Marte tem realmente algum gelo de água nas suas calotas polares, que consistem principalmente em dióxido de carbono congelado ("gelo seco"), e uma quantidade diminuta de vapor de água na sua atmosfera. Embora as calotas polares contenham as únicas quantidades significativas de água que ora sabemos existir em Marte, seu conteúdo total de gelo está muito abaixo da quantidade necessária para explicar os registros antigos de água corrente na superfície de Marte.

Se a maior parte da antiga água de Marte não evaporou ao espaço, seu esconderijo mais provável está no subterrâneo, com a água presa no subsolo congelado da subsuperfície do planeta. A evidência? É mais provável encontrar grandes crateras na superfície marciana que pequenas crateras a exibir derramamento de lama seca sobre suas beiradas. Se o subsolo congelado está no subterrâneo profundo, atingi-lo requereria uma grande colisão. O depósito de energia de tal impacto derreteria esse gelo da subsuperfície depois do contato, levando-o a espirrar para o alto. As crateras com essa assinatura de derramamento de lama são mais comuns nas latitudes polares e frias – exatamente onde esperaríamos que a camada do subsolo congelado estivesse mais próxima da superfície marciana. Segundo as estimativas otimistas do conteúdo de gelo do subsolo congelado marciano, o derretimento das camadas da subsuperfície de Marte liberariam água suficiente para dar a Marte um oceano global com dezenas de metros de profundidade. Uma busca abrangente de vida (ou fóssil) contemporâneo em Marte deve incluir um plano de pesquisa em muitas localizações, especialmente abaixo da superfície marciana. No que diz respeito à chance de encontrar vida em Marte, a grande questão a ser resolvida é a seguinte: existe atualmente água líquida em algum lugar sobre Marte?

Parte da resposta provém de nosso conhecimento de física. Não pode existir água líquida na superfície de Marte, porque a pressão atmosférica ali, menos de 1% do valor sobre a superfície da Terra, não o permite. Como alpinistas entusiastas, sabemos que a água evapora a temperaturas progressivamente mais baixas, à medida que a pressão atmosférica diminui. No cume do monte Whitney, onde a pressão do ar cai para metade de seu valor ao nível do mar, a água não ferve a 100, mas a 75 graus Celsius. No topo do monte Everest, com a pressão do ar igual a somente um quarto de seu valor ao nível do mar, a fervura ocorre a cerca de 50 graus. A 32 quilômetros de altura, onde a pressão atmosférica é igual a apenas 1% do que sentimos nas calçadas de Nova York, a água ferve a cerca de 5 graus Celsius. Subindo mais alguns quilômetros, a água líquida vai "ferver" a 0 grau – isto é, vai evaporar assim que for exposta ao ar. Os cientistas usam a palavra "sublimação" para descrever a passagem de uma substância do estado sólido ao gasoso sem qualquer estágio líquido intermediário. Nós todos conhecemos a sublimação desde nossa juventude, quando o sorveteiro abria sua porta mágica para revelar não só as iguarias lá dentro, mas também os nacos de gelo "seco" que as mantinham frias. O gelo seco oferece ao sorveteiro uma grande vantagem sobre o gelo de água familiar: sublima do estado sólido ao gasoso, sem deixar nenhum líquido sujo para limpar. Um velho enigma de história de detetive descreve o homem que se enforcou ficando de pé sobre um bloco de gelo seco até ele sublimar, deixando-o suspenso pelo laço da corda e os detetives sem pista alguma (a menos que analisassem cuidadosamente a atmosfera na sala) sobre como ele tinha realizado a façanha.

O que acontece com o dióxido de carbono na superfície da Terra acontece com a água na superfície de Marte. Ali não existe nenhuma chance para líquido, ainda que a temperatura num dia quente do verão marciano suba bem acima de 0 grau Celsius. Isso parece lançar um triste véu sobre as perspectivas de vida – até compreendermos que talvez possa existir água líquida embaixo da superfície. As futuras missões a Marte, intimamente conectadas com a possibilidade de encontrar vida antiga ou até moderna no planeta vermelho, vão nos direcionar para regiões onde seja possível perfurar a superfície de Marte em busca do elixir fluido da vida.

Embora possa parecer elixir, a água representa uma substância mortal entre os quimicamente alfabetizados, a ser evitada com perseverança. Em 1997, Nathan Zohner, um estudante de catorze anos em Eagle Rock Junior High School em Idaho, realizou um experimento agora famoso (entre os divulgadores de ciência) numa feira de ciência para testar sentimentos antitecnologia e a fobia química a eles associada. Zohner convidou as pessoas a assinar uma petição que demandava controle estrito ou total proibição do monóxido de di-hidrogênio. Listava algumas das propriedades odiosas dessa substância incolor e inodora:

- é um componente importante na chuva ácida;
- acaba por dissolver quase tudo com que entra em contato;
- pode matar, se inalado acidentalmente;
- pode causar queimaduras graves em seu estado gasoso;
- tem sido encontrado em tumores de pacientes terminais de câncer.

Quarenta e três das cinquenta pessoas abordadas por Zohner assinaram a petição, seis ficaram indecisas, e uma se mostrou grande defensora da molécula e recusou-se a assinar. Sim, 86% dos passantes votaram a favor de proibir o monóxido de di-hidrogênio (H_2O) no ambiente.

Talvez seja o que realmente aconteceu com a água em Marte.

Vênus, Terra e Marte juntos propiciam uma narrativa instrutiva sobre as ciladas e as recompensas de focar a água (ou possivelmente outros solventes) como a chave para a vida. Quando consideravam onde poderiam encontrar água líquida, os astrônomos originalmente se concentravam em planetas que orbitam a distâncias adequadas de suas estrelas hospedeiras para manter a água em sua forma líquida – nem demasiadamente perto, nem demasiadamente longe. Assim começamos com o conto infantil de Cachinhos de Ouro.

Era uma vez no passado – há mais de 4 bilhões de anos – quando a formação do sistema solar estava quase completa. Vênus tinha se formado suficientemente perto do Sol para que a intensa energia solar evaporasse o que poderia ter sido seu suprimento de água. Marte se formou tão longe que seu suprimento de água se tornou congelado para sempre. Apenas um planeta, a Terra, tinha uma distância "perfeita" para que a água permanecesse líquida, e sua superfície se tornasse, portanto, um refúgio para a vida. Essa região ao redor do Sol, onde a água é capaz de permanecer líquida, veio a ser conhecida como a zona habitável.

Cachinhos de Ouro também gostava das coisas "perfeitas". Uma das tigelas de mingau na casa dos Três Ursos estava quente demais. A outra estava fria demais. A terceira estava perfeita, por isso ela comeu o mingau. No andar de cima, uma cama era dura demais. A outra era mole demais. A terceira era perfeita, por isso Cachinhos de Ouro dormiu nela. Quando vieram para casa, os Três Ursos não só descobriram que faltava o mingau de uma tigela, mas também que Cachinhos de Ouro estava profundamente adormecida na cama deles. (Não lembramos como a história termina, mas continua um mistério para nós por que os Três Ursos – onívoros e ocupando o topo da cadeia alimentar – não devoraram Cachinhos de Ouro.)

A relativa habitabilidade de Vênus, Terra e Marte intrigaria Cachinhos de Ouro, embora a história real desses planetas seja bem mais complicada que três tigelas de mingau. Há quatro bilhões de anos, cometas ricos em água e asteroides ricos em minerais, sobras da formação do sistema solar, ainda estavam golpeando as superfícies planetárias, embora numa taxa muito mais baixa que antes. Durante esse jogo de bilhar cósmico, alguns planetas tinham migrado para dentro das órbitas onde se formaram, enquanto outros foram chutados para órbitas maiores. E entre as dúzias de planetas que tinham se formado, alguns se moveram em órbitas instáveis e colidiram com o Sol ou Júpiter. Outros foram totalmente ejetados para fora do sistema solar. No final, os poucos planetas que permaneceram tinham órbitas "perfeitas" para sobreviver bilhões de anos.

A Terra se acomodou numa órbita a uma distância média de 93 milhões de milhas (150 milhões de quilômetros) do Sol. A essa distância, a Terra intercepta um miserável um dois bilionésimo da energia total irradiada pelo Sol. Se pressupormos que a Terra absorve toda a energia recebida do Sol, a temperatura média de nosso planeta natal deverá ser aproximadamente 280 graus Kelvin (45° F [7,2° Celsius]), isto é, a meio caminho entre as temperaturas de inverno e verão. A pressões atmosféricas normais, a água congela a 273 graus Kelvin e ferve a 373 graus, de modo que estamos bem posicionados com respeito ao Sol para que quase toda a água sobre a Terra permaneça felizmente em seu estado líquido.

Não tão rápido. Na ciência, às vezes é possível obter a resposta certa pelas razões erradas. A Terra absorve realmente apenas dois terços da energia que a atinge vinda do Sol. O resto é refletido de volta para o espaço pela superfície da Terra (especialmente pelos oceanos) e por suas nuvens. Se levarmos em conta essa reflexão nas equações, a temperatura média para a Terra cai para cerca de 255 graus Kelvin, bem abaixo do ponto de congelamento da água. Deve haver alguma coisa operando para elevar nossa temperatura média até um grau um pouco mais confortável.

Mas espere mais uma vez. Todas as teorias da evolução estelar nos dizem que há 4 bilhões de anos, quando a vida estava se formando a partir da sopa primordial da Terra, o Sol era um terço menos luminoso do que é atualmente, o que teria deixado a temperatura média da Terra ainda mais abaixo do ponto de congelamento. Talvez a Terra no passado distante estivesse simplesmente mais próxima do Sol. Uma vez terminado o primeiro período de bombardeamento pesado, entretanto, nenhum mecanismo conhecido poderia ter deslocado órbitas estáveis para lá e para cá dentro do sistema solar. Talvez o efeito estufa da atmosfera da Terra fosse mais forte no passado. Não sabemos ao certo. O que sabemos é que zonas habitáveis, conforme originalmente concebidas, têm apenas relevância periférica para a possível existência da vida num planeta dentro delas. Isso tem se tornado evidente pelo fato de que não podemos explicar a história da Terra com base num modelo simples de zona habitável, e ainda mais pela percepção de que a água ou outros solventes não precisam depender do calor de uma estrela para permanecerem líquidos.

Nosso sistema solar contém dois bons lembretes de que a "abordagem zona habitável" para procurar a vida tem severas limitações. Um desses objetos está fora da zona onde o Sol pode manter a água líquida, mas ainda assim tem um oceano global de água. O outro objeto, demasiado frio para ter água líquida, oferece a possibilidade de outro solvente líquido, veneno para nós, mas potencialmente de primeira qualidade para outras formas de vida. Em breve teremos a oportunidade de investigar de perto esses dois objetos com exploradores robôs. Vamos verificar o que sabemos no momento sobre Europa e Titã.

A lua de Júpiter, Europa, que tem aproximadamente o mesmo tamanho de nossa Lua, exibe fendas ziguezagueantes na superfície, que mudam em escalas temporais de semanas ou meses. Para geólogos especialistas e cientistas planetários, esse comportamento indica que Europa tem uma superfície feita quase inteiramente de gelo de água, como uma capa de gelo antártico gigantesco cingindo um mundo inteiro. E a aparência mutável das brechas e rachaduras nessa superfície gelada leva a uma conclusão surpreendente: o gelo aparentemente flutua sobre um oceano global. Somente invocando o líquido embaixo da superfície gelada, é que os cientistas podem explicar satisfatoriamente o que observaram graças aos sucessos espantosos das espaçonaves *Voyager* e *Galileo*. Como vemos mudanças na superfície por toda a lua Europa, podemos concluir que um oceano global de líquido deve estar subjacente a essa superfície.

Que líquido seria esse, e por que essa substância permaneceria líquida? De modo impressionante, os cientistas planetários chegaram a duas conclusões adicionais bastante firmes: o líquido é água, e ela permanece líquida por causa dos efeitos das marés sobre Europa produzidos pelo planeta gigante Júpiter. O fato de que moléculas de água são mais abundantes que amônia, etano ou álcool metílico torna a água a substância mais provável para suprir o líquido abaixo do gelo de Europa, e a existência dessa água congelada indica igualmente que existe mais água na vizinhança imediata. Mas como é que a água permanece líquida, quando as temperaturas induzidas pelo Sol na vizinhança de Júpiter são apenas cerca de 120°K (-150° Celsius)? O interior de Europa permanece relativamente quente porque as forças das marés de Júpiter e das duas grandes luas ali perto, Io e Ganimedes, deformam continuamente as rochas dentro de Europa, quando essa lua muda sua posição com relação aos objetos vizinhos. Em todas as épocas, os lados de Io e Europa mais próximos de Júpiter sentem uma força gravitacional maior do planeta gigante do que os lados mais distantes. Essas diferenças na força alongam ligeiramente as luas sólidas na direção voltada para Júpiter. Mas quando as distâncias entre as luas e Júpiter mudam durante suas órbitas, o efeito das marés de Júpiter – a diferença na força exercida no lado próximo e no lado distante – também muda, produzindo pequenas pulsações em suas formas já distorcidas. Essa distorção mutável aquece os interiores das luas. Como uma bola de *squash* ou uma bola de raquete sendo continuamente deformada pelo impacto, qualquer sistema que passa por uma pressão estrutural contínua terá sua temperatura interna aumentada.

Com uma distância do Sol que em outras condições garantiria um mundo de gelo para sempre congelado, o nível de pressão de Io lhe garante o título do lugar mais geologicamente ativo do sistema solar inteiro – repleto de vulcões eruptivos, fissuras na superfície e movimento de placas tectônicas. Alguns têm estabelecido uma analogia entre a Io moderna e a Terra primitiva, quando nosso planeta ainda estava muito quente por causa de seu episódio de formação. Dentro de Io, a temperatura sobe a ponto de os vulcões expelirem continuamente compostos fedorentos de enxofre e sódio muito quilômetros acima da superfície do satélite. Io tem de fato uma temperatura demasiado elevada para que a água líquida sobreviva, mas Europa, que passa por menos deformações das marés que Io por estar mais longe de Júpiter, aquece mais modestamente, embora ainda de forma significativa. Além disso, a cobertura glacial global de Europa coloca uma tampa de pressão sobre o líquido abaixo, impedindo que a água evapore e permitindo que ela exista por bilhões de anos sem congelar. Pelo que podemos afirmar, Europa nasceu com seu oceano de água e cobertura de gelo, e tem mantido esse oceano perto, mas ainda acima, do ponto de congelamento ao longo de quatro e meio bilhões de anos de história cósmica.

Os astrobiólogos veem, portanto, o oceano global de Europa como um alvo prioritário para investigação. Ninguém sabe a espessura da cobertura glacial, que talvez vá de algumas dúzias de metros a um quilômetro ou mais. Dada a fecundidade da vida dentro dos oceanos da Terra, Europa continua a ser o lugar mais fascinante no sistema solar para procurar vida fora da Terra. Imagine ir pescar naquele gelo. Na verdade, os engenheiros e cientistas no Laboratório de Propulsão a Jato na Califórnia começaram a conceber uma sonda espacial que pouse, descubra (ou corte) um buraco no gelo, e deixe cair uma câmera submersível para dar uma espiada na vida primitiva que talvez nade ou se arraste abaixo.

"Primitiva" resume bastante bem nossas expectativas, porque quaisquer pretensas formas de vida teriam apenas pequenas quantidades de energia à sua disposição. Ainda assim, a descoberta de enormes massas de organismos nas profundezas um quilômetro ou mais abaixo dos basaltos do estado de Washington, vivendo principalmente do calor geotérmico, sugere que um dia talvez venhamos a descobrir que os oceanos de Europa estão cheios de organismos vivos, diferentes de qualquer outro sobre a Terra. Mas resta uma pergunta premente: daríamos às criaturas o nome de europanas ou europeias?

Marte e Europa constituem os alvos números um e dois na busca de vida extraterrestre dentro do sistema solar. Um terceiro grande cartaz "Me Procure" aparece num ponto duas vezes mais longe do Sol do que Júpiter e suas luas. Saturno tem uma lua gigante, Titã, que empata com a campeã de Júpiter, Ganimedes, como a maior lua no sistema solar. Com um tamanho correspondente a uma Lua (nosso satélite) e meia, Titã possui uma atmosfera espessa, uma qualidade não igualada por nenhuma outra lua (ou pelo planeta Mercúrio, não muito maior que Titã, mas muito mais próximo do Sol, cujo calor evapora quaisquer gases mercurianos). Ao contrário das atmosferas de Marte e Vênus, a atmosfera de Titã, muitas dúzias de vezes mais espessa que a de Marte, consiste principalmente em moléculas de nitrogênio, assim como a da Terra. Flutuando dentro desse gás nitrogênio transparente estão enormes quantidades de partículas de aerossol, um nevoeiro enfumaçado permanente em Titã que encobre para sempre a superfície da lua, furtando-a do nosso olhar. Como resultado, a especulação sobre as possibilidades de vida tem se deliciado com Titã. Medimos a temperatura da lua fazendo quicar ondas de rádio (que penetram os gases e os aerossóis atmosféricos) na sua superfície. A temperatura da superfície de Titã, perto de 94° Kelvin (-179° Celsius), está muito abaixo daquelas que permitem a existência de água líquida, mas proporciona a temperatura exata para o etano líquido, um composto de carbono-hidrogênio familiar àqueles que refinam produtos de petróleo. Por décadas, os astrobiólogos imaginaram lagos de etano em Titã, abarrotados de organismos que flutuam, comem, se encontram e se reproduzem.

Ora, durante a primeira década do século XXI, a exploração finalmente substituiu a especulação. A missão *Cassini-Huygens* para Saturno, uma colaboração da NASA com a Agência Espacial Europeia (ESA), partiu da Terra em outubro de 1997. Quase sete anos depois, tendo recebido empurrões gravitacionais de Vênus (duas vezes), da Terra (uma vez) e de Júpiter (uma vez), a espaçonave chegou ao sistema de Saturno, onde disparou seus foguetes para realizar uma órbita ao redor do planeta rodeado de anéis.

Os cientistas que projetaram a missão providenciaram que a sonda Huygens se desprendesse da espaçonave *Cassini* no final de 2004, para realizar a primeira descida através das nuvens opacas do satélite Titã e chegar até a superfície da lua, usando um escudo térmico para evitar o incêndio por atrito na rápida passagem pela atmosfera superior e uma série de paraquedas para desacelerar o deslocamento da sonda na atmosfera inferior. Seis instrumentos a bordo da sonda *Huygens* foram construídos para medir a temperatura, a densidade e a composição química da atmosfera de Titã, e para enviar imagens à Terra via a espaçonave *Cassini*. A essa altura, só podemos aguardar esses dados e imagens para ver o que eles nos dizem sobre o enigma que existe abaixo das nuvens de Titã.[1] É improvável que vejamos a própria vida, se é que existe alguma forma de vida nessa lua remota, mas podemos esperar determinar se as condições favorecem ou não a existência da vida, apresentando poças e lagoas líquidas em que a vida poderia se originar e florescer. No mínimo, podemos esperar aprender o arranjo de diferentes tipos de moléculas que existem em cima e perto da superfície de Titã, o que talvez lance nova luz sobre como os precursores da vida surgiram sobre a Terra e em todo o sistema solar.

Se nós achamos a água necessária para a vida, devemos nos restringir aos planetas e suas luas, em cujas superfícies sólidas a água pode se acumular em razoável quantidade? Absolutamente. As moléculas de água, junto com vários outros elementos químicos caseiros como a amônia, o metano e o álcool etílico, aparecem rotineiramente nas frias nuvens de gás interestelares. Em condições especiais de baixa temperatura e alta densidade, um conjunto de moléculas de água pode ser induzido a transformar e canalizar a energia de uma estrela próxima num raio de micro-ondas amplificado e de alta intensidade. A física atômica desse fenômeno se parece com o que um *laser* faz com a luz visível. Mas nesse caso a sigla relevante é *maser*, para **microwave amplification by the stimulated emission of radiation** (amplificação de micro-onda pela emissão estimulada de radiação). Não só a água ocorre praticamente por toda parte na galáxia, como

---

[1] Atualmente, a própria *Huygens* já mostra os lagos de etano especulados pelo autor neste trecho (N. do E.)

também pode emitir raios de vez em quando. O grande problema enfrentado pela pretensa vida nas nuvens interestelares não surge de uma falta de matérias-primas, mas das densidades extremamente baixas da matéria, o que reduz em muito a taxa com que as partículas colidem e interagem. Se a vida levou milhões de anos para surgir num planeta como a Terra, talvez ela leve trilhões de anos para aparecer em densidades bem mais baixas – muito mais tempo do que o universo tem até agora proporcionado.

Ao completar nossa busca de vida no sistema solar, talvez pareça que chegamos ao fim de nosso exame das questões fundamentais ligadas a nossas origens cósmicas. Entretanto, não podemos deixar essa arena sem olhar para a grande questão da origem que se acha no futuro: a origem de nosso contato com outras civilizações. Nenhum outro tópico astronômico atrai a imaginação pública com mais intensidade, e nenhum outro proporciona uma melhor oportunidade de reunir os fios do que temos aprendido sobre o universo. Agora que sabemos alguma coisa sobre como a vida poderia começar em outros mundos, vamos examinar as chances de satisfazer um desejo humano tão profundo quanto qualquer outro, o desejo de encontrar outros seres no cosmos com quem poderíamos trocar ideias.

CAPÍTULO 17

Procurando por vida na galáxia da Via Láctea

Vimos que, dentro de nosso sistema solar, Marte, Europa e Titã constituem os lugares mais promissores para a descoberta de vida extraterrestre, quer em estado vivo, quer em forma fóssil. Esses três objetos apresentam de longe as melhores chances para se descobrir água ou alguma outra substância capaz de fornecer um solvente líquido, dentro do qual as moléculas podem entrar em contato para executar o ofício da vida.

Como parece provável que apenas esses três objetos tenham poças ou lagoas, a maioria dos astrobiólogos limita suas esperanças de encontrar vida no sistema solar à descoberta de formas primitivas de vida num desses objetos ou em mais de um deles. Os pessimistas têm um argumento razoável, a ser sustentado ou refutado no futuro pela exploração real, de que, mesmo sendo encontradas condições adequadas para a vida em um ou mais objetos desse trio preferido, a própria vida pode se revelar inteiramente ausente. De qualquer modo, os resultados de nossas pesquisas em Marte, Europa e Titã terão um peso muito grande em julgar a prevalência da vida no cosmos. Os otimistas e os pessimistas já concordam a respeito de uma conclusão: se esperamos encontrar formas avançadas de vida – vida que consiste em criaturas maiores do que os simples organismos unicelulares que apareceram primeiro e continuam dominantes na vida terrestre –

então devemos procurar muito além do sistema solar, em planetas que orbitam estrelas que não o Sol.

No passado, só podíamos especular sobre a existência desses planetas. Agora que milhares de planetas extrassolares foram encontrados, basicamente semelhantes a Júpiter e Saturno, podemos predizer com bastante confiança que apenas tempo e observações mais precisas nos separam da descoberta de planetas semelhantes à Terra. Parece provável que os anos finais do século XX marquem o momento na história em que adquirimos evidências reais de uma abundância de mundos habitáveis por todo o cosmos. Assim, os dois primeiros termos na equação de Drake, que juntos medem o número de planetas orbitando estrelas que duram bilhões de anos, indicam agora valores antes altos que baixos. Os próximos dois termos, entretanto, que descrevem a probabilidade de encontrar planetas adequados para a vida, e da vida realmente entrando em existência em tais planetas, permanecem quase tão incertos quanto se mostravam antes da descoberta de planetas extrassolares. Ainda assim, nossas tentativas de estimar essa probabilidade parecem estar baseadas em terreno mais firme do que nossos números para os dois últimos termos: a probabilidade de que a vida num outro mundo vai evoluir para produzir uma civilização inteligente, e a relação entre a quantidade média de tempo que essa civilização vai sobreviver e o período de vida da galáxia Via Láctea.

Para os primeiros cinco termos na equação de Drake, podemos oferecer nosso sistema planetário e a nós mesmos como um exemplo representativo, embora devamos sempre invocar o princípio copernicano de não medir o cosmos pelo nosso padrão, em lugar de fazer o inverso. Quando chegamos ao termo final da equação, entretanto, e tentamos estimar o período de vida média de uma civilização depois de ela ter adquirido a capacidade tecnológica de enviar sinais através de distâncias interestelares, não conseguimos obter uma resposta mesmo que tomemos a Terra como guia, pois ainda temos de determinar quanto tempo nossa própria civilização vai perdurar. Já possuímos a capacidade de transmitir sinais interestelares por quase um século, desde que os poderosos transmissores de rádio começaram a enviar mensagens através dos oceanos da Terra. Se vamos perdurar como civilização no próximo século, durante o próximo milênio ou ao longo de mil séculos, isso depende de fatores muito além de nossa capacidade de previsão, embora muitos dos sinais pareçam desfavoráveis para nossa sobrevivência de longo prazo.

Perguntar se nosso próprio destino corresponde à média na Via Láctea leva-nos a outra dimensão de especulação, de modo que o termo final na equação de Drake, que afeta o resultado tanto quanto todos os outros, pode ser considerado totalmente desconhecido. Se, numa avaliação otimista, a maioria dos sistemas planetários contém ao menos um objeto adequado para a vida, e se a vida se origina numa fração sensatamente elevada (digamos um décimo) desses objetos adequados, e se civilizações inteligentes talvez apareçam igualmente em um décimo dos objetos com vida, então, em algum ponto na história das 100 bilhões de estrelas da Via Láctea, 1 bilhão de lugares poderiam produzir uma civilização inteligente. Claro, esse número enorme provém do fato de que nossa galáxia contém muitas estrelas, a maioria das quais muito parecida com o nosso Sol. Para ter uma visão pessimista da situação, basta mudar cada um dos números a que atribuímos valores de um décimo para uma chance em dez mil. Nesse caso, os bilhões de lugares se tornam 1.000, diminuídos por um fator de 1 milhão.

Isso faz uma diferença capital. Vamos supor que uma civilização comum, sendo qualificada como uma civilização por possuir a capacidade da comunicação interestelar, dure 10.000 anos – aproximadamente uma parte em um milhão do período de vida da Via Láctea. Na visão otimista, um bilhão de lugares dão origem a uma civilização em algum ponto na história, de modo que em qualquer época representativa cerca de 1.000 civilizações devem estar florescendo. A visão pessimista, em contraste, sugere que em cada era representativa cerca de 0,001 civilização deve existir, transformando-nos num isolado e solitário lampejo que se eleva temporariamente bem acima do valor médio.

Qual estimativa tem mais chances de chegar perto do verdadeiro valor? Na ciência, nada convence tão bem quanto a evidência experimental. Se nós esperamos determinar o número médio de civilizações na Via Láctea, a melhor abordagem científica mediria quantas civilizações existem agora. O modo mais direto de executar essa façanha seria fazer um levantamento da galáxia inteira, como o elenco da série *Jornada nas estrelas* da televisão gosta de fazer, anotando o número e o tipo de cada civilização que encontrarmos, se é que realmente vamos encontrar alguma. (A possibilidade de uma galáxia sem alienígenas produz uma televisão muito sem graça, raramente aparecendo na tela pequena.) Infelizmente, esse levantamento está muito fora de nossa capacidade tecnológica e limitações orçamentárias atuais.

Além disso, fazer um levantamento da galáxia inteira levaria milhões de anos, senão mais. Considere como seria um programa de televisão sobre levantamentos do espaço interestelar, se fosse limitado pelo que conhecemos da realidade física. Uma hora típica mostraria a tripulação reclamando e discutindo, cientes de que tinham chegado tão longe, mas ainda tinham muito para avançar. "Já lemos todas as revistas", um deles poderia observar. "Estamos cheios uns dos outros, e você, capitão, você é um pé no saco." Então, enquanto outros membros da tripulação cantavam para si mesmos, e ainda outros entravam em mundos privados de loucura, uma tomada do plano geral em movimento nos lembraria que as distâncias para outras estrelas na Via Láctea são milhões de vezes maiores que as distâncias para outros planetas no sistema solar.

Na realidade, essa relação descreve apenas as distâncias para os vizinhos mais próximos do Sol, já tão distantes que sua luz leva muitos anos para chegar até nós. Um giro completo pela Via Láctea nos levaria quase dez mil vezes mais longe. Os filmes de Hollywood que apresentam o voo espacial interestelar lidam com essa questão tão importante ignorando-a (*Invasion of the Body Snatchers*, 1956 e 1978 [Vampiro de almas]), assumindo que melhores foguetes ou uma maior compreensão da física saberão tratá-la (*Star Wars*, 1977 [Guerra nas estrelas]), ou oferecendo abordagens intrigantes como astronautas com hibernação profunda para que possam sobreviver a viagens extremamente longas (*Planet of Apes*, 1968 [Planeta dos macacos]).

Todas essas abordagens têm certo atrativo, e algumas oferecem possibilidades criativas. Podemos realmente aperfeiçoar nossos foguetes, que são na atualidade capazes de atingir velocidades de apenas cerca de um décimo milésimo da velocidade da luz, o mais rápido que podemos esperar viajar segundo nosso conhecimento corrente da física. Mesmo à velocidade da luz, entretanto, viajar para as estrelas mais próximas levará muitos anos, e viajar através da Via Láctea perto de mil séculos. Astronautas em hibernação guardam alguma promessa, mas na medida em que aqueles sobre a Terra, que presumivelmente pagarão a viagem, continuam descongelados, as longas passagens de tempo antes do retorno dos astronautas é um argumento forte contra financiamento fácil. Dados nossos curtos períodos de atenção, de longe a melhor abordagem para estabelecer contato com civilizações extraterrestres – desde que existam – parece ser bem aqui sobre a Terra. Só o que precisamos fazer é esperar que elas entrem em contato conosco. Isso custa muito menos e pode oferecer as recompensas imediatas que nossa sociedade tanto deseja.

Surge apenas uma dificuldade. Por que eles deveriam vir? Exatamente que característica de nosso planeta nos torna especiais a ponto de merecermos a atenção de sociedades extraterrestres, supondo-se que existam? Nesse ponto mais que em qualquer outro, os humanos têm violado consistentemente o princípio copernicano. Pergunte a qualquer pessoa por que a Terra merece escrutínio, e vai provavelmente receber um olhar incisivo e zangado. Quase todas as concepções de visitantes alienígenas na Terra, bem como parte considerável do dogma religioso, baseiam-se na conclusão tácita e óbvia de que nosso planeta e nossa espécie ocupam um posto tão alto na lista das maravilhas universais que não é preciso nenhum argumento para endossar a afirmação astronomicamente estranha de que nosso grão de poeira, quase perdido em seu subúrbio da Via Láctea, sobressai de alguma forma como um farol galáctico, não só solicitando, mas também recebendo atenção em escala cósmica.

Essa conclusão provém do fato de que a situação real parece invertida, quando vemos o cosmos a partir da Terra. Então as questões planetárias avultam enormes, enquanto as estrelas parecem pontos diminutos de luz. De um ponto de vista cotidiano, isso faz muito sentido. Nosso sucesso de sobrevivência e reprodução, como o de todo outro organismo, tem pouco a ver com o cosmos que nos circunda. Entre todos os objetos astronômicos, apenas o Sol e, em grau muito menor, a Lua afetam nossas vidas, e seus movimentos se repetem com tal regularidade que eles quase parecem parte da cena terrestre. Nossa consciência humana, formada sobre a Terra a partir de incontáveis encontros com criaturas e eventos terrestres, imagina compreensivelmente a cena extraterrestre como um pano de fundo muito distante da ação importante no palco central. Nosso erro consiste em pressupor que o pano de fundo também nos considera o centro da atividade.

Como cada um de nós adotou essa atitude errônea muito antes que nossas mentes conscientes alcançassem qualquer domínio ou controle sobre nossos padrões de pensamento, não conseguimos eliminá-la inteiramente de nossa abordagem do cosmos, mesmo quando optamos por fazê-lo. Aqueles que impõem o princípio copernicano devem permanecer sempre vigilantes contra os murmúrios de cérebros dissimulados, assegurando-nos que ocupamos o centro do universo, que naturalmente dirige sua atenção para nós.

Quando nos voltamos para relatos de visitantes extraterrestres na Terra, devemos reconhecer outra falácia do pensamento humano, tão onipresente e autoenganadora quanto nossos preconceitos anticopernicanos. Os seres humanos confiam muito mais em suas memórias do que a realidade justificaria. Assim agimos pelas mesmas razões do valor da sobrevivência que nos levam a considerar a Terra como o centro do cosmos. As memórias registram o que percebemos, e fazemos bem em prestar atenção a esse registro, se procuramos tirar conclusões para o futuro.

Agora que temos melhores meios de registrar o passado, entretanto, sabemos que nem sempre devemos confiar nas memórias individuais em todas as questões de importância para a sociedade. Transcrevemos e imprimimos debates e leis do Congresso, registramos cenas de crime em videoteipes, e gravamos sub-repticiamente conversas da atividade criminosa, porque reconhecemos esses meios como superiores a nossos cérebros pra criar um registro permanente de eventos passados. Permanece uma grande exceção aparente a essa regra. Continuamos a aceitar o testemunho ocular como preciso, ou ao menos comprovativo, em processos legais. Assim fazemos apesar de teste após teste demonstrar que cada um de nós, a despeito de nossas melhores intenções, não vai conseguir lembrar os eventos com acuidade, sobretudo quando essas memórias – como em geral acontece em casos suficientemente importantes para chegar ao tribunal – lidam com ocorrências inusitadas e emocionantes. Nosso sistema legal aceita o testemunho ocular em virtude da longa tradição, por causa de sua relevância emocional e, acima de tudo, porque trata-se frequentemente da única evidência direta de eventos passados. Ainda assim, todo grito no tribunal, "Esse é o homem que estava com a pistola!", deve ser pesado contra os muitos casos que demonstraram que não era aquele o homem, apesar da convicção sincera da testemunha em contrário.

Se guardamos esses fatos na mente ao analisar relatos de objetos voadores não identificados (óvnis ou ufos), reconhecemos imediatamente um enorme potencial para erro. Por definição, os ufos são ocorrências bizarras, que levam os observadores a discriminar entre objetos familiares e não familiares no pano de fundo celeste raramente examinado, e requerem em geral conclusões rápidas sobre os objetos antes de eles desaparecerem velozes. Acrescente-se a isso a carga psíquica que provém de o observador estar convicto de ter presenciado um evento tremendamente inusitado, e não poderíamos encontrar melhor exemplo de manual para uma situação capaz de gerar uma memória errônea.

O que podemos fazer para obter dados mais confiáveis nas informações sobre ufos do que os relatos das testemunhas oculares? Na década de 1950, o astrofísico J. Allen Hynek, então um importante consultor da Força Aérea sobre ufos, gostava de chamar a atenção para esse ponto sacando do bolso uma câmera miniatura, e insistindo que se jamais visse um ufo, ele usaria a câmera para obter uma evidência científica válida, porque sabia que o testemunho ocular não satisfaria como prova. Infelizmente, os aperfeiçoamentos na tecnologia desde aquela época permitem a criação de falsas imagens e vídeos mal distinguíveis dos registros honestos, de modo que o plano de Hynek já não nos permite dar crédito à evidência fotográfica que corrobora a visão de um ufo. De fato, quando consideramos a interação do poder frágil da memória com a inventividade dos charlatões, não conseguimos arquitetar facilmente um teste para discriminar entre fato e fantasia em qualquer visão de ufo particular.

Quando nos voltamos para o fenômeno mais moderno das abduções por ufo, a capacidade da psique humana para forjar a realidade torna-se ainda mais aparente. Embora não se possa obter com facilidade números comprovados, em anos recentes dezenas de milhares de pessoas passaram aparentemente a acreditar que foram conduzidos a bordo de uma espaçonave alienígena e submetidos a exames, com frequência da mais humilhante variedade. De uma perspectiva calma, dar uma declaração dessas é o suficiente para refutá-la como realidade. A aplicação direta do princípio da lâmina de Occam, que exige a explicação mais simples que se ajuste aos fatos alegados, leva à conclusão de que essas abduções foram imaginadas, e não experimentadas. Como quase todas as narrativas colocam a abdução bem dentro da noite, e a maioria no meio do sono, a explicação mais provável envolve o estado hipnagógico, a fronteira entre o sono e o estado acordado. Para muitas pessoas, esse estado traz alucinações visuais e auditivas, e às vezes um "sonho acordado", no qual a pessoa se sente consciente, mas incapaz de se mover. Esses efeitos passam através dos filtros de nossos cérebros para produzir memórias aparentemente reais, capazes de despertar uma crença inabalável em sua certeza.

Compare-se essa explicação das abduções por ufo com uma alternativa, a de que visitantes extraterrestres escolheram a Terra e chegaram em números suficientes para abduzir humanos aos milhares, embora apenas por breve tempo, e aparentemente para examiná-los de mais perto (mas eles já não aprenderam há muito tempo o que quer que desejavam saber – e não podiam abduzir cadáveres para aprender a anatomia humana em detalhes?). Algumas histórias sugerem que os alienígenas extraem algumas substâncias úteis de seus abduzidos, ou implantam suas sementes nas vítimas femininas, ou alteram os padrões mentais das vítimas para evitar que sejam descobertos mais tarde (mas, nesse caso, eles não poderiam eliminar totalmente as memórias da abdução?). Essas afirmações não podem ser descartadas categoricamente, assim como não podemos também excluir a possibilidade de que visitantes alienígenas escreveram essas palavras, tentando incutir nos leitores humanos uma falsa sensação de segurança, que contribuirá para os planos alienígenas de dominação mundial ou cósmica. Em vez disso, baseados em nossa capacidade de analisar racionalmente as situações e de discriminar entre explicações mais ou menos prováveis, podemos atribuir uma probabilidade extremamente baixa à hipótese da abdução.

Uma conclusão parece incontestável tanto pelos céticos quanto pelos que acreditam nos ufos. Se as sociedades extraterrestres visitam realmente a Terra, elas devem saber que criamos capacidades globais para disseminar informações e diversões, ainda que não para distinguir umas da outras. Dizer que essas facilidades estariam disponíveis a quaisquer visitantes alienígenas que desejassem usá-las equivale a minimizar grosseiramente os fatos. Eles receberiam permissão imediata (pensando bem, eles talvez nem precisassem dela) e poderiam tornar sua presença perceptível num minuto – se assim quisessem. A ausência de extraterrestres visíveis nas telas de nossa televisão confirma sua ausência na Terra ou sua relutância em se revelar diante de nossos olhos – o problema da "timidez". A segunda explicação propõe um enigma intrigante. Se visitantes alienígenas na Terra optam por não serem detectados, e se possuem uma tecnologia muito superior à nossa, como sugerem suas viagens através de distâncias interestelares, por que simplesmente não são bem-sucedidos nos seus planos? Por que deveríamos esperar obter alguma evidência – visões, círculos em plantações, pirâmides construídas por antigos astronautas, memórias de abduções – se os alienígenas preferem passar despercebidos? Eles devem estar confundindo nossas mentes, divertindo-se com seu joguinho de gato e rato. Muito provavelmente, também manipulam nossos líderes em segredo, uma conclusão que logo esclarece grande parte da política e entretenimento.

O fenômeno ufo acentua um aspecto importante de nossa consciência. Mesmo acreditando que nosso planeta é o centro da criação, e que os arredores estrelados devem decorar nosso mundo, e não o contrário, ainda assim conservamos um forte desejo de nos conectar com o cosmos, manifestado em atividades mentais tão disparatadas quanto dar crédito a relatos de visitantes extraterrestres e acreditar numa divindade benevolente que envia raios e emissários à Terra. As raízes dessa atitude estão nos tempos em que existia uma distinção evidente entre o céu acima e a Terra abaixo, entre os objetos que podíamos tocar e arranhar, e aqueles que se moviam e brilhavam, mas continuavam para sempre fora de nosso alcance. A partir dessas diferenças, traçamos distinções entre o corpo terreno e a alma cósmica, o mundano e o maravilhoso, o natural e o sobrenatural. A necessidade de uma ponte mental ligando esses dois aspectos aparentes da realidade tem determinado muitas de nossas tentativas para criar um quadro coerente de nossa existência. A demonstração da ciência moderna de que somos poeira de estrelas provocou uma enorme distorção em nosso equipamento mental, algo de que ainda estamos lutando para nos recuperar. Os ufos sugerem novos mensageiros da outra parte da existência, todos visitantes poderosos que sabem muito bem o que estão fazendo, enquanto nós continuamos ignorantes, mal e mal cientes de que a verdade está lá fora. Essa atitude foi bem captada no filme clássico *The Day the Earth Stood Still* (1951) (O dia em que a Terra parou), no qual um visitante alienígena, muito mais sábio que nós, vem à Terra para nos alertar que nosso comportamento violento pode acarretar nossa própria destruição.

Nossos sentimentos inatos sobre o cosmos manifestam um lado escuro que projeta nossos sentimentos acerca de forasteiros humanos em visitantes não humanos. Muito relato sobre os ufos contém frases semelhantes a "Escutei algo estranho lá fora, por isso peguei meu rifle e fui ver o que era". Filmes que apresentam alienígenas na Terra também escorregam facilmente para um tom hostil, do épico da guerra fria *Earth Versus the Flying Saucers* (1956) (A invasão dos discos voadores), no qual os militares explodem uma espaçonave alienígena sem sequer se deterem para perguntar suas intenções, até *Signs* (2002) (Sinais), em que o herói amante da paz, sem rifle na mão, usa um taco de beisebol para castigar seus invasores – um método que provavelmente não terá sucesso contra alienígenas reais capazes de cruzar distâncias interestelares.

Os maiores argumentos contra interpretar relatos de ufo como evidência de visitantes extraterrestres residem na falta de importância de nosso planeta, junto com as vastas distâncias entre as estrelas. Nenhum desses dois motivos pode ser considerado uma barreira absoluta a essa interpretação, mas em conjunto eles formam um argumento poderoso. Assim devemos concluir que, como falta à Terra um apelo popular, nossas esperanças de encontrar outras civilizações devem aguardar o dia em que pudermos gastar nossos próprios recursos para embarcar em viagens a outros sistemas planetários?

Nada disso. A abordagem científica de estabelecer contato com outras civilizações dentro da Via Láctea e mais além, se é que elas existem, baseia-se sempre em deixar a natureza trabalhar em nosso favor. Esse princípio redireciona a pergunta: que aspecto das civilizações extraterrestres acharíamos mais emocionante? (resposta: os visitantes em carne e osso) – para a cientificamente proveitosa: qual parece ser o meio mais provável de estabelecer contato com outras civilizações? A natureza e as imensas distâncias entre as estrelas providenciam a resposta – usar os meios mais baratos e mais velozes de comunicação disponíveis, o que presumivelmente tem a mesma primazia em outros lugares na galáxia.

O modo mais barato e mais veloz de enviar mensagens entre as estrelas usa a radiação eletromagnética, o mesmo meio que carrega quase toda a comunicação de longa distância sobre a Terra. As ondas de rádio têm revolucionado a sociedade humana, permitindo que enviemos palavras e imagens ao redor do mundo a 300.000 quilômetros por segundo. Essas mensagens viajam tão rapidamente que, mesmo tendo de emiti-las para um satélite estacionário, orbitando a uma altitude de 36 mil quilômetros, que as retransmite a outra parte da superfície da Terra, elas sofrem em cada etapa de sua viagem uma demora muito mais curta do que um segundo.

Ao longo de distâncias interestelares, a defasagem de tempo torna-se maior, embora continue a mais curta que podemos esperar alcançar. Se planejamos enviar uma mensagem de rádio a Alpha Centauri, o sistema estelar mais próximo do Sol, devemos planejar um tempo de viagem de 4,4 anos em cada direção. Mensagens que viajam, digamos, por vinte anos podem chegar a várias centenas de estrelas, ou a qualquer planeta que as orbite. Assim, se estivermos dispostos a esperar por uma viagem de ida e volta de quarenta anos, poderemos emitir uma mensagem para cada uma dessas estrelas, e finalmente descobrir se recebemos resposta de qualquer uma delas. Essa abordagem pressupõe, claro, que se existem civilizações perto de qualquer uma dessas estrelas, elas detêm um domínio do rádio, e um interesse em sua aplicação, ao menos igual ao nosso.

A razão fundamental por que não adotamos essa abordagem na procura de outras civilizações não reside em suas pressuposições, mas em nossas atitudes. Quarenta anos é muito tempo para esperar por algo que talvez nunca venha a acontecer. (Entretanto, se tivéssemos emitido mensagens há quarenta anos, a esta altura teríamos algumas informações sérias sobre a abundância de civilizações que usam rádio em nossa região da Via Láctea.) A única tentativa séria nessa direção ocorreu na década de 1970, quando os astrônomos comemoraram o aperfeiçoamento do radiotelescópio perto de Arecibo, Porto Rico, usando-o para emitir por alguns minutos uma mensagem na direção do aglomerado de estrelas M13. Como o aglomerado está a uma distância de 25.000 anos-luz, qualquer retorno será num futuro remoto, tornando o exercício mais uma demonstração do que uma chamada real para recrutar o elenco de nosso drama. Caso você ache que a discrição inibiu nossas transmissões (pois é bom ser discreto em um novo país), lembre-se de que todas as nossas transmissões de rádio e televisão pós-Segunda Guerra Mundial, bem como nossas poderosas emissões de radar, têm enviado cascas esféricas de ondas de rádio para o espaço. Expandindo-se à velocidade da luz, as "mensagens" da era das séries televisivas *da década de 1950* e *I Love Lucy* (Eu amo a Lucy) já inundaram mais de milhares de estrelas, enquanto as de *Hawaii Five-O* (Havaí cinco-zero) e *Charlie's Angels* (As panteras) chegaram a centenas. Se outras civilizações conseguiram realmente desenredar os programas individuais da cacofonia da emissão de rádio da Terra – ora comparável à de qualquer objeto do sistema solar, inclusive o Sol, ou até mais forte que a deles – talvez haja um pouco de verdade na especulação brincalhona de que o conteúdo desses programas explica a razão de nunca termos ouvido nada de nossos vizinhos, pois eles devem achar nossa programação tão pavorosa ou (será atrevimento sugerir?) tão esmagadoramente impressionante que preferem não responder.

Uma mensagem poderia chegar amanhã, carregada de informações e comentários intrigantes. Nisso reside o maior atrativo da comunicação pela radiação eletromagnética. Não é só barata (enviar cinquenta anos de transmissões televisivas ao espaço custa menos que uma única missão com espaçonave), é também instantânea – desde que sejamos capazes de receber e interpretar a emissão de outra civilização. Ela também proporciona um aspecto fundamental das emoções despertadas pelos ufos, mas nesse caso poderíamos realmente receber transmissões que pudessem ser gravadas, verificadas como reais, e estudadas por tanto tempo quanto fosse necessário para compreendê-las.

Na busca de inteligência extraterrestre, abreviada para SETI pelos cientistas nela engajados, o foco continua a ser a procura por sinais de rádio, embora a alternativa de procurar sinais enviados com ondas de luz não deva ser rejeitada. Ainda que as ondas de luz de outra civilização tenham de competir com miríades de fontes naturais de luz, os raios *laser* oferecem a oportunidade de concentrar a luz numa única cor ou frequência – a mesma abordagem que torna possível que as ondas de rádio carreguem mensagens de diferentes estações de rádio ou televisão. No que diz respeito às ondas de rádio, nossas esperanças de sucesso no SETI residem em antenas que podem examinar o céu, receptores que registram o que as antenas detectam, e computadores poderosos que analisam os sinais dos receptores em busca do que não é natural. Existem duas possibilidades básicas: poderíamos encontrar outra civilização escutando clandestinamente suas próprias comunicações, parte das quais vaza para o espaço assim como nossas transmissões de rádio e televisão; ou poderíamos descobrir sinais deliberadamente emitidos, com a intenção de atrair a atenção de civilizações antes não catalogadas como a nossa.

A escuta clandestina propõe claramente uma tarefa mais difícil. Um sinal emitido concentra sua potência numa direção particular, de modo que detectar esse sinal se torna muito mais fácil, se ele for deliberadamente enviado na nossa direção, ao passo que sinais que vazam no espaço difundem sua força mais ou menos uniformemente em todas as direções, sendo, portanto, muito mais fracos a uma determinada distância de sua fonte do que um sinal emitido. Além disso, um sinal emitido conteria presumivelmente alguns exercícios preliminares para dizer aos receptores como interpretá-lo, enquanto a radiação que vaza no espaço não traria nenhum manual do usuário desse tipo. Nossa própria civilização tem vazado sinais por muitas décadas, e enviou um sinal emitido numa direção particular por alguns minutos. Se as civilizações são raras, qualquer tentativa de encontrá-las deve se concentrar na escuta clandestina e evitar a tentação de esperar por sinais deliberadamente emitidos.

Com sistemas sempre melhores de antenas e receptores, os proponentes do SETI começaram a escutar às escondidas no cosmos, esperando encontrar evidência de outras civilizações. Precisamente porque não temos garantia de que vamos ouvir alguma coisa com esse tipo de escuta, aqueles que se ocupam dessas atividades têm dificuldades em obter financiamentos. No início da década de 1990, o Congresso dos Estados Unidos sustentou um programa do SETI por um ano, até que cabeças mais frias acabaram com a brincadeira. Os cientistas do SETI agora garantem seu sustento, em parte, com a colaboração de milhões de pessoas que baixam um protetor de tela (do site da Web setiathome.sl.berkeley.edu) que coopta computadores pessoais para analisar dados relativos a sinais alienígenas em seu tempo livre. Ainda mais financiamento tem vindo de indivíduos ricos, muito notavelmente o falecido Bernard Oliver, um proeminente engenheiro da Hewlett-Packard com um interesse de vida inteira pelo SETI, e Paul Allen, o cofundador da Microsoft. Oliver passou muitos anos pensando sobre o problema básico no SETI, a dificuldade de vasculhar bilhões de possíveis frequências em que outras civilizações poderiam estar transmitindo. Dividimos o espectro do rádio em faixas relativamente largas, de modo que existem apenas algumas centenas de frequências diferentes para as transmissões de rádio e televisão. Em princípio, entretanto, os sinais alienígenas poderiam estar confinados em frequências tão estreitas que o mostrador do SETI precisaria de bilhões de entradas. Sistemas poderosos de computador, que estão no coração das atuais atividades do SETI, são capazes de enfrentar esse desafio analisando simultaneamente centenas de milhões de frequências. Por outro lado, ainda não encontraram nada que sugira comunicações de rádio de outra civilização.

Há mais de cinquenta anos, o gênio italiano Enrico Fermi, talvez o último grande físico a trabalhar não só como experimentalista, mas também como teórico, discutia a vida extraterrestre durante um almoço com seus colegas. Ao concordarem que nada particularmente especial distingue a Terra como uma morada para a vida, os cientistas chegaram à conclusão de que a vida devia ser abundante na Via Láctea. Nesse caso, perguntou Fermi, numa indagação que se propaga como ondas através das décadas, *onde eles estão?*

Fermi queria dizer que, se muitos lugares em nossa galáxia presenciaram o advento de civilizações tecnologicamente avançadas, certamente teríamos ouvido falar de uma delas a essa altura, por meio de mensagens de rádio ou *laser*, senão por visitas concretas. Ainda que a maioria das civilizações se extinga rapidamente, como pode acontecer com a nossa, a existência de grandes números de civilizações implica que algumas delas devem ter períodos de vida suficientemente longos para montar programas de longo prazo em busca de outras. Ainda que algumas dessas civilizações de longa vida não se interessem em participar dessas buscas, outras se interessarão. Assim, o fato de não termos visitas cientificamente comprovadas na Terra, nem demonstrações confiáveis de sinais produzidos por outra civilização, talvez prove que superestimamos muito mal a probabilidade de que apareçam civilizações inteligentes na Via Láctea.

Fermi tinha um argumento forte. Todo dia que passa acrescenta um pouco mais de evidência à probabilidade de que estamos sozinhos em nossa galáxia. Entretanto, quando examinamos os números factuais, a evidência parece fraca. Se vários milhares de civilizações existem na galáxia em qualquer época representativa, a separação média entre as civilizações vizinhas será de alguns milhares de anos-luz, igual a mil vezes a distância até as estrelas mais próximas. Se uma ou mais dessas civilizações perdurou milhões de anos, poderíamos esperar que nos teriam enviado um sinal a essa altura, ou teriam se revelado para nossas modestas tentativas de escuta clandestina. Entretanto, se nenhuma civilização atinge nada que chegue perto desse tempo de duração, então temos de trabalhar com mais afinco para encontrar nossos vizinhos, porque é possível que nenhum deles esteja engajado numa tentativa de procurar outras civilizações em toda a galáxia, e que nenhum deles esteja fazendo transmissões de rádio tão poderosas que nossos presentes esforços de escuta clandestina possam descobri-los.

Assim, permanecemos numa condição humana familiar, equilibrados no fio de acontecimentos que podem não ocorrer. A notícia mais importante na história humana pode chegar amanhã, no próximo ano ou nunca. Vamos seguir adiante e entrar num novo amanhecer, prontos a abraçar o cosmos assim como ele nos circunda, e assim como ele se revela, brilhante de energia e repleto de mistério.

CODA

A busca de nós mesmos no cosmos

> *Equipado com seus cinco sentidos,*
> *o homem explora o universo ao seu*
> *redor e dá à aventura o nome de ciência.*
>
> – EDWIN P. HUBBLE, 1948

Os sentidos humanos exibem uma espantosa acuidade e gama de sensibilidade. Nossos ouvidos são capazes de registrar o lançamento ensurdecedor do ônibus espacial, mas podem também escutar o zumbido de um mosquito macho no canto de um quarto. Nosso sentido do tato nos permite sentir a pressão esmagadora de uma bola de boliche que caiu sobre o dedão do pé, ou saber quando um inseto de um miligrama rasteja pelo braço. Algumas pessoas gostam de mascar pimentas *habanero*, enquanto línguas sensíveis podem identificar a presença de temperos na comida numa proporção de poucas partes por milhão. E nossos olhos podem registrar o terreno arenoso brilhante numa praia ensolarada, mas não têm dificuldade em detectar um único fósforo, recém-aceso a dezenas de metros, no outro lado de um auditório escurecido. Nossos olhos também nos permitem ver através do quarto e através do universo. Sem nossa visão, a ciência da astronomia nunca teria nascido e nossa capacidade de medir nosso lugar no universo teria permanecido irremediavelmente tolhida.

Em combinação, esses sentidos nos permitem decodificar os elementos básicos de nosso ambiente imediato, tais como se é dia ou noite, ou quando uma criatura está prestes a devorar você. Mas ninguém desconfiava, até os últimos séculos, que nossos sentidos sozinhos oferecessem apenas uma janela estreita sobre o universo físico.

Algumas pessoas se vangloriam de um sexto sentido, professando saber ou ver coisas que os outros não conseguem saber ou ver. Videntes, telepatas e místicos encimam a lista daqueles que alegam possuir poderes misteriosos. Ao fazê-lo, eles instilam fascínio nos outros. O campo questionável da parapsicologia baseia-se na expectativa de que ao menos algumas pessoas possuem realmente esse talento.

Em contraste, a ciência moderna maneja dúzias de sentidos. Mas os cientistas não afirmam que eles sejam a expressão de poderes especiais, apenas um *hardware* especial que converte as informações colhidas por esses sentidos extras em simples tabelas, gráficos, diagramas ou imagens que nossos cinco sentidos inatos são capazes de interpretar.

Com as devidas desculpas a Edwin P. Hubble, seu comentário citado na página 309, embora pungente e poético, deveria ter sido

> Equipado com nossos cinco sentidos, junto com telescópios, microscópios, espectômetros de massa, sismógrafos, magnetômetros, detectores e aceleradores de partículas, instrumentos que registram a radiação de todo o espectro eletromagnético, exploramos o universo ao nosso redor e damos à aventura o nome de ciência.

Pensem em como o mundo nos pareceria mais rico, e como teríamos descoberto muito mais cedo a natureza fundamental do universo, se tivéssemos nascido com globos oculares ajustáveis e de alta precisão. Conecte a parte onda de rádio do espectro, e o céu diurno torna-se tão escuro quanto a noite, exceto em algumas direções selecionadas. O centro de nossa galáxia parece um dos lugares mais brilhantes no céu, reluzindo faiscante atrás de algumas das principais estrelas da constelação de Sagitário. Sintonize as micro-ondas, e todo o universo fulgura com resquícios do universo primitivo, uma parede de luz que começou sua viagem em direção a nós 380.000 anos depois do *big bang*. Sintonize os raios X, e você reconhecerá imediatamente as posições dos buracos negros com matéria espiralando para dentro deles. Sintonize os raios gama, e veja explosões colossais jorrando de direções aleatórias aproximadamente uma vez por dia em todo o universo. Observe o efeito dessas explosões no material circundante, enquanto ele aquece para produzir raios X, infravermelho e luz visível.

Se tivéssemos nascido com detectores magnéticos, a bússola nunca teria sido inventada, porque ninguém teria necessidade desse instrumento. Apenas sintonize as linhas do campo magnético da Terra, e a direção do norte magnético avulta como Oz além do horizonte. Se tivéssemos analistas de espectros dentro de nossas retinas, não teríamos de nos perguntar do que é feita a atmosfera. Simplesmente olhando para ela, saberíamos se ela contém ou não suficiente oxigênio para sustentar a vida humana. E teríamos aprendido há milhares de anos que as estrelas e as nebulosas em nossa galáxia contêm os mesmos elementos químicos encontrados aqui na Terra.

E se tivéssemos nascido com grandes olhos sensíveis, com detectores de movimento Doppler embutidos, teríamos visto imediatamente, ainda como trogloditas a grunhir, que o universo inteiro está se expandindo – que todas as galáxias distantes estão se afastando de nós.

Se nossos olhos tivessem a resolução de microscópios de alto desempenho, ninguém jamais teria culpado a ira divina pela praga e outras doenças. As bactérias e os vírus que deixaram você doente teriam saltado à vista, quando rastejaram sobre sua comida ou escorregaram pelas feridas abertas na sua pele. Com experimentos simples, você poderia dizer facilmente quais desses micróbios eram ruins e quais eram bons. E os vetores de problemas de infecção pós-operatória teriam sido identificados e resolvidos centenas de anos mais cedo.

Se pudéssemos detectar partículas de alta energia, perceberíamos substâncias radioativas a partir de grandes distâncias. Nenhum contador Geiger seria necessário. Você poderia até observar gás radônio se infiltrar pelo chão do porão de sua casa, sem ter de pagar ninguém para lhe dizer do que se tratava.

O aperfeiçoamento de nossos cinco sentidos, desde o nascimento e ao longo da infância, permite que nós, já adultos, julguemos os eventos e fenômenos em nossas vidas, declarando se eles "fazem sentido" ou não. O problema é que quase nenhuma das descobertas científicas do século passado fluiu da aplicação direta de nossos sentidos. Ao contrário, elas vieram da aplicação direta da matemática e de *hardwares* que transcendem os sentidos. Esse simples fato explica por que razão, para a pessoa comum, a relatividade, a física de partículas e a teoria das cordas de onze dimensões não fazem sentido. Acrescentem-se a essa lista os buracos negros, os buracos de minhoca e o *big bang*. Na realidade, esses conceitos tampouco fazem muito sentido para os cientistas, enquanto não tivermos explorado o universo por um longo tempo com todos os sentidos tecnologicamente à nossa disposição. O que finalmente surge é um nível mais novo e mais alto de "senso incomum", que torna os cientistas capazes de pensar criativamente e expressar suas opiniões no submundo não familiar do átomo ou no domínio alucinante do espaço dimensional mais elevado. O físico alemão do século XX, Max Planck, fez uma observação semelhante sobre a descoberta da mecânica quântica: "A física moderna nos impressiona particularmente com a verdade da antiga doutrina, segundo a qual há realidades existentes fora de nossas percepções sensoriais, bem como problemas e conflitos nos quais essas realidades são de mais-valia para nós que os mais ricos tesouros do mundo da experiência".

Cada novo caminho do conhecer anuncia uma nova janela sobre o universo – um novo detector a ser adicionado à nossa crescente lista de sentidos não biológicos. Sempre que isso acontece, atingimos um novo nível de esclarecimento cósmico, como se estivéssemos evoluindo para nos tornarmos seres supersencientes. Quem teria imaginado que nossa busca por decodificar os mistérios do universo, armados com uma miríade de sentidos artificiais, nos concederia um *insight* sobre nós mesmos? Não embarcamos nessa busca por um simples desejo, mas por um mandado de nossa espécie – buscar nosso lugar no cosmos. A busca é antiga, não é nova, e tem atraído a atenção de pensadores grandes e pequenos, através do tempo e por meio da cultura. O que temos descoberto os poetas sempre souberam:

Não deixaremos de explorar
E o fim de toda a nossa exploração
Será chegar aonde começamos
E conhecer o lugar pela primeira vez...

– T. S. Eliot, 1942

GLOSSÁRIO DE TERMOS SELECIONADOS

aceleração: uma mudança na velocidade ou direção do movimento de um objeto (ou em ambas).

ácido nucleico: ou *DNA* ou *RNA*.

acreção: uma precipitação de matéria que aumenta a massa de um objeto.

aglomerado de estrelas: um grupo de estrelas nascidas no mesmo tempo e lugar, capaz de perdurar como um grupo por bilhões de anos por causa da atração gravitacional mútua das estrelas.

aglomerado de galáxias: um grande grupo de *galáxias*, acompanhado em geral por gás e poeira, e por uma quantidade muito maior de *matéria escura*, que se mantém unido pela atração gravitacional mútua do material que forma o aglomerado de galáxias.

AGN: abreviatura astronômica para uma *galáxia* com um *núcleo ativo*, um modo modesto de descrever galáxias cujas regiões centrais brilham milhares, milhões ou até bilhões de vezes mais intensamente do que as regiões centrais de uma galáxia normal. As AGNs têm uma semelhança genérica com os *quasares*, mas são tipicamente observadas a distâncias menores que a dos quasares, por isso numa época mais recente de suas vidas do que os próprios quasares.

aminoácido: uma molécula de uma classe de *moléculas* relativamente pequenas, compostas de treze a vinte e sete *átomos de carbono, nitrogênio, hidrogênio, oxigênio e enxofre*, que podem se ligar em longas cadeias para formar *moléculas de proteína*.

anã branca: o núcleo de uma estrela que fundiu *hélio* em *núcleos de carbono*, e que consiste, portanto, em núcleos de carbono mais *elétrons*, comprimido num pequeno diâmetro (aproximadamente o tamanho da Terra) e numa alta densidade (cerca de 1 milhão de vezes a densidade da água).

anã marrom: um objeto com uma composição semelhante à de uma estrela, mas sem massa suficiente para se tornar uma estrela dando início à *fusão nuclear* em seu núcleo.

ano-luz: a distância que a luz ou outras formas de *radiação eletromagnética* percorrem num ano, igual a aproximadamente 10 trilhões de quilômetros ou 6 trilhões de milhas.

antimatéria: a forma complementar da matéria, feita de *antipartículas* que têm a mesma massa das partículas que elas complementam, mas *carga elétrica* de sinal contrário.

antipartícula: o complemento *antimatéria* para uma partícula de matéria comum.

Archaea: representantes de um dos três domínios da vida, consideradas as formas mais antigas de vida sobre a Terra. Todas as Archaea são unicelulares e termofílicas (capazes de prosperar em temperaturas acima de 50-70° Celsius).

asteroide: um dos objetos, compostos principalmente de rocha ou de rocha e metal, que orbitam o Sol, sobretudo entre as órbitas de Marte e Júpiter, e seu tamanho vai de 1.000 quilômetros de diâmetro até objetos com cerca de 100 metros de um lado a outro. Objetos semelhantes a asteroides, mas de tamanho menor são chamados *meteoroides*.

astrofísico: aquele que estuda o *universo* usando todo o *kit* de ferramentas propiciado pelas leis conhecidas da física. O termo preferido nos tempos modernos.

astrônomo: aquele que estuda o *universo*. Termo usado mais comumente no passado, numa época em que ainda não se obtinham espectros dos objetos cósmicos.

atmosfera primitiva: a atmosfera original de um planeta.

átomo: a menor unidade eletricamente neutra de um *elemento*, que consiste em um *núcleo* composto de um ou mais *prótons* e zero ou mais *nêutrons*, ao redor do qual orbita um número de *elétrons* igual ao número de prótons no núcleo. Esse número determina as características químicas do átomo.

autogravitação: as *forças gravitacionais* que cada parte de um objeto exerce sobre todas as outras partes.

Bacteria: um dos três domínios da vida sobre a Terra (outrora conhecido como procariontes), organismos unicelulares sem *núcleo* bem definido que contenha material genético.

big bang: a descrição científica da origem do *universo*, baseada na hipótese de que o universo começou numa explosão que gerou espaço e matéria há aproximadamente 14 bilhões de anos. Hoje o universo continua a se expandir em todas as direções, por toda parte, como resultado dessa explosão.

braços espirais: as características espirais vistas dentro do disco de uma *galáxia espiral*, delineadas pelas estrelas mais jovens, mais quentes, mais luminosas e por nuvens gigantes de gás e poeira dentro das quais essas estrelas recentemente se formaram.

brilho aparente: o brilho que um objeto parece ter quando um observador o mede, por isso um brilho que depende da *luminosidade* do objeto e de sua distância do observador.

buraco negro supermassivo: um *buraco negro* com mais de algumas centenas de vezes a massa do Sol.

buraco negro: um objeto com uma *força gravitacional* tão enorme que nada, nem mesmo a luz, consegue escapar da área delimitada por uma distância específica de seu centro, chamada *raio do buraco negro* do objeto.

carboidrato: uma molécula composta apenas de *átomos de carbono, hidrogênio e oxigênio*, tipicamente com duas vezes mais átomos de hidrogênio que de oxigênio.

carbono: o elemento que consiste em *átomos* cujos *núcleos* têm cada um seis *prótons*, e cujos diferentes *isótopos* têm cada um seis, sete ou oito *nêutrons*.

carga elétrica: uma propriedade intrínseca de *partículas elementares*, que podem ser positiva, zero ou negativa; sinais diferentes de *carga elétrica* se atraem uns aos outros e sinais iguais de carga elétrica se repelem uns aos outros por meio de *forças eletromagnéticas*.

catalisador: uma substância que aumenta a velocidade com que ocorrem reações específicas entre *átomos* ou *moléculas*, sem que ela própria seja consumida nessas reações.

CBR: ver **radiação cósmica de fundo**.

célula: uma unidade estrutural e funcional encontrada em todas as formas de vida na Terra.

ceticismo: um estado mental de questionamento e dúvida, que está na raiz da pesquisa científica sobre o cosmos.

chuva de meteoros: um grande número de *meteoros* que se observa irradiarem de um ponto específico no céu, o resultado de a Terra cruzar as órbitas de um grande número de *meteoroides* num curto espaço de tempo.

ciclo próton-próton: a cadeia de três reações de *fusão nuclear* pela qual a maioria das estrelas funde *prótons* em núcleos de *hélio* e converte *energia* de massa em *energia cinética*.

Cinturão de Kuiper: o material em órbita ao redor do Sol a distâncias que se estendem desde cerca de 40 U. A. (distância média de

Plutão) até várias centenas de U. A. Quase tudo é entulho restante do *disco protoplanetário* do Sol. Plutão é um dos maiores objetos no Cinturão de Kuiper.

civilização: para as atividades SETI, um grupo de seres com uma capacidade de comunicação interestelar ao menos igual à nossa na Terra.

COBE (Explorador do Fundo Cósmico [Cosmic Background Explorer]): o satélite lançado em 1989 que observou a *radiação cósmica de fundo* e detectou pela primeira vez pequenas diferenças na quantidade dessa radiação que chega de diferentes direções sobre o céu.

código genético: o conjunto de "letras" nas moléculas DNA ou RNA, cada uma das quais especifica um determinado *aminoácido* e consiste em três moléculas sucessivas como aquelas que formam as ligações cruzadas entre as espirais gêmeas das moléculas DNA.

cometa: um fragmento de material do sistema solar primitivo, tipicamente uma "bola de neve suja" feita de gelo, rocha, poeira e *dióxido de carbono* congelado (gelo seco).

composto: um sinônimo para *molécula*.

comprimento de onda: a distância entre cristas de onda sucessivas ou depressões entre as ondas; para *fótons*, a distância que um fóton percorre durante uma oscilação.

constante cosmológica: a constante introduzida por Albert Einstein na sua equação que descreve o comportamento total do *universo*, a qual representa a quantidade de energia, agora chamada *energia escura*, em todo centímetro cúbico do espaço aparentemente vazio.

constante de Hubble: a constante que aparece na *lei de Hubble* e relaciona as distâncias das galáxias a suas velocidades de recessão.

constelação: um grupo localizado de estrelas, assim como são vistas da Terra, com nomes de animal, planeta, instrumento científico ou figura mitológica, que em raros casos descrevem realmente o padrão estelar; um dentre oitenta e oito desses grupos no céu.

cosmologia: o estudo do *universo* como um todo, e de sua estrutura e evolução.

cosmólogo: um *astrofísico* especializado na origem e na estrutura em grande escala do *universo*.

cosmos: tudo o que existe; um sinônimo para *universo*.

cromossomo: uma única molécula *DNA*, junto com as *proteínas* associadas a essa molécula, que armazena informações genéticas em subunidades chamadas *genes* e pode transmitir essas informações quando as células se *replicam*.

decaimento radioativo: o processo pelo qual certos tipos de *núcleos* atômicos se transformam espontaneamente em outros tipos.

Definição de planeta: Um planeta é um corpo celeste que (a) está em órbita em redor do Sol, (b) tem suficiente massa para que a sua própria gravidade supere as forças de corpo rígido de modo que adquira um equilíbrio hidrostático (forma praticamente esférica), (c) limpou a vizinhança da sua órbita. São planetas: Mercúrio, Vênus, Terra, Marte, Júpiter, Saturno, Urano e Netuno.

desacoplamento: a era na história do *universo* em que os *fótons* tinham muito pouca energia para interagir com os *átomos*, de modo que pela primeira vez os átomos puderam se formar e perdurar sem serem rompidos pelos impactos de fótons.

deslocamento Doppler: a mudança fracionária na *frequência*, *comprimento de onda* e *energia* produzida pelo *efeito Doppler*.

deslocamento para o azul: um deslocamento para *frequências* mais altas e *comprimentos de onda* mais curtos, tipicamente causado pelo *efeito Doppler*.

desvio para o vermelho: um desvio para *frequências* mais baixas e *comprimentos de onda* mais longos no *espectro* de um objeto, causado tipicamente pelo *efeito Doppler*.

dinâmica newtoniana modificada (MOND [modified Newtonian dynamics]): uma teoria variante da gravidade proposta pelo físico israelense Mordehai Milgrom.

dinâmica: o estudo do movimento e efeito de *forças* sobre a interação de objetos. Quando aplicada ao movimento de objetos no sistema solar e no universo, ela é frequentemente chamada de mecânica celeste.

dióxido de carbono (CO_2): um tipo de *molécula* que contém um átomo de *carbono* e dois átomos de *oxigênio*.

disco de acreção: material que circunda um objeto massivo, tipicamente um *buraco negro*, que se move em órbita ao seu redor e espirala lentamente para dentro.

disco protoplanetário: o disco de gás e poeira que circunda uma *estrela* enquanto ela se forma, a partir e dentro do qual planetas individuais podem se formar.

dupla hélice: a forma estrutural básica das *moléculas DNA*.

eclipse: o obscurecimento parcial ou total de um objeto celeste por outro, visto por um observador quando os objetos aparecem quase ou exatamente um atrás do outro.

efeito Doppler: a mudança na *frequência, comprimento de onda* e *energia* observada em *fótons* que chegam de uma fonte que tem uma velocidade relativa de aproximação ou recessão ao longo da linha de visão entre o observador e a fonte. Essas mudanças na frequência e comprimento de onda são um fenômeno geral que ocorre com qualquer tipo de movimento ondulatório. Não dependem de a fonte estar em movimento ou o observador estar se movendo; o que conta é o movimento relativo da fonte com respeito ao observador ao longo da linha de visão do observador.

efeito estufa descontrolado: um *efeito estufa* que se torna mais forte quando o aquecimento da superfície de um planeta aumenta a taxa da evaporação líquida, que por sua vez aumenta o efeito estufa.

efeito estufa: a captura da radiação *infravermelha* pela atmosfera de um planeta, o que aumenta a temperatura em cima e imediatamente acima da superfície do planeta.

elementos: os componentes básicos da matéria, classificados pelo número de *prótons* no *núcleo*. Toda a matéria comum no *universo* é composta de noventa e dois elementos, que vão do menor *átomo*, o de *hidrogênio* (com um próton em seu núcleo), ao maior elemento naturalmente existente, o urânio (com noventa e dois prótons em seu núcleo). Elementos mais pesados que o urânio têm sido produzidos em laboratórios.

elétron: uma *partícula elementar* com uma unidade de *carga elétrica* negativa, que num *átomo* orbita o *núcleo* atômico.

elipse: uma curva fechada definida pelo fato de que a soma das distâncias de qualquer ponto na curva a dois pontos interiores fixos, chamados focos, tem o mesmo valor.

energia cinética: a *energia* que um objeto possui em virtude de seu movimento, definida como metade da massa do objeto vezes o quadrado da velocidade do objeto. Assim, um objeto mais massivo, como um caminhão, tem mais energia cinética que um objeto menos massivo, como um triciclo, que se move à mesma velocidade.

energia de massa: a *energia* equivalente de uma quantidade específica de massa, igual à massa vezes o quadrado da velocidade da luz.

energia de movimento: ver *energia cinética*.

energia escura: *energia* que é invisível e indetectável por qualquer medição direta, cuja quantidade depende do tamanho da *constante cosmológica*, e que tende a fazer o espaço expandir.

energia térmica: a energia contida num objeto (sólido, líquido ou gasoso) em virtude de suas vibrações atômicas ou moleculares. A *energia cinética* média dessas vibrações é a definição oficial de temperatura.

energia: a capacidade de fazer trabalho; na física, "trabalho" é especificado por uma dada quantidade de *força* que age através de uma distância específica.

enzima: um tipo de *molécula*, seja uma *proteína* ou *RNA*, que serve como um sítio em que as moléculas podem interagir de certas maneiras específicas, e assim atua como um *catalisador*, aumentando a velocidade com que determinadas reações moleculares ocorrem.

equação de Drake: a equação, deduzida pela primeira vez pelo astrônomo americano Frank Drake, que resume nossa estimativa do número de *civilizações* com capacidade de comunicação interestelar que existem agora ou em qualquer tempo representativo.

escala absoluta de temperatura (Kelvin): *temperatura* medida numa escala (denotada por K) na qual a água congela a 273,16 K e ferve a 373,16 K, com 0 K denotando o zero absoluto, a temperatura mais fria teoricamente atingível.

escala de temperatura (absoluta) Kelvin: a escala de *temperatura* nomeada em homenagem a Lorde Kelvin (William Thomson, 1824-1907) e criada durante meados do século XIX, para a qual a temperatura mais fria possível é, por definição, zero grau. Os intervalos de temperatura nessa escala (denotada por K) são os mesmos que os encontrados na *escala de temperatura Celsius (centígrada)*, de modo que na escala Kelvin a água congela a 273,16 graus e ferve a 373,16 graus.

escala de temperatura Celsius ou centígrada: a escala de *temperatura* com o nome do astrônomo sueco Anders Celsius (1701-1744), que a introduziu em 1742, segundo a qual a água congela a zero grau e ferve a 100 graus.

escala de temperatura Fahrenheit: a escala de *temperatura* que tem o nome do físico, nascido na Alemanha, Gabriel Daniel Fahrenheit (1686-1736). Ele a introduziu em 1724, e de acordo com essa escala a água congela a 32 graus e ferve a 212 graus.

escala logarítmica: um método para plotar dados, por meio do qual amplitudes tremendas de números podem caber no mesmo pedaço de papel. Em termos oficiais, a escala logarítmica aumenta de forma exponencial (p. ex., 1, 10, 100, 1.000, 10.000) em vez de aritmeticamente (p. ex., 1, 2, 3, 4, 5).

escuta clandestina: a técnica de tentar detectar uma *civilização* extraterrestre capturando alguns dos sinais de *rádio* usados para a comunicação interna da civilização.

esfera: a única forma sólida em que todo ponto na superfície tem a mesma distância do centro.

espaço-tempo: a combinação matemática de espaço e tempo que trata o tempo como uma coordenada com todos os direitos e privilégios concedidos ao espaço. Tem-se mostrado, por meio da *teoria da relatividade especial*, que a natureza é descrita com mais acuidade quando se usa um formalismo espaço-tempo. Ele simplesmente requer que todos os eventos sejam especificados com as coordenadas espaço *e* tempo. A matemática apropriada não leva em conta a diferença.

espécie: um tipo particular de organismo, cujos membros possuem características anatômicas similares e podem entrecruzar.

espectro: a distribuição de *fótons* por *frequência* ou *comprimento de onda*, mostrada frequentemente como um gráfico que apresenta o número de fótons em cada frequência ou comprimento de onda específico.

estrela cadente: nome popular para um *meteoro*.

estrela de nêutrons: os diminutos remanescentes (menos de trinta e dois quilômetros de diâmetro) do núcleo de uma explosão de *supernova*, compostos quase inteiramente de *nêutrons* e tão densos que sua matéria efetivamente comprime dois mil transatlânticos em cada polegada cúbica (6,25 centímetros cúbicos) do espaço.

estrela gigante vermelha: uma *estrela* que passou pela fase principal de sua evolução e começou a contrair seu núcleo e a expandir suas camadas exteriores. A contração induz uma taxa maior de *fusão nuclear*, aumenta a *luminosidade* da estrela, e deposita energia nas camadas exteriores, forçando com isso que a estrela se torne maior.

estrela: uma massa de gás mantida unida por sua *autogravitação*, em cujo centro reações de *fusão nuclear* transformam energia de massa em *energia cinética* que aquece toda a estrela, fazendo com que sua superfície brilhe.

eucarionte: um organismo, unicelular ou multicelular, que guarda o material genético em cada uma de suas células dentro de um núcleo unido por uma membrana.

Eukarya: a totalidade dos organismos classificados como *eucariontes*.

Europa: um dos quatro grandes satélites de Júpiter, famoso por sua superfície congelada que pode cobrir um oceano global.

evolução: na biologia, o resultado em andamento da *seleção natural*, que sob certas circunstâncias faz com que grupos de organismos similares, chamados espécies, mudem com o passar do tempo, de modo que seus descendentes diferem significativamente em estrutura e aparência; em geral, qualquer mudança gradual de um objeto para outra forma ou estado de desenvolvimento.

excentricidade: uma medida do "estreitamento" de uma *elipse*, igual à razão da distância entre os dois "focos" da elipse e seu eixo maior.

extinção em massa: um evento na história da vida sobre a Terra, em alguns casos como resultado de um impacto massivo, durante o qual uma fração significativa de todas as espécies de organismos se torna extinta dentro de um intervalo de tempo geologicamente curto.

extremófilo: organismos que prosperam em altas *temperaturas*, tipicamente entre 70 e 100 graus Celsius.

fissão: a divisão de um *núcleo* atômico maior em dois ou mais núcleos menores. A fissão de núcleos maiores que o ferro libera energia. Essa fissão (também chamada fissão atômica) é a fonte de energia em todas as usinas nucleares da atualidade.

força eletromagnética: um dos quatro tipos básicos de *forças*, agindo entre partículas com *carga elétrica* e diminuindo em proporção ao inverso do quadrado da distância entre as partículas. Investigações recentes têm mostrado que essas forças e as *forças fracas* são aspectos diferentes de uma única *força eletrofraca*.

força: em termos gerais, a ação que tende a produzir uma mudança física; uma influência que tende a *acelerar* um objeto na direção em que a força é aplicada ao objeto.

forças eletrofracas: o aspecto unificado de *forças eletromagnéticas* e *forças fracas*, cujos aspectos aparecem bem diferentes em energias relativamente baixas, mas tornam-se unificadas quando atuam em energias enormes como aquelas típicas dos primeiros momentos do *universo*.

forças fortes: um dos quatro tipos de *forças*, sempre atrativas, que atuam entre núcleons (*prótons* e *nêutrons*) para uni-los em núcleos atômicos, mas somente se eles se aproximarem uns dos outros dentro de distâncias comparáveis a 10^{-13} cm.

forças fracas: um dos quatro tipos de *forças*, que atua apenas entre partículas elementares de cerca de 10^{-13} cm ou menos, e responsável pelo decaimento radioativo de certas partículas elementares em outros tipos. Investigações recentes têm mostrado que as forças fracas e as *forças eletromagnéticas* são aspectos diferentes de uma única *força eletrofraca*.

forças gravitacionais: um dos quatro tipos básicos de *forças*, sempre atrativas, cuja intensidade entre dois objetos quaisquer varia em proporção ao produto das massas dos objetos, dividido pelo quadrado da distância entre seus centros.

fóssil: resquício ou vestígio de um organismo antigo.

fóton: uma partícula elementar sem massa e sem *carga elétrica*, capaz de transportar *energia*. Correntes de fótons formam a *radiação* *eletromagnética* e viajam pelo espaço à velocidade da luz, 299.792 quilômetros por segundo.

fotossíntese: o uso da *energia* na forma de *luz visível* ou *fótons ultravioletas* para produzir moléculas de *carboidrato* a partir de *dióxido de carbono* e água. Em alguns organismos, o sulfeto de hidrogênio (H_2S) desempenha o mesmo papel que a água (H_2O) possui na maior parte da fotossíntese na Terra.

frequência: de *fótons*, o número de oscilações ou vibrações por segundo.

fusão nuclear: a junção de dois *núcleos* sob a influência de *forças fortes*, o que só ocorre se os núcleos chegam perto uns dos outros a uma distância aproximadamente do tamanho de um próton (10^{-13} centímetro).

fusão termonuclear: outro nome para *fusão nuclear*, às vezes referida simplesmente como fusão.

fusão: a combinação de *núcleos* menores para formar núcleos maiores. Quando núcleos menores que o ferro se fundem, é liberada energia. A fusão fornece a fonte de energia primária para as armas nucleares do mundo, e para todas as estrelas no universo. Também chamada *fusão nuclear* e *fusão termonuclear*.

galáxia Andrômeda: a grande *galáxia espiral* mais próxima da Via Láctea, a uma distância de aproximadamente 2,4 milhões de *anos-luz* de nossa própria galáxia.

galáxia elíptica: uma galáxia com uma distribuição elipsoidal de estrelas, que contém quase nenhum gás ou poeira interestelar, cuja forma parece elíptica numa projeção bidimensional.

galáxia espiral barrada: uma *galáxia espiral* na qual a distribuição de estrelas e gás nas regiões centrais da galáxia tem uma configuração alongada, semelhante a uma barra.

galáxia espiral: uma *galáxia* caracterizada por um disco altamente achatado de estrelas, gás e poeira, distinguida por *braços espirais* dentro do disco.

galáxia irregular: uma *galáxia* cuja forma é irregular, isto é, não é nem *espiral* (semelhante a um disco), nem *elíptica*.

galáxia: um grande grupo de estrelas, cujo número vai de vários milhões até muitas centenas de bilhões, que se mantém unido pela atração gravitacional mútua das estrelas, e que também contém em geral quantidades significativas de gás e poeira.

gás interestelar: gás dentro de uma *galáxia* que não faz parte de nenhuma estrela.

gelo seco: *dióxido de carbono* (CO_2) congelado.

gene: uma seção de um *cromossomo* que especifica, por meio do código genético, a formação de uma cadeia específica de *aminoácidos*.

genoma: o complemento total dos *genes* de um organismo.

Grande Nuvem Magelânica [Grande Nuvem de Magalhães]: a maior das duas *galáxias* satélites irregulares da *Via Láctea*.

Grupo Local: o nome dado a aproximadamente duas dúzias de *galáxias* na vizinhança imediata da galáxia da *Via Láctea*. O Grupo Local inclui as *Nuvens Magelânicas Grande e Pequena [Grande e Pequena Nuvens de Magalhães]* e a *galáxia de Andrômeda*.

halo: as regiões mais exteriores de uma galáxia – que ocupam um volume muito maior que a galáxia visível – dentro das quais reside a maior parte da *matéria escura* de uma galáxia.

hélio: o segundo mais leve e o segundo mais abundante *elemento*, cujos núcleos contêm dois *prótons* e um ou dois *nêutrons*. As estrelas geram energia por meio da *fusão* de núcleos de *hidrogênio* (*prótons*) em núcleos de hélio.

hertz: uma unidade de *frequência*, correspondente a uma vibração por segundo.

hidrogênio: o mais leve e mais abundante *elemento*. Cada um de seus *núcleos* contém um *próton* e um número de *nêutrons* igual a zero, um ou dois.

horizonte de eventos: o nome poético dado ao *raio de buraco negro* de um objeto: a distância do centro de um *buraco negro* que marca o ponto sem retorno, porque nada consegue escapar da *força gravitacional* do buraco negro depois de passar pelo horizonte de eventos. O horizonte de eventos pode ser considerado a "beirada" de um buraco negro.

infravermelho: *radiação eletromagnética* que consiste em *fótons* que têm *comprimentos de onda* um tanto mais longos e *frequências* um tanto mais baixas do que os comprimentos de onda e as frequências dos fótons que formam a luz visível.

íon: um *átomo* que perdeu um ou mais de seus *elétrons*.

ionização: o processo de converter um *átomo* num *íon* tirando do átomo um ou mais *elétrons*.

isótopo: *núcleos* de um *elemento* específico, todos os quais contêm o mesmo número de *prótons*, mas números diferentes de *nêutrons*.

JWST (Telescópio Espacial James Webb): o telescópio baseado no espaço, projetado para começar suas operações durante a década de 2010, que vai superar o *Telescópio Espacial Hubble*, levando um espelho maior e instrumentos mais avançados para o espaço.

latitude: sobre a Terra, a coordenada que mede norte e sul especificando o número de graus a partir de Equador (zero grau) em direção ao Polo Norte (90° norte) ou ao Polo Sul (90° sul).

lei de Hubble: o resumo da expansão do *universo* conforme observada hoje, o qual afirma que a velocidade de recessão das galáxias muito remotas é igual a uma constante multiplicada pelas distâncias das galáxias em relação à Via Láctea.

lente gravitacional: um objeto que exerce suficiente *força gravitacional* sobre raios de luz passantes para curvá-los, focando-os frequentemente para produzir uma imagem mais brilhante do que um observador veria sem a lente gravitacional.

longitude: sobre a Terra, a coordenada que mede leste ou oeste especificando o número de graus a partir do "primeiro meridiano", definido arbitrariamente, a linha norte-sul que passa por Greenwich, Inglaterra. As longitudes vão de zero a 180 graus leste ou a 180 graus oeste de Greenwich, incluindo, assim, os 360 graus que abrangem a superfície da Terra.

luminosidade: a quantidade total de *energia* emitida a cada segundo por um objeto em todos os tipos de *radiação eletromagnética*.

luz (luz visível): *radiação eletromagnética* que consiste em fótons cujas *frequências* e *comprimentos de onda* estão dentro da faixa denotada como luz visível, entre o *infravermelho* e o *ultravioleta*.

luz visível: *fótons* cujas *frequências* e *comprimentos de onda* correspondem àqueles detectados pelos olhos humanos, intermediários entre os da radiação *infravermelha* e *ultravioleta*.

marés: abaulamentos produzidos num objeto deformável pela *força gravitacional* de um objeto próximo, os quais surgem do fato de o objeto próximo exercer quantidades diferentes de força sobre partes diferentes do objeto deformável, porque essas partes têm distâncias diferentes em relação ao objeto.

massa: uma medida do conteúdo material de um objeto, que não deve ser confundida com o peso, que mede a quantidade de *força gravitacional* sobre um objeto. Para os objetos na superfície da Terra, entretanto, a massa e o peso variam em proporção direta.

matéria escura: matéria de forma desconhecida que não emite *radiação eletromagnética*. Tem sido deduzida, a partir das *forças gravitacionais* que exerce sobre a matéria visível, como algo que abrange o volume de toda a matéria no universo.

mecânica quântica: a descrição do comportamento de partículas nas menores escalas de tamanho, portanto, a descrição da estrutura de *átomos* e sua interação com outros átomos e *fótons*, bem como do comportamento de *núcleos* atômicos.

megahertz: uma unidade de *frequência*, igual a 1 milhão de vibrações ou oscilações por segundo.

metabolismo: a totalidade dos processos químicos de um organismo, medida pela rapidez com que o organismo usa a *energia*. Um animal de alto metabolismo deve consumir energia (comida) com muito mais frequência para se sustentar.

meteorito: um *meteoroide* que subsiste à sua passagem pela atmosfera da Terra.

meteoro: uma risca luminosa de luz produzida pelo aquecimento de um *meteoroide* ao passar pela atmosfera da Terra.

meteoroide: um objeto de rocha ou metal, ou uma mistura de metal-rocha, menor que um *asteroide*, movendo-se numa órbita ao redor do Sol, parte dos escombros restantes da formação do sistema solar ou de colisões entre objetos do sistema solar.

metro: a unidade fundamental de comprimento no sistema métrico, igual a aproximadamente 39,37 polegadas.

modelo: uma construção mental, criada frequentemente com a ajuda de lápis e papel ou de computadores de alta velocidade, que representa uma versão simplificada da realidade e permite que os cientistas tentem isolar e compreender os processos mais importantes que ocorrem numa situação específica.

molécula DNA [ADN] (ácido desoxirribonucleico): uma *molécula* longa e complexa que consiste em duas faixas espirais entrelaçadas, unidas por milhares de ligações cruzadas formadas a partir de pequenas moléculas. Quando as moléculas DNA se dividem e *replicam*, elas se partem longitudinalmente, separando cada par de pequenas moléculas que formam suas ligações cruzadas. Cada metade de molécula forma então uma nova réplica da molécula original a partir de moléculas menores que existem no ambiente próximo.

molécula: um agrupamento estável de dois ou mais *átomos*.

mutação: uma mudança no *DNA* de um organismo que pode ser herdada pelos descendentes daquele organismo.

nave espacial *Cassini-Huygens*: a nave espacial, lançada da Terra em 1997, que chegou a Saturno em 2004. Depois de cumprir essa etapa da missão, o orbitador *Cassini* examinou Saturno e suas luas, e liberou a sonda *Huygens* para descer até a superfície de Titã, o maior satélite de Saturno.

nave espacial *Galileo*: a nave espacial enviada pela NASA a Júpiter em 1990, que chegou a seu destino em dezembro de 1995, baixou uma sonda na atmosfera de Júpiter, e passou alguns dos anos seguintes em órbita ao redor do gigante gasoso, fotografando o planeta e seus grandes satélites.

nave espacial *Voyager*: as duas espaçonaves da NASA, chamadas *Voyager 1* e *Voyager 2*, que foram lançadas da Terra em 1978 e passaram por Júpiter e Saturno alguns anos mais tarde; *Voyager 2* continuou para seu encontro com Urano em 1986 e com Netuno em 1989.

nebulosa: uma massa difusa de gás e poeira, iluminada em geral a partir de seu interior por estrelas jovens e altamente luminosas que se formaram recentemente desse material.

neutrino: uma *partícula elementar* sem *carga elétrica* e com uma massa muito menor que a massa de um *elétron*, produzido e absorvido caracteristicamente em reações entre partículas elementares regidas por *forças fracas*.

nêutron: uma *partícula elementar* sem *carga elétrica*, um dos dois componentes básicos de um *núcleo* atômico.

nitrogênio: o elemento composto de *átomos* cujos *núcleos* têm cada um sete *prótons*, e cujos diferentes *isótopos* têm núcleos com seis, sete, oito, nove ou dez nêutrons. A maioria dos núcleos de nitrogênio tem sete nêutrons.

núcleo: (1) a região central de um *átomo*, composta de um ou mais *prótons* e zero ou mais *nêutrons*. (2) A região dentro de uma célula *eucariótica* que contém o material genético da célula na forma de cromossomos. (3) A região central de uma *galáxia*.

nucleotídeo: uma das moléculas de ligação cruzada no DNA e no RNA. No DNA, os quatro nucleotídeos são adenina, citosina, guanina e timina; no RNA, uracil desempenha o papel que cabe à timina no DNA.

nuvem de Oort: os bilhões ou trilhões de *cometas* que orbitam o Sol, os quais se formaram primeiro quando o *protossol* começou a se contrair, e quase todos esses cometas se movem em órbitas milhares ou até dezenas de milhares de vezes maiores que a órbita da Terra.

nuvem de poeira: nuvens de gás no espaço interestelar que são suficientemente frias para que *átomos* se combinem a fim de formar *moléculas*, muitas das quais também se combinam para formar partículas de poeira compostas de milhões de átomos cada uma.

nuvem interestelar: uma região do espaço interestelar consideravelmente mais densa que o habitual, abrangendo tipicamente um diâmetro de várias dúzias de *anos-luz*, com densidades de matéria que vão de dez átomos por centímetro cúbico até milhões de moléculas por centímetro cúbico.

orgânico: termo que se refere a compostos químicos com *átomos de carbono* como um elemento estrutural importante; moléculas baseadas em carbono. Além disso, tem propriedades associadas com a vida.

organismo: um objeto dotado com a propriedade de ser vivo.

Os experimentos inventados para testar as teorias de Einstein têm verificado com precisão todas essas previsões. Um exemplo excelente é fornecido pelas partículas que têm "meias-vidas" de decaimento. Depois de um tempo previsível, espera-se que metade se desintegre em outra partícula. Quando essas partículas são enviadas a velocidades perto da velocidade da luz (em aceleradores de partículas), a meia-vida aumenta na quantidade exata prevista por Einstein. As partículas se tornam também mais duras para acelerar, o que implica o aumento de sua massa efetiva.

oxidação: combinação com *átomos de oxigênio*, tipificada pelo enferrujamento de metais expostos ao oxigênio na atmosfera da Terra.

oxigênio: o elemento cujos *núcleos* têm cada um oito *prótons*, e cujos diferentes *isótopos* têm cada um sete, oito, nove, dez, onze ou doze nêutrons em cada núcleo. A maioria dos núcleos de oxigênio tem oito nêutrons para acompanhar seus oito prótons.

ozônio (O_3): moléculas feitas de três *átomos de oxigênio*, que, em altas altitudes da atmosfera da Terra, protegem a superfície da Terra contra a radiação *ultravioleta*.

panspermia: a hipótese de que a vida de um local pode ser transferida para outro, por exemplo, de planeta a planeta dentro do sistema solar; também chamada semeadura cósmica.

partícula elementar: uma partícula fundamental da natureza, normalmente indivisível em outras partículas. *Prótons* e *nêutrons* são em geral designados como partículas elementares, embora consistam, cada um, em três partículas chamadas *quarks*.

Pequena Nuvem de Magalhães: a menor das duas *galáxias irregulares* que são satélites de nossa *Via Láctea*.

placas tectônicas: movimentos lentos de placas da crosta da Terra e de planetas similares.

planeta: um objeto em órbita ao redor de outra estrela. Não é outra estrela e tem um tamanho ao menos tão grande quanto Plutão, que se classifica como o menor planeta do Sol ou como um objeto do *Cinturão de Kuiper* pequeno demais para ser um planeta.

planeta extrassolar (também **exoplaneta**): um *planeta* que orbita uma outra *estrela* que não o Sol.

planeta gigante: um planeta semelhante em tamanho e composição a Júpiter, Saturno, Urano ou Netuno, que consiste num núcleo sólido de rocha e gelo circundado por grossas camadas de gás, principalmente *hidrogênio e hélio*, com uma massa que vai de umas doze massas da Terra até muitas centenas de vezes a massa da Terra.

planetas internos: os planetas do Sol – Mercúrio, Vênus, Terra e Marte – todos os quais são pequenos, densos e rochosos em comparação com os *planetas gigantes*.

planetesimal: um objeto muito menor que um planeta, capaz de construir planetas por meio de numerosas colisões mútuas.

poeira interestelar: partículas de poeira, cada uma feita de mais ou menos um milhão de *átomos*, provavelmente ejetadas para o espaço interestelar a partir das atmosferas de *estrelas vermelhas gigantes* altamente rarefeitas.

procarionte: um membro de um dos três domínios da vida, que consiste em organismos unicelulares em que o material genético não reside dentro de um *núcleo* bem definido da célula.

proteína: uma *molécula* de cadeia longa, composta de uma ou mais cadeias de *aminoácidos*.

protoestrela: uma *estrela* em formação, contraindo-se a partir de uma nuvem de gás e poeira muito maior como resultado de sua autogravitação.

próton: uma *partícula elementar* com uma unidade de *carga elétrica* positiva encontrada no *núcleo* de cada *átomo*. O número de prótons no *núcleo* de um átomo define a identidade elementar desse átomo. Por exemplo, o *elemento* que tem um só próton é o *hidrogênio*, o que tem dois prótons é o *hélio*, e o elemento com noventa e dois prótons é o urânio.

protoplaneta: um planeta durante seus últimos estágios de formação.

pulsar: um objeto que emite pulsos regularmente espaçados de *fótons* de ondas de rádio (e frequentemente também de fótons de energia mais alta) como resultado da rápida rotação de uma *estrela de nêutron*, o qual produz *radiação* quando partículas carregadas aceleram no intenso campo magnético associado com a estrela de nêutron.

quasar (fonte de rádio quase estelar): um objeto que parece quase uma estrela, mas cujo *espectro* mostra um grande *desvio para o* *vermelho*, como resultado da imensa distância do objeto em relação à *Via Láctea*.

quilograma: uma unidade de massa no sistema métrico, que consiste em 1.000 gramas.

quilohertz: uma unidade de *frequência* que descreve 1.000 vibrações ou oscilações por segundo.

quilômetro: uma unidade de comprimento no sistema métrico, igual a 1.000 metros e aproximadamente 0,62 milha.

radiação cósmica de fundo (CBR): o mar de *fótons* produzido em toda parte no *universo* logo depois do *big bang*, que ainda preenche o universo e agora é caracterizado por uma *temperatura* de 2,73K.

radiação eletromagnética: correntes de *fótons* que carregam a energia de uma fonte de fótons.

radiação gravitacional (ondas gravitacionais): *radiação*, totalmente diferente da *radiação eletromagnética* exceto por viajar à velocidade da luz, produzida em quantidades relativamente grandes quando objetos massivos passam uns pelos outros em altas velocidades.

radiação ultravioleta: *fótons* com *frequências* e *comprimentos de onda* entre aqueles da *luz visível* e dos *raios* X.

radiação: forma reduzida de *radiação eletromagnética*. Nesta era nuclear, o termo também passou a significar qualquer partícula ou forma de luz que seja ruim para nossa saúde.

rádio: *fótons* com os mais longos *comprimentos de onda* e as mais baixas *frequências*.

raio do buraco negro: para qualquer objeto com uma massa M, medida em unidades da massa do Sol, uma distância igual a 3M quilômetros, também chamada *horizonte de eventos* do objeto.

raios gama: o tipo de *radiação eletromagnética* com a mais elevada *energia*, a mais alta *frequência* e o mais curto *comprimento de onda*.

raios X: *fótons* com *frequências* maiores que as do *ultravioleta* mas menores que as dos *raios gama*.

relatividade: o termo geral usado para descrever a *teoria da relatividade especial* e a *teoria da relatividade geral* de Einstein.

replicação: o processo pelo qual uma molécula DNA "progenitora" se divide em dois únicos cordões, cada um dos quais forma uma molécula "filha" idêntica à progenitora.

resolução: a capacidade de um dispositivo coletor de luz, como uma câmera, um telescópio ou um microscópio, captar detalhes. A resolução é sempre aperfeiçoada com maiores lentes ou espelhos, mas esse aperfeiçoamento pode ser anulado pelo embaçamento da atmosfera.

revolução: movimento ao redor de outro objeto; por exemplo, a Terra gira ao redor do Sol. A revolução é frequentemente confundida com a *rotação*.

RNA (ácido ribonucleico): uma grande e complexa molécula, composta dos mesmos tipos de moléculas que constituem o DNA. Desempenha várias funções importantes dentro das células vivas, inclusive transportar as mensagens genéticas contidas no DNA para os locais onde são montadas as *proteínas*.

rotação: o movimento giratório de um objeto sobre seu próprio eixo. Por exemplo, a Terra gira uma vez a cada 23 horas e 56 minutos.

satélite WMAP (Sonda de Anisotropia de Micro-ondas Wilkinson): O satélite lançado em 2001 para estudar a *radiação cósmica de fundo* com um detalhamento maior do que o *satélite COBE* conseguiu realizar.

satélite: um objeto relativamente pequeno que orbita outro muito maior e mais massivo; mais precisamente, ambos os objetos orbitam seu centro comum de massa, em órbitas cujos tamanhos são inversamente proporcionais às massas dos objetos.

seleção natural: sucesso diferencial na reprodução entre organismos da mesma espécie, a força propulsora por trás da *evolução* da vida sobre a Terra.

SETI (*search for extraterrestrial intelligence*): a busca de inteligência extraterrestre.

singularidade inicial: o momento em que a expansão do *universo* começou, também chamado *big bang*.

sistema solar: o Sol mais os objetos que o orbitam, inclusive *planetas*, seus *satélites*, *asteroides*, *meteoroides*, *cometas* e poeira interplanetária.

solvente: um líquido capaz de dissolver outra substância; um líquido dentro do qual *átomos* e *moléculas* podem flutuar e interagir.

sublimação: a transição do estado sólido para o gasoso, ou de gás para sólido, sem uma passagem pelo estado líquido.

submilimétrico: *radiação eletromagnética* com *frequências* e *comprimentos de onda* entre aqueles do *rádio* e do *infravermelho*.

supernova: uma *estrela* que explode ao final de seu período de vida de *fusão nuclear*, atingindo uma *luminosidade* tão enorme por algumas semanas que pode quase igualar a produção de energia de uma *galáxia* inteira. As supernovas produzem e distribuem *elementos* mais pesados que o *hidrogênio* e o *hélio* por todo o espaço interestelar.

telescópio (gama, raio X, ultravioleta, óptico (visível), infravermelho, micro-onda, rádio): os astrônomos têm projetado telescópios e detectores especiais para cada parte do *espectro*. Algumas partes desse espectro não atingem a superfície da Terra. Para ver os *raios gama*, os *raios X*, o *ultravioleta* e o *infravermelho* que são emitidos por muitos objetos cósmicos, esses telescópios devem ser colocados em órbita acima das camadas absorventes da atmosfera da Terra. Os telescópios têm diferentes projetos, mas partilham três princípios básicos: (1) coletam *fótons*, (2) focam fótons, e (3) registram os fótons com algum tipo de detector.

Telescópio Espacial Hubble: o telescópio baseado no espaço que foi lançado em 1991. Tem assegurado maravilhosas imagens em *luz visível* de uma legião de objetos astronômicos, em virtude do fato de que o telescópio pode observar o cosmos sem os efeitos absorventes e degradantes inevitavelmente produzidos pela atmosfera da Terra.

temperatura: a medida da *energia cinética* média do movimento aleatório dentro de um grupo de partículas. Na *escala de temperatura Kelvin* ou *absoluta*, a temperatura de um gás é diretamente proporcional à energia cinética média das partículas no gás.

teoria da relatividade especial: proposta pela primeira vez em 1905 por Albert Einstein, essa teoria propicia uma compreensão renovada de espaço, tempo e movimento. A teoria é baseada em dois "princípios da relatividade": (1) a velocidade da luz é constante para todos, seja qual for o modo escolhido para medi-la; e (2) as leis da física são as mesmas em qualquer sistema de referência que esteja estacionário ou em movimento com uma velocidade constante. A teoria foi mais tarde estendida para incluir sistemas de referência de aceleração na *teoria da relatividade geral*. Os dois princípios da relatividade que Einstein *pressupôs* vieram a ser validados em todo experimento já realizado. Einstein estendeu os princípios da relatividade até suas conclusões lógicas e previu uma série de conceitos inusitados, incluindo:

- Não existe o que se chama eventos simultâneos absolutos. O que é simultâneo para um observador talvez tenha sido separado no tempo para outro observador.
- Quanto mais rápido você viaja, mais lentamente progride seu tempo em relação a alguém que o está observando.
- Quanto mais rápido você viaja, mais massivo você se torna, de modo que os motores de sua espaçonave são cada vez menos eficazes em aumentar sua velocidade.
- Quanto mais rápido você viaja, mais curta se torna sua espaçonave – tudo se torna mais curto na direção do movimento.
- À velocidade da luz, o tempo se detém, você tem comprimento zero, e sua massa é infinita. Depois de compreender o absurdo

desse caso limite, Einstein concluiu que não se pode atingir a velocidade da luz.

teoria da relatividade geral: introduzida em 1915 por Albert Einstein, sendo o desdobramento natural da *teoria da relatividade especial* no domínio dos objetos *sob aceleração*, é uma teoria moderna da gravidade que explica com sucesso muitos resultados experimentais não explicáveis em termos da teoria da gravidade de Newton. Sua premissa básica é o "princípio da equivalência", segundo o qual uma pessoa numa espaçonave, por exemplo, não consegue distinguir se a espaçonave está acelerando pelo espaço, ou se está estacionária num campo gravitacional que produziria a mesma aceleração. Desse princípio simples, mas profundo, surge uma compreensão completamente retrabalhada da natureza da gravidade. Segundo Einstein, a gravidade não é uma *força* no sentido tradicional da palavra. A gravidade é a curvatura do espaço na vizinhança de uma massa. O movimento de um objeto próximo é completamente determinado pela sua velocidade e pela quantidade de curvatura que está presente. Por mais que isso pareça contraintuitivo, a teoria da relatividade geral explica todo o comportamento conhecido dos sistemas gravitacionais já estudados, e prevê uma miríade de fenômenos até mais countraintuitivos que são continuamente verificados por experimento controlado. Por exemplo, Einstein previu que um forte campo de gravidade distorceria o espaço e curvaria perceptivelmente a luz nos seus arredores. Mostrou-se mais tarde que a luz estelar passando perto da beirada do Sol (como se pode observar durante um eclipse solar total) é deslocada de sua posição esperada por uma quantidade que corresponde precisamente às previsões de Einstein. Talvez a aplicação mais grandiosa da teoria da relatividade geral envolva a descrição de nosso universo em expansão, no qual todo o espaço é curvado a partir da gravidade reunida de centenas de bilhões de galáxias. Uma previsão importante e atualmente não verificada é a existência de "grávitons" – partículas que carregam forças gravitacionais e comunicam mudanças abruptas num campo gravitacional, como aquelas que se esperam da explosão de uma supernova.

termófilo: um organismo que prospera em altas temperaturas, perto do ponto de ebulição da água.

termonuclear: qualquer processo que pertence ao comportamento do *núcleo* atômico na presença de altas temperaturas.

Ufos ou Óvnis (objetos voadores não identificados): objetos vistos nos céus da Terra para os quais não se pode dar facilmente uma explicação natural, revelando uma profunda ignorância dentro da comunidade científica ou uma profunda ignorância entre os observadores.

universo: compreendido geralmente como tudo que existe, embora em teorias modernas o que chamamos de universo possa vir a ser apenas uma parte de um "metaverso" ou "multiverso" muito maior.

velocidade de escape: para um projétil ou nave espacial, a velocidade mínima requerida para que um objeto em direção ao espaço deixe seu ponto de lançamento e nunca retorne ao objeto, apesar da *força gravitacional* do objeto.

vento solar: partículas ejetadas do Sol, na sua maioria *prótons* e *elétrons*, que emergem continuamente das camadas mais externas do Sol, mas o fazem em números especialmente grandes no momento de uma explosão chamada explosão solar.

Via Láctea: a *galáxia* que contém o Sol e aproximadamente 300 bilhões de outras estrelas, bem como gás e poeira interestelares e uma imensa quantidade de matéria escura.

vida: uma propriedade da matéria caracterizada pelas capacidades de reproduzir e *evoluir*.

vírus: um complexo de *ácidos nucleicos* e moléculas de *proteína* que só consegue se reproduzir dentro de uma célula "hospedeira" de outro organismo.

zona habitável: a região ao redor de uma estrela, dentro da qual o calor da estrela pode manter um ou mais *solventes* em estado líquido, portanto uma casca esférica ao redor da estrela com uma fronteira interna e outra externa.

LEITURA COMPLEMENTAR

Adams, Fred, and Greg Laughlin. *The Five Ages of the Universe: Inside the Physics of Eternity*. New York: Free Press, 1999.

Barrow, John. *The Constants of Nature: From Alpha to Omega—The Numbers That Encode the Deepest Secrets of the Universe*. NewYork: Knopf, 2003.

———. *The Book of Nothing: Vacuums, Voids, and the Latest Ideas About the Origins of the Universe*. New York: Pantheon Books, 2001.

Barrow, John, and Frank Tipler. *The Anthropic Cosmological Principle*. Oxford: Oxford University Press, 1986.

Bryson, Bill. *A Short History of Nearly Everything*. New York: Broadway Books, 2003.

Danielson, Dennis Richard. *The Book of the Cosmos*. Cambridge, MA: Perseus, 2001.

Goldsmith, Donald. *Connecting with the Cosmos: Nine Ways to Experience the Majesty and Mystery of the Universe*. Naperville, IL: Sourcebooks, 2002.

———. *The Hunt for Life on Mars*. New York: Dutton, 1997.

———. *Nemesis: The Death-Star and Other Theories of Mass Extinction*. New York: Walker Books, 1985.

———. *Worlds Unnumbered: The Search for Extrasolar Planets*. Sausalito, CA: University Science Books, 1997.

———. *The Runaway Universe: The Race to Find the Future of the Cosmos*. Cambridge, MA: Perseus, 2000.

Gott, J. Richard. *Time Travel in Einstein's Universe: The Physical Possibilities of Travel Through Time*. Boston: Houghton Mifflin, 2001.

Greene, Brian. *The Elegant Universe*. New York: W. W. Norton & Co., 2000.

———. *The Fabric of the Cosmos: Space, Time, and the Texture of Reality*. New York: Knopf, 2003.

Grinspoon, David. *Lonely Planets: The Natural Philosophy of Alien Life*. New York: HarperCollins, 2003.

Guth, Alan. *The Inflationary Universe*. Cambridge, MA: Perseus, 1997.

Haack, Susan. *Defending Science—Within Reason*. Amherst, NY: Prometheus, 2003.

Harrison, Edward. *Cosmology: The Science of the Universe*, 2nd ed. Cambridge: Cambridge University Press, 1999.

Kirshner, Robert. *The Extravagant Universe: Exploding Stars, Dark Energy, and the Accelerating Cosmos*. Princeton, NJ: Princeton University Press, 2002.

Knoll, Andrew. *Life on a Young Planet: The First Three Billion Years of Evolution on Earth*. Princeton, NJ: Princeton University Press, 2003.

Lemonick, Michael. *Echo of the Big Bang*. Princeton, NJ: Princeton University Press, 2003.

Rees, Martin. *Before the Beginning: Our Universe and Others*. Cambridge, MA: Perseus, 1997.

———. *Just Six Numbers: The Deep Forces That Shape the Universe*. New York: Basic Books, 1999.

———. *Our Cosmic Habitat*. New York: Orion, 2002.

Seife, Charles. *Alpha and Omega: The Search for the Beginning and End of the Universe*. New York: Viking, 2003.

Tyson, Neil deGrasse. *Just Visiting This Planet: Merlin Answers More Questions About Everything Under the Sun, Moon and Stars.* New York: Main Street Books, 1998.

———. *Merlin's Tour of the Universe: A Skywatcher's Guide to Every--thing from Mars and Quasars to Comets, Planets, Blue Moons and Werewolves.* New York: Main Street Books, 1997.

———. *The Sky is not the Limit: Adventures of an Urban Astrophysicist.* New York: Doubleday & Co., 2000.

———. *Universe Down to Earth.* New York: Columbia University Press, 1994.

———. Robert Irion, and Charles Tsun-Chu Liu. *One Universe: At Home in the Cosmos.* Washington, DC: Joseph Henry Press, 2000.

ÍNDICE REMISSIVO

2001: A Space Odyssey (2001: Uma odisseia no espaço), 244

A

A inércia de um corpo depende de seu conteúdo de energia? (Einstein), 31
abdução alienígena, 299-300
ácido desoxirribonucleico (DNA), 331
ácido ribonucleico (RNA), 337
Agência Espacial Europeia (ESA), 234, 288
aglomerado Coma Berenices, 64
aglomerado de estrelas M13, 303
aglomerados de estrelas globulares, 143
aglomerados de estrelas, 70, 114, 143-144
aglomerados de galáxias, 59, 64-66, 68-70, 76, 84, 99, 129, 144, 191

AGNs (galáxias com núcleos ativos), 141-142, 315
água, 13
alanina, 256
álcool etílico, 289
álcool metílico, 269, 271, 285
Allen, Paul, 306
alongamento orbital, 225
Alpha Centauri, 220, 303
Alpher, Ralph, 54
anãs brancas, 88-89
anãs marrons, 158
Anderson, Carl David, 43
Annalen der Physik, 31
ano cósmico, 124
antielétrons (pósitrons), 38, 44
anti-hidrogênio, 44, 47
antimatéria, 22, 33, 36-39, 43-49, 316
antineutrinos, 38
antinêutron, 45-46
antiquarks, 38

antropomórfico, 238
Archaea, 257, 316
Arecibo, P.R., 303
Ariel, 210
Aristarco, 215, 242
Aristóteles, 242
armazenamento de, 46
Arp, Halton, 121
árvore da vida, evolutiva, 257-258, 261
asteroide 13123 Tyson, 212-213
asteroide 1994KA, 212
asteroides, 23
    e extinções em massa na Terra, 24, 68, 183
astrobiologia, 11, 244
Astrofísica, 66, 76, 92, 115, 142, 182
Astrophysical Journal, 57, 152
Atkinson, Robert d'Escourt, 168
Atlas of Peculiar Galaxies (Arp), 121
atmosfera da Terra, 211, 249, 275-276, 278, 284, 331, 334, 338-339
átomos, 23
    carga elétrica de, 37, 45
aurora austral, 211
aurora boreal, 211
auroras, 211

B

bactéria (ramo biológico), 24
e quimiossíntese, 259
    galáxias espirais barradas, 118-119, 121, 123
Bentley, Richard, 130
berílio, 176, 181
Berkeley Cyclotron, 185
big bang, 25
    era de Planck depois de, 34-35
    era hádron depois de, 38
    era quark-lépton depois de, 37
    origem do nome de, 25
    transição quark-para-hádron depois de, 38
    ver também universo
bismuto, 246
blazares, 141
Blob, The (A bolha assassina), 244
bomba atômica, 185-186
bomba de hidrogênio, 89, 183
Bondi, Hermann, 55
boro, 176, 186
Bose, Satyendranath, 36
bósons, 36
braço de Órion na Via Láctea, 23, 159
Brookhaven National Laboratories, 37
Bruno, Giordano, 216
Buda, 13
buracos negros, 21, 40, 68, 81, 138, 142, 172, 311-312
buracos negros supermassivos, 138-139, 141-143
Burbidge, E. Margaret, 165
Burbidge, Geoffrey R., 165
busca de inteligência extraterrestre (SETI), 304-305-306-319-338

C

cálcio, 136, 164, 246-247
Caliban, 210
Calisto, 200
calor, 30, 53, 156, 179, 181, 209, 227-228, 248, 255, 263, 266, 284, 287-288, 342

campos magnéticos, 154, 156, 203, 207, 211
carboidratos, 259-260, 318, 327
carbono, 24
   na Terra, 24, 58,
   produção estelar do, 153, 164
carga elétrica, 37, 45, 168-169, 174, 255, 316, 318, 322, 326-327, 332, 335
Caronte, 210
Cavendish, Henry, 174
Ceres, 183-186
cério, 183
CERN (Organização Europeia para a Pesquisa Nuclear), 44
Chadwick, James, 168
cianeto de hidrogênio, 251
cianogênio, 58
ciência, 11
   como extensão dos cinco sentidos, 309-310, 312
cinturão de asteroides, 184, 200
Cinturão de Kuiper, 207, 318-319, 335
civilizações extraterrestres: 295, 302, 350
   ver também busca de inteligência
classe de supermassivos, 138-139, 141-143
cloreto de gálio, 181
cloreto de sódio, 173, 181
cloro, 173, 246-247
cometas, 23
   e a origem da vida sobre a Terra, 125
   formação de, 202
   órbitas de, 125
   tamanho de, 251
   ver também Cinturão de Kuiper
comprimento de onda, 52-53, 56, 160, 222, 319-321, 324, 336
Comstock, George Cary, 152
constante cosmológica, 82
   abordagem antrópica de, 107-110
   e a teoria da relatividade geral de Einstein, 21, 66, 80, 81, 337, 339
constante de Hubble, 84, 91, 93, 319
constelação de Andrômeda, 113, 117
constelação de Cefeu, 116
constelação de Sagitário, 311
constelação de Touro, 113
constelação do Caranguejo, 231
Constituição interna das estrelas, A (Eddington), 166
cosmologia, 54
   conceito de multiverso em, 106, 108
   "problema Nancy Kerrigan" em, 105
contínuo espaço-tempo, 29
Copérnico, Nicolau, 215, 242
Cordélia, 210
Cratera do Meteoro, Arizona, 250
Crumb, R., 110

D

Darwin, Charles, 254
Day the Earth Stood Still, The (O dia em que a Terra parou), 301
Deimos, 200, 208
densidade crítica, 85, 87-88, 93
deriva continental, 248

Desdêmona, 210
deslocamento Doppler, 320
deutério, 39, 72, 176, 273
diagrama de Hubble, 91-92, 117-118, 120-121, 123
Dicke, Robert H., 57
dinossauros, 24, 182, 251-253
dióxido de carbono, 24, 179, 251, 259, 275-277, 279, 319, 321, 327-328
dióxido de titânio, 179
Dirac, Paul A. M., 44-46
Donne, John, 16
Drake, Frank, 239, 323

E

energia, 21-22, 29-32, 40, 43, 53, 60, 73, 88, 90, 93, 98, 101, 104, 134, 137, 157
ver também energia escura
espaço, 21
  conceito de multiverso e, 106, 108
  curvatura do, 84, 93, 96-97
  densidade média do, 55
  energia escura e, 60, 82, 88, 92-94, 98-104, 106, 110, 319, 322
estrelas, 11, 23, 40, 65, 129
  análise espectral das, 160
  as mais próximas, 206
  de alta massa, 137, 144, 170-171
  e a criação dos elementos pesados, 137, 144, 165, 168, 171
  formação das, 157
  gigantes vermelhas, 155, 163, 179, 182
  massas das, 142
  radiação das, 134

variável Cefeida, 116-117
$E=mc^2$, 31-38, 46, 48, 93, 180
Earth Versus the Flying Saucers (A invasão dos discos voadores), 301
Eddington, Arthur, 166
efeito Doppler, 91, 95, 115, 219-220, 222, 224, 226, 230, 320-321
efeito estufa, 276-277, 284, 322
Einstein, Albert, 31-32, 63, 79-80, 126, 319, 339-340
einstêinio, 183
elementos, 23
  na Terra, mais abundantes, 173
  pesados, criação de, 137, 144
  seis mais abundantes, 246, 266
eletricidade, 30, 255
elétrons, 22
  em átomos, 36, 174
energia escura, 60, 82, 88, 93, 98, 101, 104, 106, 319
energia geotérmica, 259, 266
enxofre, 246-247, 259-260, 289, 316
equação de Drake, 239-242, 292-293, 323
era do bombardeamento, 251, 254
escala Kelvin, 33, 323
espaço interplanetário, 128, 203-204, 211
espectroscopia, análise espectral, 115
espectroscópio, 115
Essay on Man, An (Um ensaio sobre o homem) (Pope), 215
estados hipnagógicos, 299
estrela 55 Cancri, 230-232
estrelas de alta massa, 137, 144, 159, 164-165, 171
estrelas variáveis Cefeidas, 116-117

ORIGENS 351

Etano, 269, 285, 288
Eucarya, 257
Europa, 121, 200, 209, 269, 271, 285-287, 291, 325
experimento Miller-Urey, 255-256, 258, 265
Explorador do Fundo Cósmico (COBE), 95-96, 135, 319, 337
extinção do Cretáceo-Terciário, 252
extinção do Permiano-Triássico, 252
extinções em massa, 252
extraterrestre, 217-218, 238-239, 244, 265, 267-269, 271, 287, 291, 295-297, 299-302, 304, 306, 324, 338, 347
extraterrestre; objetos voadores não identificados, 298, 341
extremófilos, 258, 262-263, 326

F

Faraday, Michael, 208
Fermi, Enrico, 306-307
ferro, 89, 137, 164, 170, 180-181, 204, 228, 246-247, 249, 260-261, 326-327
  e as supernovas, 88-94, 97, 121, 144, 164-165, 170-171, 177, 180, 217, 324, 338
  na Terra, 204
filosofia, 13
  de Spinoza, 17, 108
  dos antigos gregos, 260
Finnegans Wake (Joyce), 36
física, 22, 29-30
  clássica *vs.* moderna, 31
  modelos matemáticos na, 196

fissão nuclear, 180, 326
Fitzgerald, F. Scott, 234
Fobos, 200, 208
força eletrofraca, 21-22, 35, 326
força eletromagnética, 22, 36, 76, 326
força nuclear forte, 21, 35, 72, 75, 156, 169
força nuclear fraca, 22, 75-76
formaldeído, 251
fósforo, 183, 246, 309
fotinos, 43
fotografias do Campo Profundo do Hubble, 145-146
fótons, 22-24, 32-34, 36, 38-40, 46, 51-54, 58-59, 95, 133-135, 153, 155, 157-158, 169, 181, 319-321, 324, 327, 329-331, 335-338
  da radiação cósmica de fundo, 56, 58, 71, 76, 95-97, 99, 101, 135-136
fotossíntese, 249, 259, 327
Fowler, William, 165
Friedmann, Alexander, 82
fronteira K-T (Cretáceo-Terciário), 182
fungos, 252
fusão termonuclear, 23, 29, 73, 155-156, 164, 167, 169-170, 175-176, 180-181, 327

G

galáxia de Andrômeda, 113, 116-117, 119-120, 327-328
galáxias, 12, 58-69, 84, 91, 146, 191, 241, 311, 329, 334, 341
galáxias elípticas, 117-118, 120, 144

galáxias espirais, 67, 71, 117, 119, 123, 144
galáxias irregulares, 118, 120, 334
galáxias N, 141
galáxias peculiares, 121-123
galáxias Seyfert, 141
Galileo Galilei, 151-152, 285
Galileo, espaçonave, 332
gálio, 181, 246
Galle, John, 351
Gamow, George, 54-55, 57, 82
Ganimedes, 200, 285, 287
gases, 46, 67, 175, 194, 196, 211, 227-228, 266, 268, 288
Gell-Mann, Murray, 36
gelo seco, 251, 279-281, 319, 328
General Catalogue of Nebulae and Clusters of Stars, A (Um catálogo geral de nebulosas e aglomerados de estrelas (Herschel), 114
geração de, 137, 237
geradores termoelétricos por radioisótopos (RTGs), 186
germânio, 181, 268
gigantes vermelhas, 155, 163, 171-172, 179, 182
globulares, 143
glúon, 43
Gold, Thomas, 55, 213
Gott, J. Richard, III, 55
grafita, 194
Grande Nuvem de Magalhães, 121, 328, 334
gravidade, 21, 59, 48, 60, 232, 321, 340
  numa escala atômica, 133
gravidade quântica, 34

gravitinos, 43
Great Gatsby, The (Fitzgerald), 234
guanina, 256, 333
Gulliver's Travels (As viagens de Gulliver) (Swift), 208
Guth, Alan, 85-86

H

hádrons, 38-39
Halley, cometa, 273
Harkins, William D., 168
Hawking, Stephen, 40-41, 108
hélio, 23, 39, 51, 72-73, 75, 134, 136-137, 144, 153, 157, 161, 163-168, 170-172, 175-176, 180-181, 183, 195-196, 228, 246, 266, 316, 318, 328, 334-335, 338
Herman, Robert, 54-55, 57
Herschel, Caroline, 113
Herschel, John, 113-115
Herschel, William, 113, 184, 210
Hewlett-Packard, 306
hidrogênio, 23, 39, 44, 47, 72, 89, 136-137, 153, 156, 158, 161-167, 170-176, 181, 183, 194-196, 228, 246-247, 250-251, 255, 259, 266-267, 269, 272-275, 277, 281-282, 288, 316, 318, 322, 327-329, 334-335, 338
Hindenburg, 175
hipótese nebular (Kant), 193
Hiroshima, 185-186
Holmberg, Erik, 122
Homo sapiens, 25
Hooker, Joseph, 254
Hoyle, Fred, 55-56, 165

Hubble, Edwin P., 116, 309-310
Hyakutake, cometa, 207
Hynek, J. Allen, 298

I

Ist die Trägheit eines Körpers von seinem Energieinhalt abhängig? (A inércia de um corpo depende de seu conteúdo de energia?) (Einstein), 31
Igreja Católica Romana, 242
Ilhas Galápagos, 258
imprensa, e o surgimento da ciência, 262
Instituto Científico do Telescópio Espacial, 145-146
Invasion of the Body Snatchers (Vampiro de almas), 295
Io, 200, 209, 285-286
irídio, 182
isótopos, 174, 184, 259, 266, 318, 332, 334

J

Jeans, James, 193
Jeffery, G. B., 32
Joyce, James, 36
Julieta, 210
Júpiter, 113, 174, 183-184, 195, 198-199, 206-212, 217, 220-223, 225-227, 229-231, 269, 283, 285-288, 292, 316, 320, 325, 332, 334
  campo magnético de, 174
  cinturão de asteroides e, 184
  como escudo gravitacional da Terra, 212
  luas de, 113, 209
  planetas extrassolares comparados com, 217-218, 225, 227

K

Kant, Immanuel, 117
  hipótese nebular de, 193
Kapteyn, Jacobus Cornelius, 152
Kepler, Johannes, 108
Kepler, missão, 233
Kuiper, Gerard, 206

L

Laboratório de Propulsão a Jato, 287
lâmina de Occam, 299
laser, 289, 305, 307
Le Verrier, Joseph, 185
lei de Hubble, 91, 319, 329
Lemaître, Georges Edouard, 54
léptons, 36
Levy, David, 212
LINERs (regiões de linhas de emissão nuclear de baixa ionização), 141
lítio, 23, 39, 72, 136, 161-163, 176-177, 181
Lowell, Percival, 278
Lua, 32, 69, 113, 183, 200-201, 204-207, 209, 211, 229, 232, 253, 272-275, 285, 287, 296
luas, 69, 113, 186, 198-200, 203, 208-210, 217, 268, 285-287, 289, 332, 347

LUCA (último ancestral comum universal), 261
Lucrécio, 19
luminosidade, 138-139, 142, 158-159, 163, 317, 325, 330, 338

M

Magalhães, Fernão de, 83, 120-121, 328, 334
magnésio, 164, 246-247
mamíferos, 24, 153
Maomé, 13
Mars as the Abode of Life (Marte como o domicílio da vida) (Lowell), 278
Marte, 183, 196, 199, 200, 201, 204-206, 208, 210, 217, 224, 228, 278-283, 287-288, 291, 316, 336
Marvell, Andrew, 268
maser, 289
massa ausente, 64, 66-67
matéria escura, 39, 60, 66-77, 79, 85, 136, 142, 315, 328, 330, 341
mecânica quântica, 21, 31, 34-35, 73, 89, 125-126, 131, 133, 167, 170, 180, 312, 331
mercúrio (elemento), 184
Mercúrio (planeta), 184, 199-200, 204, 210, 220, 224, 277-228, 230, 287, 320, 335
metano, 234, 251, 255, 289
meteoritos, 197, 208, 229, 256
meteoroides, 202, 268, 316, 318, 338
método científico, 16
Michelson, 73

micro-ondas, 23, 33, 53, 56-58, 61, 95, 153, 289, 311, 337
Microsoft, 306
migração planetária, 232
Mikado, The (Gilbert e Sullivan), 133
Milgrom, Mordehai, 70, 321
Miller, Stanley, 255-256, 258, 265
Miranda, 209
missão *Cassini-Huygens*, 288
mitos da criação, 12, 107
modelo do vórtice para a formação planetária, 197, 198
modelo ecpirótico, 109, 110
Moisés, 13
moléculas, 23, 251, 260
MOND (dinâmica newtoniana modificada), 70-71, 75, 321
monóxido de carbono, 179, 251
Morley, Edward, 73
movimento, 30-31, 64, 71, 86, 95, 115, 124, 154, 157, 187, 208, 221-224, 233, 278, 286, 294, 311, 315, 321-322, 337, 339-340
multiversos, 41, 106-, 109, 341
múons, 43

N

Nagasaki, 186
NASA (Administração Nacional da Aeronáutica e do Espaço), 140, 146-147, 216, 233-234, 288, 332
natureza, quatro forças da, 22, 34-35
nebulosa da Tarântula, 121
nebulosa de Andrômeda, 113, 116-117

nebulosa de Órion, 159, 162, 193
nebulosa do Caranguejo, 113
nebulosas, 113-117, 119, 151, 167, 311
nebulosas elípticas, 114
nebulosas espirais, 114-117
nebulosas irregulares, 114
nebulosas planetárias, 114, 116
neônio, 164, 170, 180, 246, 266
netúnio, 185
Netuno, 129, 138, 184-185, 195, 198, 203, 207, 224, 227, 320, 332, 334
e o Cinturão de Kuiper, 207, 318-319, 335
neutrinos, 36, 38, 75-76
detecção de, 181
neutrino de múon, 43
nêutrons, 22, 33, 36, 38-39, 45, 72, 156, 168, 170, 174, 180, 274, 317-318, 324, 326, 328-329, 333-334
Newsletter of Chemically Peculiar Red Giant Stars (Informativo das estrelas gigantes vermelhas quimicamente peculiares), 172
Newton, Isaac, 63, 65, 108, 130-131, 223
leis da gravidade de, 30
nióbio, 246
nitrogênio, 58, 136-137, 164, 177, 181, 246-247, 251, 266, 269, 288, 316, 332-333
núcleos, atômicos, 22, 39, 54, 320, 326, 331
nucleotídeos, 256, 333
número atômico, 174, 182
Nuvem de Oort, 206-207, 333
Nuvens de Magalhães, 120-121, 328

O

O lado escuro da Lua, 274
objetos voadores não identificados (óvnis ou ufos), 298, 341
Observatório Lowell, 185
Observatório Mount Wilson, 116
Observatório Nacional Kitt Peak, 178
Observatório Palomar, 121
Oceano Pacífico, 183, 258
oceanos, 24, 232-233, 247, 250-251, 262, 268, 271-273, 277-278, 284, 287, 293
Oelert, Walter, 44
Ofélia, 210
Oliver, Bernard, 306
ondas de rádio, 53, 56, 79, 138-139, 288, 302, 304-305, 335
Oort, Jan, 206-207, 333
orbitador lunar *Clementine*, 273
organismos aeróbios, 24
Organização Europeia para a Pesquisa Nuclear (CERN), 44
Origem das espécies, A (Darwin), 254
ósmio, 182
ozônio, 24, 334

P

paládio, 184
Palas, 183-184, 186
parada do Dia de Ação de Graças da Macy, 176
Parapsicologia, 310
pares matéria-antimatéria, 33
partículas subatômicas, 33, 45, 76, 166

ver também partículas específicas
planetas extrassolares, 217-218, 225, 227
Plutão, 184-186, 202, 207, 210, 220, 224, 229, 319, 334
Península de Yucatán, 24
Penzias, Arno, 56-57
período orbital, 222-225, 230, 233
Perrett, W., 32
peso atômico, 168
Piazzi, Giuseppe, 183
Pink Floyd, 274
Pioneer programa, 208
pirita de ferro, 260-261
placas tectônicas, 248, 286, 334
Planck, Max, 34-35, 312
Planet of the Apes (*Planeta dos Macacos*), 295
planetas gigantes gasosos, 195-196, 229-230
planetesimais, 195-202, 262
Platão, 13
platina, 182
Plutinos, 207
plutônio, 185-186, 246
poeira, interestelar, 118, 153, 194, 327, 335
Pope, Alexander, 210, 215
Pórcia, 210
pósitrons (antielétrons), 38-39, 45, 47
potássio, 246-247, 266
potássio-, 259
princípio antrópico (abordagem antrópica), 107, 109
princípio copernicano, 242-244, 246-247, 292, 296
Principle of Relativity, The (Einstein), 32

problema neutrino solar, 181
processo de captura rápida de nêutrons, 169
programa *Apollo*, 205
programa *Voyager*, 186, 285, 332
proteínas, 266, 320, 337
prótons, 22, 33, 36-39, 44, 47, 51, 72, 134, 156-157, 165, 168-170, 174-178, 180-181, 185, 317-318, 322, 326, 328-329, 332-335, 341
Ptolomeu, 242
Puck, 210

Q

quarks, 36-38, 45-46, 334
quasares, 138-141, 172, 315
química nuclear, 165-166
quimiossíntese, 259

R

radiação cósmica de fundo (CBR), 53-54, 56-61, 95-97, 99, 134-135, 318, 336
radiação eletromagnética, 32, 79, 302, 304, 316, 327, 329-330, 336, 338
radiação Hawking, 41
radiotelescópios, 303
radônio, 312
raios gama, 33-34, 46, 48, 52, 168, 311, 336-338
raios X, 34, 52, 138, 311, 336-338
Rape of the Lock, The (O rapto da madeixa) (Pope), 210
Reagan, Ronald, 118

Realm of the Nebulae (Reino das nebulosas) (Hubble), 117
relatividade,
   teoria especial da, 31, 85, 324, 337, 339-340
   teoria geral da, 21, 66, 80-81, 125, 337, 339-340-341
respiradouros do mar profundo, 259-260, 262
Reviews of Modern Physics, 165
revolução industrial, 30
RTGs (geradores termoelétricos por radioisótopos), 186
Rubin, Vera, 66-67

S

Sagan, Carl, 148
satélites, 125, 134, 199, 200, 202, 211
   ver também satélites específicos
Saturno, 113, 179, 184, 195, 198, 210-212, 227, 269, 287-288, 292, 320, 332, 334
   Cassini-Huygens sonda de, 212
Schwarzschild, Karl, 80
seções de choque de colisão, 166, 1700
Sedna, 207
Segunda Guerra Mundial, 118, 186, 304
selênio, 183
Shakespeare, William, 210
Shoemaker, Caroline, 212
Sidereus Nuncius (O mensageiro sideral) (Galileo), 151

Signs (Sinais), 302
silício, 137, 153, 164, 177-178, 194, 228, 247, 267
Síntese dos elementos nas estrelas, A (Burbidge, Burbidge, Fowler, e Hoyle), 165
sistema solar, 24, 65, 68, 138-139, 184-187, 194, 196-198, 200-204, 206-209, 212, 215-217, 220, 223, 225, 228-230, 232, 238, 242-243-248-253-256, 262, 268, 274, 278, 338
Sobre a absorção da luz no espaço (Kapteyn), 152
Sobre a eletrodinâmica dos corpos em movimento (Einstein), 31
sódio, 136, 173, 178, 181, 246, 247, 262, 286
Sol, 262
sólidos, 108, 195, 227-229, 268
solventes, 269, 282, 284, 342
Sonda de Anisotropia de Micro-ondas 61, 337
sopa primordial, 34, 284
Spinoza, Baruch, 17, 108
squarks, 43
Star Trek (Jornada nas Estrelas), 47, 294
Star Wars (Guerra nas Estrelas), 295
Steinhardt, Paul, 109-110
sublimação, 280, 338
superaglomerado de Virgem, 23, 129
superaglomerados de galáxias, 59, 60, 71, 125, 126, 134, 148
superfície da última dispersão, 59
Supernova 1987A, 121
Supernovas Tipo Ia, 88, 90, 99, 164
Swift, Jonathan, 208,
Sycorax, 210

T

tabela periódica dos elementos, 161, 173, 185, 187
tecnécio, 171, 182
Telescópio Espacial Hubble, 90, 140, 184, 211, 329, 338
Telescópio Espacial James Webb (JWST), 146, 329
Telescópio Hale, 121
Telescópio Hooker, 116
Telescópio Infravermelho Spitzer (SIRTF), 147
telescópios de neutrino, 181
telescópios de rádio, 194
televisão, 16, 32, 47, 294, 300, 304-306
telúrio, 183
teoria das cordas, 109, 312
teoria do estado estacionário, 55-56
Terra,
    atmosfera da, 211, 249, 275-276, 278, 284, 331, 334, 338-339
    como centro do universo, 297
    fronteira K-T na crosta da, 182
    gravidade da, 209
Time Travel in Einstein's Universe (Gott), 55
Titã, 179, 200, 269, 285, 287, 288-289, 291, 332
    atmosfera de, 288-289
    sonda *Cassini-Huygens* para, 288, 332
titânio, 179, 181
Tombaugh, Clyde,
Toomre, Alar, 122-123
Toomre, Juri, 122-123
tório, 184, 266
transição de fase, 86, 132-133
Trapézio de Órion, 159
Tremaine, Scott, 192-193
Tritão, 200
trítio, 39
Turner, Michael, 105
Turok, Neil, 109
Tycho (cratera lunar), 253
Tyson, J. Anthony, 69

U

Umbriel, 210
universo, 243, 297
urânio, 184-186, 266, 322, 335
Urano, 184-185, 195, 198, 209-210, 227, 320, 322, 334
Urey, Harold, 255-256, 258, 265

V

van Helden, Albert, 152
vento solar, 211, 341
Vênus, 183, 196, 212, 276, 288
vermes tubulares, 259
Via Láctea,
vida, 252, 254, 256-257, 261, 267, 269, 642
vírus, 311, 342

W

Wächtershäuser, Günter, 26-261, 265
Weinberg, Stephen, 108
Wilkinson (WMAP), 61, 337

Williams, Robert, 145
Wilson, Robert, 56-57, 116
Woese, Carl, 257

Z

Zohner, Nathan, 281-282

Zur Elektrodynamik bewegter Körper
 (Sobre a eletrodinâmica dos corpos
 em movimento) (Einstein), 31
Zwicky, Fritz, 64, 66

ABREVIATURAS

AURA: Association for University Research in Astronomy (Associação de Universidades para Pesquisa em Astronomia)

CFHT: Canada, France, Hawaii Telescope (Telescópio Canadá-França-Havaí)

ESA: European Space Agency (Agência Espacial Europeia)

ESO: European Southern Observatory (Observatório Europeu do Sul)

NASA: National Aeronautics and Space Administration (Administração Nacional da Aeronáutica e do Espaço)

NOAO: National Optical Astronomical Observatory (Observatório Nacional de Astronomia Óptica)

NSF: National Science Foundation (Fundação Nacional da Ciência)

USNO: United States Naval Observatory (Observatório Naval dos Estados Unidos)

CRÉDITOS DAS IMAGENS

1. Equipe de Ciência WMAP, NASA
2. S. Beckwith e o Grupo de Trabalho do Campo Ultraprofundo do Hubble, ESA, NASA
3. Andrew Fruchter et al., NASA
4. N. Benitez, T. Broadhurst, H. Ford, M. Clampin, G. Hartig, e G. Illingworth, ESA, NASA
5. A. Siemiginowska, J. Bechtold, et al., NASA
6. O. Lopez-Cruz et al., AURA, NOAO, NSF
7. Arne Henden, USNO
8. Observatório Europeu do Sul
9. Equipe do Legado de Hubble, A. Riess, NASA
10. Diane Zeiders e Adam Block, NOAO, AURA, NSF
11. P. Anders et al., ESA, NASA
12. Equipe de Legado de Hubble, NASA
13. AURA/NOAO/NSF
14. M. Heydari-Malayeri (Observatório de Paris) et al., ESA, NASA
15. Atlas – Imagem obtida como parte do censo de todo o céu em dois mícrons, um projeto conjunto de UMass e IPAC/Caltech, financiado pela NASA e pelo NSF.

16. Andrew Fruchter (Instituto Científico do Telescópio Espacial) et al., NASA

17. R. G. French, J. Cuzzi, L. Dones, e J. Lissauer, Equipe do Legado de Hubble, NASA

18. (a) *Voyager 2*, NASA; (b) Athena Coustenis et al., CFHT

19. Equipe de Imagens de *Cassini*, NASA

20. (a) e (b) Projeto *Galileo*, NASA

21. Projeto *Magellan*, Laboratório de Propulsão a Jato, NASA

22. Buzz Aldrin, NASA

23. Juan Carlos Casado; www.skylook.net

24. J. Bell, M. Wolff, et al., NASA

25. Robô explorador *Spirit*, NASA/Laboratório de Propulsão a Jato/Cornell

26. Robô explorador *Spirit*, NASA/Laboratório de Propulsão a Jato/Cornell

**Acreditamos
nos livros**

Este livro foi composto em Electra LH e
impresso pela Geográfica para a Editora
Planeta do Brasil em junho de 2021.